U0217527

『十三五』国家重点出版物出版规划项目

中国中药资源大典

湖北卷

5

黄璐琦 / 总主编
余　坤　黄　晓　陈家春 / 主　编

北京科学技术出版社

图书在版编目（CIP）数据

中国中药资源大典. 湖北卷. 5 / 余坤，黄晓，陈家春主编. -- 北京：北京科学技术出版社，2024. 6.

ISBN 978-7-5714-4050-3

Ⅰ. R281.4

中国国家版本馆CIP数据核字第2024Y9E003号

责任编辑： 吕　慧　刘　雪　吴　丹　李兆弟　侍　伟

责任校对： 贾　荣

图文制作： 樊润琴

责任印制： 李　茗

出 版 人： 曾庆宇

出版发行： 北京科学技术出版社

社　　址： 北京西直门南大街16号

邮政编码： 100035

电　　话： 0086-10-66135495（总编室）　0086-10-66113227（发行部）

网　　址： www.bkydw.cn

印　　刷： 北京博海升彩色印刷有限公司

开　　本： 889 mm × 1 194 mm　1/16

字　　数： 1 070千字

印　　张： 48.25

版　　次： 2024年6月第1版

印　　次： 2024年6月第1次印刷

审 图 号： GS京（2023）1758号

ISBN 978-7-5714-4050-3

定　　价：490.00元

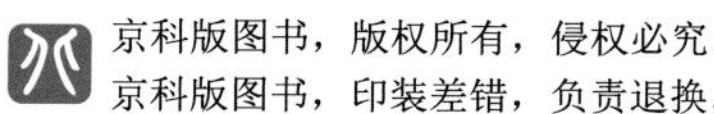

《中国中药资源大典·湖北卷》

编写委员会

李方涛　李世洋　李兴伟　李兴娇　李利荣　李宏泰　李建芝　李秋怡
李晓东　李海波　李乾富　李梓豪　李德凤　李德平　杨　建　杨　瑞
杨万宏　杨小宙　杨卫民　杨玉莹　杨光明　杨红兵　杨明荣　杨欣霜
杨学芳　杨振中　杨焰明　肖　光　肖　帆　肖　浪　肖权衡　肖惟丹
吴　丹　吴　迪　吴　勇　吴　涛　吴亚立　吴自勇　吴志德　吴和珍
吴洪来　吴海新　何　博　何文建　何江城　余　坤　余　艳　余亚心
邹远锦　邹志威　汪　婧　汪　静　汪文杰　汪乐原　张　宇　张　红
张　芳　张　明　张　沫　张　星　张　俊　张　格　张　健　张　银
张　翔　张　磊　张才士　张子良　张华良　张旭荣　张志君　张松保
张国利　张明高　张南方　张美娅　张晓勇　张梦林　张景景　张颖柔
陈　乐　陈　泉　陈　俊　陈　峰　陈　途　陈　锐　陈从量　陈秀梅
陈茂华　陈国健　陈泽璇　陈宗政　陈顺俭　陈家春　陈智国　陈霖林
范　钊　范又良　范海洲　林良生　林祖武　明　晶　季光琼　周　艳
周　密　周　晶　周卫忠　周兴明　周丽华　周建国　周重建　周根群
周瑞忠　周新星　周啟兵　庞聪雅　郑宗敬　赵　云　赵　晖　赵　翔
赵　鹏　赵东瑞　赵君宇　赵昌礼　郝欲平　胡　文　胡　红　胡天云
胡文华　胡志刚　胡建华　胡敦全　胡嫦娥　柯　源　柯美仓　柏仲华
柳卫东　柳成盟　钟　艳　郜邦鹏　姜在铎　姜荣才　洪祥云　姚　奇
秦　思　袁　杰　耿维东　聂　晶　夏千明　夏斌斌　晏　哲　钱　特
徐　雷　徐卫权　徐友滨　徐华丽　徐拂然　徐昌恕　徐泽鹤　徐德耀
高志平　郭丹丹　郭文华　唐　鼎　涂育明　谈发明　黄　莉　黄　晓
黄　楚　黄必胜　黄发慧　黄智洪　曹百惠　戚倩倩　龚　玲　龚　颜
龚绪毅　康四和　梁明华　寇章丽　彭　宇　彭义平　彭建波　彭荣越
彭宣文　彭家庆　葛关平　董　喜　董小阳　韩永界　韩劲松　森　林
喻　剑　喻　涛　喻志华　喻雄华　程　志　程月明　程淑琴　答国政
舒　勇　舒佳惠　舒朝辉　童志军　曾凡奇　游秋云　蒯梦婷　雷　普
雷大勇　雷志红　雷梦玉　詹建平　詹爱明　蔡志江　蔡宏涛　蔡洪容
蔡清萍　蔡朝晖　裴光明　廖　敏　谭卫民　谭文勇　谭洪波　熊　睿

熊小燕　熊兴军　熊志恒　熊林波　熊国飞　熊德琴　黎　曙　黎钟强

潘云霞　薛　辉　魏　敏　魏继雄

品种审定委员会（按姓氏笔画排序）

王志平　刘合刚　杨红兵　吴和珍　汪乐原　黄　晓　森　林　潘宏林

审稿委员（按姓氏笔画排序）

王　平　艾中柱　刘合刚　李建强　李晓东　肖　凌　吴和珍　余　坤

汪乐原　张　燕　陈林霖　陈科力　陈家春　苟君波　袁德培　聂　晶

徐　雷　黄　晓　黄必胜　康四和　詹亚华　廖朝林

《中国中药资源大典·湖北卷5》

编写委员会

主　　编　余　坤　黄　晓　陈家春

副 主 编　刘义梅　汪乐原　熊兴军　徐　雷

《中国中药资源大典·湖北卷》

编辑委员会

黄序

湖北省位于我国中部，地处亚热带季风气候区，位于第二级阶梯向第三级阶梯的过渡地带，温暖湿润的气候和复杂多样的地貌类型孕育了丰富的中药资源。

中药资源是中医药事业和中药产业发展的重要物质基础，是国家重要的战略性资源。湖北省作为第四次全国中药资源普查的试点省区之一，于2011年12月启动中药资源普查工作，历时11年，完成了103个县（自治县、市、区、林区）的中药资源普查工作，摸清了湖北省中药资源情况。《中国中药资源大典·湖北卷》由湖北省卫生健康委员会、湖北省中医药管理局组织编写，以普查获取的数据资料为基础，凝聚了全体普查“伙计”的共同心血与智慧，以较全面地展现了湖北省中药资源现状，具有重要的学术价值。

我曾多次与湖北省的“伙计们”一起跋山涉水开展中药资源调查，其间有许多新发现和新认识，如在蕲春县仙人台发现了失传已久的“九牛草”[*Artemisia stolonifera* (Maxim.) Komar.]。“伙计们”的专业精神令人感动，该书付梓之际，欣然为序。

中国工程院院士
中国中医科学院院长
第四次全国中药资源普查技术指导专家组组长
黄璐琦

2024年3月

前言

湖北省地处我国中部，属于典型的亚热带季风气候区。全省地势大致为东、西、北三面环山，中间低平，略呈向南敞开的不完整盆地。湖北省西部的武陵山区、秦巴山区为我国第二级阶梯山地地区，海拔落差大，小气候明显；东南部属于我国第三级阶梯，日照充足，降水丰富，环境适宜。多样的地理环境与气候特征孕育了湖北省丰富的中药资源，湖北省历来被称为“华中药库”，为我国中药生产的重要基地。

2011 年，在第四次全国中药资源普查试点工作启动之际，湖北省系统梳理本省在中药资源普查队伍、产业规模、政策支持等方面的优势，向全国中药资源普查办公室提交试点申请，获得批准，并于 2011 年 12 月 18 日正式启动普查工作。湖北省历时 11 年，分 6 批完成了全省 103 个县（自治县、市、区、林区）的野外普查工作。为进一步梳理普查成果，促进成果转化应用，湖北省于 2019 年 7 月 29 日启动《中国中药资源大典·湖北卷》的编写工作。

《中国中药资源大典·湖北卷》分为上、中、下三篇，共 10 册。上篇主要介绍湖北省的地理环境和气候特征、第四次中药资源普查实施情况、中药资源概况、中药资源开发利用情况、中药资源发展规划简介，以及湖北省新种、新记录种。中篇介绍湖北省道地、大宗药材，每种药材包括来源、原植物形态、野生资源、栽培资源、采收加工、药材性状、功能主治、用法用量、附注 9 项内容。下篇主要按照《中国植物志》的分类方法，以科、属为主线，分类介绍湖北省植物类中药资源，以便于读者了解湖北省植物类中药资源的种类、分布及应用现状等。

湖北省第四次中药资源普查共普查到植物类中药资源 4 834 种，其中具有药用历史的植物类中药资源 4 346 种。《中国中药资源大典·湖北卷》共收载植物类中药资源 3 298 种。普查过程中，发现新属 1 个、新种 17 个，重新采集模式标本 4 个，发现新分布记录科 2 个、新分布记录属 6 个。

《中国中药资源大典·湖北卷》目前收载的主要为植物类中药资源，动物类中药资源、矿物类中药资源和部分暂未收载的植物类中药资源将在补编中收载。

《中国中药资源大典·湖北卷》的编写工作由湖北省卫生健康委员会、湖北省中医药管理局组织，湖北省中药资源普查办公室、湖北中医药大学普查工作专班承担。本书是参与湖北省中药资源普查工作的全体同志智慧的结晶，在编写过程中得到了全国中药资源普查办公室和湖北省相关部门的大力支持，全省各普查单位、相关高校及科研院所的无私帮助，有关专家的悉心指导。在此，对所有领导、专家学者、普查队员等的辛勤付出表示诚挚的谢意和崇高的敬意！

本书可能存在不足之处，敬请读者不吝指正，以期后续完善和提高。

编　者

2024 年 2 月

凡例

（1）本书共10册，分为上、中、下篇。上篇综述了湖北省的地理环境和气候特征、第四次中药资源普查实施情况、中药资源概况、中药资源开发利用情况、中药资源发展规划及新种、新记录种；中篇论述了121种湖北省道地、大宗药材；下篇共收录植物类中药资源3 298种。

（2）本书下篇主要介绍各中药资源，以中药资源名为条目名，下设药材名、形态特征、生境分布、资源情况、采收加工、功能主治及附注等，其中资源情况、采收加工、附注为非必要项，资料不详者项目从略。各项目编写原则简述如下。

1）条目名。该项记述中药资源物种及其科属的中文名、拉丁学名。其中菌类、苔藓类的名称主要参考《中华本草》，蕨类、裸子植物、被子植物的名称主要参考《中国植物志》。

2）药材名。该项记述中药资源的药材名。凡《中华人民共和国药典》等法定标准收载者，原则上采用法定药材名；法定标准未收载者，主要参考《中华本草》《全国中草药名鉴》《中国中药资源志要》。

3）形态特征。该项简要描述中药资源的形态特征，突出鉴别特征。主要参考《中国植物志》，并结合普查实际所获取的信息进行描述。

4）生境分布。该项记述中药资源在湖北省的生存环境与分布区域。生存环境主要源于普查实际获取的生境信息，并参考相关志书的描述。分布区域主要介绍中药资源的分布情况，源于植物标本采集地。

5）资源情况。该项记述中药资源的蕴藏量情况，用丰富、较丰富、一般、较少、稀少来表示；并用“野生”或“栽培”记述药材的主要来源。

6）采收加工。该项记述药材的采收时间与加工方法。

7）功能主治。该项主要记述药材的功能和主治。

8）附注。该项记载中药资源最新的分类学地位与接受名的变动情况；记载《中华人民共和国药典》与地方标准收载的物种学名；描述物种其他医药相关用途，以及本草、地方志书中的相关记载情况等。

（3）附录。以名录形式收载中篇、下篇没有收载的湖北药用植物资源。

目录 Contents

被子植物

罂粟科 Papaveraceae 白屈菜属 *Chelidonium*

白屈菜 *Chelidonium majus* L.

| 药 材 名 |

白屈菜。

| 形态特征 |

多年生草本，高 30 ～ 60（～ 100）cm。主根粗壮，圆锥形，侧根多，暗褐色。茎聚伞状多分枝，分枝常被短柔毛，节上较密，后变无毛。基生叶少，早凋落，叶片倒卵状长圆形或宽倒卵形，长 8 ～ 20 cm，羽状全裂，全裂片 2 ～ 4 对，倒卵状长圆形，具不规则的深裂或浅裂，裂片边缘圆齿状，表面绿色，无毛，背面具白粉，疏被短柔毛，叶柄长 2 ～ 5 cm，被柔毛或无毛，基部扩大成鞘；茎生叶叶片长 2 ～ 8 cm，宽 1 ～ 5 cm，叶柄长 0.5 ～ 1.5 cm，其他同基生叶。伞形花序多花；花梗纤细，长 2 ～ 8 cm，幼时被长柔毛，后变无毛；苞片小，卵形，长 1 ～ 2 mm；花芽卵圆形，直径 5 ～ 8 mm；萼片卵圆形，舟状，长 5 ～ 8 mm，无毛或疏生柔毛，早落；花瓣 4，倒卵形，长约 1 cm，全缘，黄色；雄蕊长约 8 mm，花丝丝状，黄色，花药长圆形，长约 1 mm；子房线形，长约 8 mm，绿色，无毛，花柱长约 1 mm，柱头 2 裂。蒴果狭圆柱形，长 2 ～ 5 cm，直径 2 ～ 3 mm，具通常比果实短的柄；种子卵形，长约 1 mm 或更小，暗褐色，具光泽及蜂窝状小格。花果期 4 ～ 9 月。

| 生境分布 | 生于海拔 500 ～ 2 200 m 的山坡、山谷林缘草地或路旁、石缝中。分布于湖北恩施、神农架，以及宜昌、十堰、黄冈。

| 资源情况 | 药材主要来源于野生。

| 采收加工 | **全草：**夏、秋季采挖，除去泥沙，晒干或阴干。

| 功能主治 | 解痉止痛，止咳平喘。用于胃脘挛痛，咳嗽气喘，百日咳。

罂粟科 Papaveraceae 紫堇属 *Corydalis*

川东紫堇 *Corydalis acuminata* Franch.

| 药 材 名 | 尖瓣紫堇。

| 形态特征 | 多年生草本，高 20 ~ 50 cm。须根多数，粗线形，具少数纤维状细根；根茎短，盖以残枯的叶柄基，叶柄基卵圆形，长 0.7 ~ 1.5 cm，增厚。茎直立，上部具少数分枝。基生叶数枚，叶柄长 5 ~ 8 cm，基部扩大成鞘，鞘长卵形，中部厚，边缘宽膜质，叶片宽卵形，长 4 ~ 5.5 cm，3 回羽状分裂，第一回全裂片具柄，3 对，疏离，近对生，第二回裂片无柄，2 ~ 4 深裂，末回裂片披针形或倒披针形，表面绿色，背面具白粉；茎生叶 2 ~ 3，疏离，互生，下部叶具柄，最上部叶近无柄，其他与基生叶相同。总状花序顶生和侧生，长 5 ~ 8 cm，有 8 ~ 12 花；苞片最下部者同上部茎生叶，下部者羽状分裂，最上部者倒披针形、浅裂至全缘；花梗等长于或稍长于苞片，

果期远长于苞片；萼片鳞片状，白色，具缺刻状齿；花瓣紫色，上花瓣长 2 ~ 2.3 cm，花瓣片舟状卵形，具尖头，边缘波状，背部具极矮的鸡冠状突起，距圆筒形，末端稍下弯，与花瓣片近等长或略长，下花瓣长 1 ~ 1.1 cm，上部舟状卵形，先端极尖，有时渐尖，具尖头，背部鸡冠状突起极矮，中部缢缩，下部呈囊状，内花瓣提琴形，长 0.7 ~ 0.9 cm，花瓣片倒卵状长圆形，具 1 侧生囊，基部耳垂，爪狭楔形，略长于花瓣片；雄蕊束长 0.6 ~ 0.8 cm，花药极小，花丝狭披针形，蜜腺体贯穿距的 1/3 ~ 2/5；子房狭椭圆形，长 0.3 ~ 0.4 cm，胚珠多数，排成 2 列；花柱长 0.2 ~ 0.3 cm，向上渐狭，先端弯曲，柱头双卵形，具 8 乳突。蒴果狭椭圆形，长 1.5 ~ 2 cm，成熟时自果柄先端反折，具多数种子；种子近圆形，直径约 1.5 mm，黑色，具光泽。花 5 ~ 7 月，果期 7 ~ 9 月。

| 生境分布 | 生于海拔 1 600 ~ 2 100 m 的原常绿阔叶落叶阔叶混交林破坏后的草地或荒地。湖北有分布。

| 资源情况 | 野生资源较少。药材主要来源于野生。

| 采收加工 | **全草:** 4 ~ 5 月采收，除去杂质，洗净泥土，晒干。

| 功能主治 | 清热解毒，活血消肿，散瘀止痛。

罂粟科 Papaveraceae 紫堇属 *Corydalis*

湖北紫堇 *Corydalis acuminata* Franch. subsp. *hupehensis* C. Y. Wu

| 药 材 名 | 湖北紫堇。

| 形态特征 | 本种与川东紫堇的区别在于本种花较小，纤细，上花瓣长 1.7 ~ 2 cm，距直径约 1.5 mm，只有川东紫堇直径的 1/2。

| 生境分布 | 生于海拔（200 ~）1 530 ~ 3 000 m 的山坡林下或在林地破坏后的草丛中。分布于湖北西部的宣恩、兴山、保康、南漳等。

| 资源情况 | 野生资源较少。药材主要来源于野生。

| 采收加工 | **全草**：4 ~ 5 月采收，除去杂质，洗净泥土，晒干。

| 功能主治 | 清热解毒，活血消肿，散瘀止痛。

罂粟科 Papaveraceae 紫堇属 *Corydalis*

北越紫堇 *Corydalis balansae* Prain

| 药 材 名 | 黄花地锦苗。

| 形态特征 | 丛生草本，高 30 ～ 50 cm，灰绿色，具主根。茎具棱，疏散分枝，枝条花葶状，常对叶生。基生叶早枯，通常不明显；下部茎生叶长 15 ～ 30 cm，具长柄，叶片上面绿色，下面苍白色，长 7.5 ～ 15 cm，宽 6 ～ 10 cm，二回羽状全裂，一回羽片 3 ～ 5 对，具短柄，二回羽片常 1 ～ 2 对，近无柄，长 2 ～ 2.5 cm，宽 1.2 ～ 2 cm，卵圆形，基部楔形至平截，2 回 3 裂至具 3 ～ 5 圆齿状裂片，裂片先端圆钝，多少具短尖。总状花序多花而疏离，具明显花序轴；苞片披针形至长圆状披针形，长 4 ～ 7 mm；花梗长 3 ～ 5 mm；花黄色至黄白色，近平展；萼片卵圆形，长约 2 mm，边缘具小齿；外花瓣勺状，具龙骨状突起，先端较狭，微凹至近平截，鸡冠状突起仅限于龙骨

状突起之上，不伸达先端，上花瓣长 1.5 ~ 2 cm，距短囊状，约占花瓣全长的 1/4，蜜腺体短，约占距长的 1/3，下花瓣长约 1.3 cm，瓣片与爪的过渡部分较狭，内花瓣长约 1.2 cm，爪长于瓣片；雄蕊束披针形，具 3 纵脉，上部渐尖成丝状；柱头横向伸出 2 臂，各枝先端具 3 乳突。蒴果线状长圆形，约长 3 cm，宽 3 mm，斜伸或多少下垂，具 1 列种子；种子黑亮，扁圆形，具印痕状凹点，具大而舟状的种阜。

| 生境分布 | 生于海拔 200 ~ 700 m 的山谷、林下草丛中或沟边湿地。分布于湖北罗田、英山。

| 资源情况 | 野生资源较少。药材主要来源于野生。

| 采收加工 | **全草：**晚春至夏季采收，除去杂质，洗净泥土，鲜用或晒干。

| 功能主治 | 清热解毒，消肿止痛，杀虫。用于跌打损伤，痈疮肿痛，顽癣。

罂粟科 Papaveraceae 紫堇属 *Corydalis*

地柏枝 *Corydalis cheilanthifolia* Hemsl.

| 药 材 名 | 地黄连。

| 形态特征 | 丛生草本，高 10 ~ 25（~ 45）cm，具主根。茎花葶状，约与叶等长或稍长，分枝或不分枝，无叶，侧枝基部具苞片。基生叶具长柄，叶片披针形，宽约 5 cm，2 回羽状全裂，一回羽片约 10 对，近无柄，二回羽片 5 ~ 7 对，无柄，卵圆形至披针形，下部的 3 ~ 5 裂，上部的全缘。总状花序疏具多花；苞片狭披针形，约与花梗等长或稍长；花黄色，长 1.2 ~ 1.6 cm，近“U”形，有时伴生有较小的败育的无距花；外花瓣渐尖，无鸡冠状突起，距向上斜伸，约占花瓣全长的 1/3，蜜腺体占距长的 1/2 以上，内花瓣具浅鸡冠状突起，爪短于瓣片；雄蕊束披针形；子房线形，约与花柱等长；柱头宽浅，具 4 乳突，顶生 2 广角状叉分，侧生 2 臂伸向两侧，先下延，后弧形

上弯。蒴果线形，伸展或弧形下弯，具 1 列种子。

| 生境分布 | 生于海拔 1 200 ~ 1 500 m 的林荫下的岩石上。分布于湖北巴东、长阳、恩施、房县、利川、建始、神农架。

| 资源情况 | 药材主要来源于野生。

| 采收加工 | **根：**夏、秋季采收，除去地上部分，洗去泥土，晒干。

| 功能主治 | 清热泻火，止血，利湿。

罂粟科 Papaveraceae 紫堇属 *Corydalis*

伏生紫堇 *Corydalis decumbens* (Thunb.) Pers.

| 药 材 名 | 夏天无。

| 形态特征 | 块茎小，圆形或多少伸长，直径 4 ~ 15 mm；新块茎形成于老块茎先端的分生组织和基生叶叶腋处，向上常抽出多茎。茎高 10 ~ 25 cm，柔弱，细长，不分枝，具 2 ~ 3 叶，无鳞片。叶二回三出，小叶片倒卵圆形，全缘或深裂成卵圆形或披针形的裂片。总状花序疏具 3 ~ 10 花；苞片小，卵圆形，全缘，长 5 ~ 8 mm；花梗长 10 ~ 20 mm；花近白色至淡粉红色或淡蓝色；萼片早落；外花瓣先端下凹，常具狭鸡冠状突起，上花瓣长 14 ~ 17 mm，瓣片多少上弯，距稍短于瓣片，渐狭，平直或稍上弯，蜜腺体短，约占距长的 1/3 ~ 1/2，末端渐尖，下花瓣宽匙形，通常无基生的小囊，内花瓣具超出先端的宽而圆的鸡冠状突起。蒴果线形，多少扭曲，长

13 ~ 18 mm，具 6 ~ 14 种子；种子具龙骨状突起和泡状小突起。

| 生境分布 | 生于海拔 80 ~ 300 m 的山坡或林下。分布于湖北利川、郧西、丹江口、罗田、武昌。

| 资源情况 | 药材主要来源于野生。

| 采收加工 | **块茎：**春季或夏季初出苗后采挖，除去茎、叶及须根，洗净，干燥。

| 功能主治 | 活血通络，行气止痛。用于中风偏瘫，跌扑损伤，风湿性关节炎，坐骨神经痛。

| 附　　注 | 湖北民间用于骨折损伤，尤其对股骨颈骨折，有较好疗效。

罂粟科 Papaveraceae 紫堇属 *Corydalis*

紫堇 *Corydalis edulis* Maxim.

| 药 材 名 | 紫堇。

| 形态特征 | 一年生灰绿色草本，高 20 ~ 50 cm，具主根。茎分枝，具叶；花枝花葶状，常与叶对生。基生叶具长柄，叶片近三角形，长 5 ~ 9 cm，上面绿色，下面苍白色，1 ~ 2 回羽状全裂，一回羽片 2 ~ 3 对，具短柄，二回羽片近无柄，倒卵圆形，羽状分裂，裂片狭卵圆形，先端钝，近具短尖；茎生叶与基生叶同形。总状花序疏具 3 ~ 10 花；苞片狭卵圆形至披针形，渐尖，全缘，有时下部的疏具齿，约与花梗等长或稍长；花梗长约 5 mm；萼片小，近圆形，直径约 1.5 mm，具齿；花粉红色至紫红色，平展；外花瓣较宽展，先端微凹，无鸡冠状突起，上花瓣长 1.5 ~ 2 cm，距圆筒形，基部稍下弯，约占花瓣全长的 1/3，蜜腺体长，近伸达距末端，大部分与距贴生，末端不

变狭，下花瓣近基部渐狭，内花瓣具鸡冠状突起，爪纤细，稍长于瓣片；柱头横向纺锤形，两端各具 1 乳突，上面具沟槽，槽内具极细小的乳突。蒴果线形，下垂，长 3 ～ 3.5 cm，具 1 列种子；种子直径约 1.5 mm，密生环状小凹点；种阜小，紧贴种子。

| 生境分布 | 生于海拔 400 ～ 1 200 m 的丘陵、沟边或山坡林下。分布于湖北巴东、兴山、神农架、竹溪、郧西、英山、崇阳、武昌，以及宜昌、十堰、襄阳、随州。

| 资源情况 | 野生资源较少。药材主要来源于野生。

| 采收加工 | **全草：**夏、秋季采挖，除去杂质和泥土灰沙，干燥。

| 功能主治 | 清热解毒，固精，润肺，止咳，止痒，收敛。用于疮毒，顽癣，肺结核咯血，遗精。

罂粟科 Papaveraceae 紫堇属 *Corydalis*

北岭黄堇 *Corydalis fargesii* Franch.

| 药 材 名 | 北岭黄堇。

| 形态特征 | 无毛草本，高约 1 m 或更高。主根圆柱形，粗壮，向下渐狭。茎直立，多分枝，具叶。基生叶未见；茎生叶多数，最上部叶近无柄，其余具长柄，叶片卵形，长 6 ~ 10 cm，3 回三出全裂，第一回全裂片 3 ~ 4 对，疏离，具柄，第二、三回全裂片均具短柄，小叶宽倒卵形，全缘，通常不对称，背面具白粉。总状花序生于茎和分枝先端，长 4 ~ 5 cm，有 10 ~ 15 花，数枚花序复合成圆锥状；苞片小，卵形至狭卵形，长 2 ~ 3 mm，全缘；花梗稍粗壮，略短于苞片；萼片鳞片状，边缘具缺刻状流苏；花瓣黄色，上花瓣长 1.7 ~ 2 cm，花瓣片舟状卵形，先端具短尖，背部鸡冠状突起矮，超出瓣片先端并延伸至其末端，距圆筒形，向上弧曲，占上花瓣长的 2/3 或更多，

下花瓣舟状长圆形，长 7 ~ 9 mm，先端渐尖，鸡冠状突起矮短，但超出瓣片先端，下部呈浅囊状，基部具短爪，内花瓣提琴形，长 6 ~ 8 mm，花瓣片倒卵形，先端圆，具短尖，基部平截，具 1 侧生囊，爪楔形，与花瓣片近等长；雄蕊束长 6 ~ 7 mm，花药极小，花丝披针形，蜜腺体贯穿距的 4/5；子房线状椭圆形，长 3 ~ 4 mm，具 1 列胚珠，花柱细，与子房近等长，柱头横向长方形，2 裂，具 4 乳突。蒴果圆柱形或狭倒卵状圆柱形，长 1 ~ 1.2 cm，直径 1.5 ~ 2 mm，有 2 ~ 6 种子，排成 1 列；种子近圆形，直径约 1.5 mm，黑色，具光泽。花果期 7 ~ 9 月。

| 生境分布 | 生于海拔 1 500 ~ 2 700 m 的林区路边或草坪中。分布于湖北神农架。

| 资源情况 | 药材主要来源于野生。

| 采收加工 | **全草：**春、夏季采收，洗净，鲜用或晒干。

| 功能主治 | 清热解毒，抗痉镇痛。用于痈肿，跌打损伤，无名肿毒。

| 附　　注 | 本种主要分布于秦岭、巴山地区，过去常被记录为南紫堇 *Corydalis davidii* Franch.。

罂粟科 Papaveraceae 紫堇属 *Corydalis*

刻叶紫堇 *Corydalis incisa* (Thunb.) Pers.

| 药 材 名 |

刻叶紫堇。

| 形态特征 |

灰绿色直立草本，高 15 ~ 60 cm。根茎短而肥厚，椭圆形，长约 1 cm，直径 5 mm，具束生的须根。茎不分枝或少分枝，具叶。叶具长柄，基部具鞘，叶片二回三出，一回羽片具短柄，二回羽片近无柄，菱形或宽楔形，长约 2 cm，宽 1 cm，3 深裂，裂片具缺刻状齿。总状花序长 3 ~ 12 cm，多花，先密集，后疏离；苞片约与花梗等长，菱形或楔形，具缺刻状齿；花梗长约 1 cm；萼片小，长约 1 mm，丝状深裂；花紫红色至紫色，稀淡蓝色至苍白色，平展，大小变异幅度较大；外花瓣先端圆钝，平截至多少下凹，先端稍后具陡峭的鸡冠状突起，上花瓣长（1.6 ~ ）2 ~ 2.5 cm；距圆筒形，近直，约与瓣片等长或稍短；蜜腺体短，约为距长的 1/4 ~ 1/3，末端稍圆钝，下花瓣基部常具小距或浅囊，有时发育不明显，内花瓣先端深紫色；柱头近扁四方形，先端具 4 短柱状乳突，侧面具 2 对无柄的双生乳突。蒴果线形至长圆形，长 1.5 ~ 2 cm，具 1 列种子。

| 生境分布 | 生于海拔 2 000 ～ 2 900 m 的山沟及岩缝中。分布于湖北利川、神农架、崇阳、江夏，以及武汉。

| 资源情况 | 药材主要来源于野生。

| 采收加工 | **全草：**夏、秋季采挖，除去杂质和泥土，干燥。

| 功能主治 | 解毒杀虫。用于疮癣，蛇咬伤。

罂粟科 Papaveraceae 紫堇属 *Corydalis*

蛇果黄堇 *Corydalis ophiocarpa* Hook. f. et Thoms.

| 药 材 名 |

蛇果黄堇。

| 形态特征 |

从生灰绿色草本，高 30 ~ 120 cm；具主根。茎常多条，具叶，分枝，枝条花葶状，对叶生。基生叶多数，长 10 ~ 50 cm，叶柄约与叶片等长，边缘具膜质翅，延伸至叶片基部，叶片长圆形，1 ~ 2 回羽状全裂，一回羽片 4 ~ 5 对，具短柄，二回羽片 2 ~ 3 对，无柄，倒卵圆形至长圆形，3 ~ 5 裂，裂片长 3 ~ 10 mm，宽 1 ~ 5 mm，具短尖；茎生叶与基生叶同形，下部的具长柄，上部的具短柄，近 1 回羽状全裂，叶柄边缘延伸至叶片基部的翅较基生叶更明显。总状花序长 10 ~ 30 cm，多花，具短花序轴；苞片线状披针形，长约 5 mm；花梗长 5 ~ 7 mm；花淡黄色至苍白色，平展；外花瓣先端着色较深，渐尖；上花瓣长 9 ~ 12 mm，距短囊状，占花瓣全长的 1/4 ~ 1/3，多少上升，蜜腺体约贯穿距长的 1/2；下花瓣舟状，多少向前伸出；内花瓣先端暗紫红色至暗绿色，具伸出先端的鸡冠状突起，爪短于瓣片；雄蕊束披针形，上部缢缩成丝状；子房线形，稍长于花柱，柱头宽浅，具 4 乳突，顶生

2 呈广角状分叉，侧生 2 呈两臂状伸出，先下弯再弧形上伸。蒴果线形，长 1.5 ~ 2.5 cm，宽约 1 mm，蛇形弯曲，具 1 列种子；种子小，黑亮，具伸展狭直的种阜。

| 生境分布 | 生于海拔 1 100 ~ 3 100 m 的山地林下、沟边草地或岩缝中。分布于湖北巴东、神农架、秭归。

| 资源情况 | 药材来源于野生。

| 采收加工 | 春、夏季采收，洗净，晒干或鲜用。

| 功能主治 | 活血止痛，祛风止痒。用于跌打损伤，皮肤瘙痒。

| 附　　注 | 据《湖北恩施药用植物志》记载，本种药材还具有清热、利肺、止咳的功效，用于肺痨咳嗽、发热。

罂粟科 Papaveraceae 紫堇属 *Corydalis*

黄堇 *Corydalis pallida* (Thunb.) Pers.

| 药 材 名 |

黄堇根。

| 形态特征 |

灰绿色丛生草本，高 20 ~ 60 cm，具主根，少数侧根发达，呈须根状。茎 1 至多条，发自基生叶腋，具棱，常上部分枝。基生叶多数，莲座状，花期枯萎；茎生叶稍密集，下部的具柄，上部的近无柄，上面绿色，下面苍白色，2 回羽状全裂，一回羽片 4 ~ 6 对，具短柄至无柄，二回羽片无柄，卵圆形至长圆形，顶生的较大，长 1.5 ~ 2 cm，宽 1.2 ~ 1.5 cm，3 深裂，裂片边缘具圆齿状裂片，裂片先端圆钝，具短尖，侧生的较小，常具 4 ~ 5 圆齿。总状花序顶生和腋生，有时与叶对生，长约 5 cm，疏具多花和或长或短的花序轴；苞片披针形至长圆形，具短尖，约与花梗等长；花梗长 4 ~ 7 mm；花黄色至淡黄色，较粗大，平展。萼片近圆形，中央着生，直径约 1 mm，边缘具齿；外花瓣先端勺状，具短尖，无鸡冠状突起或有时仅上花瓣具浅鸡冠状突起，上花瓣长 1.7 ~ 2.3 cm，距约占花瓣全长的 1/3，背部平直，腹部下垂，稍下弯，蜜腺体约占距长的 2/3，末端钩状弯曲，下花瓣长约 1.4 cm，

内花瓣长约 1.3 cm，具鸡冠状突起，爪约与瓣片等长；雄蕊束披针形；子房线形；柱头具横向伸出的 2 臂，各枝先端具 3 乳突。蒴果线形，念珠状，长 2 ~ 4 cm，宽约 2 mm，斜伸至下垂，具 1 列种子；种子黑亮，直径约 2 mm，表面密具圆锥状突起，中部较低平；种阜帽状，约包裹种子的 1/2。

| 生境分布 | 生于海拔 1 600 m 以下的林下或沟边阴湿处。分布于湖北鹤峰、巴东、恩施、神农架、郧西等。

| 资源情况 | 药材主要来源于野生。

| 采收加工 | **根**：春季采挖，洗净，晒干。

| 功能主治 | 清热解毒，消肿，化痰。用于肺痈，痈疽，咳嗽痰多。

罂粟科 Papaveraceae 紫堇属 *Corydalis*

小花黄堇 *Corydalis racemosa* (Thunb.) Pers.

| 药 材 名 | 小花黄堇。

| 形态特征 | 灰绿色丛生草本，高 30 ~ 50 cm，具主根。茎具棱，分枝，具叶，枝条花葶状，对叶生。基生叶具长柄，常早枯萎；茎生叶具短柄，叶片三角形，上面绿色，下面灰白色，2 回羽状全裂，一回羽片 3 ~ 4 对，具短柄，二回羽片 1 ~ 2 对，卵圆形至宽卵圆形，长约 2 cm，宽 1.5 cm，通常 2 回 3 深裂，末回裂片圆钝，近具短尖。总状花序长 3 ~ 10 cm，密具多花，后渐疏离；苞片披针形至钻形，渐尖至具短尖，约与花梗等长；花梗长 3 ~ 5 mm；花黄色至淡黄色；萼片小，卵圆形，早落；外花瓣不宽展，无鸡冠状突起，先端通常近圆形，具宽短尖，有时近下凹，有时具较长的短尖，上花瓣长 6 ~ 7 mm，距短囊状，约占花瓣全长的 1/6 ~ 1/5，蜜腺体约占距长的 1/2；子

房线形，近扭曲，约与花柱等长；柱头宽浅，具 4 乳突，顶生 2 呈广角状分叉，侧生的先下弯再弧形上升。蒴果线形，具 1 列种子；种子黑亮，近肾形，具短刺状突起，种阜三角形。

| 生境分布 | 生于海拔 400 ~ 1 600（~ 2 070）m 的林缘阴湿地或多石溪边。分布于湖北恩施、来凤、咸丰、神农架、浠水、英山、崇阳、通山，以及宜昌。

| 资源情况 | 野生资源较少。药材主要来源于野生。

| 采收加工 | **全草：**夏、秋季采挖，除去杂质和泥土灰沙，干燥。

| 功能主治 | 清热解毒，止痢，止血。用于暑热腹泻，痢疾，肺结核咯血，高热惊风，目赤肿痛，毒蛇咬伤，疮毒肿痛。

罂粟科 Papaveraceae 紫堇属 *Corydalis*

全叶延胡索 *Corydalis repens* Mandl et Muhld. var. *watanabei* (Kitag.)

| 药 材 名 | 角瓣延胡索。

| 形态特征 | 多年生草本，高 8 ~ 14（~ 20）cm。块茎球形，直径 1 ~ 1.5 cm，有时瓣裂，内质近白色，微苦。茎细长，基部以上具 1 鳞片，枝条发自鳞片腋内。叶二回三出，小叶披针形至倒卵形，全缘，有时分裂，长 6 ~ 25（~ 40）mm，宽 5 ~ 16（~ 20）mm，常具浅白色的条纹或斑点，光滑或边缘具粗糙的小乳突。总状花序具（3 ~）6 ~ 14 花；苞片披针形至卵圆形，全缘或先端稍分裂，下部的长约 1 cm，宽 4 ~ 6 mm；花梗纤细，长 6 ~ 14 mm，有时果期长达 20 cm，多少具乳突状毛；花浅蓝色、蓝紫色或紫红色；外花瓣宽展，具平滑的边缘，先端下凹；上花瓣长 1.5 ~ 1.9 cm，瓣片常上弯，

距圆筒形，直或末端稍下弯，长 7 ~ 9 mm，蜜腺体约贯穿距长的 1/2，渐尖；下花瓣略向前伸，长 6 ~ 8 mm；内花瓣长 5 ~ 7 mm，具半圆形的伸出于先端的鸡冠状突起；柱头小，扁圆形，具不明显的 6 ~ 8 乳突。蒴果宽椭圆形或卵圆形，长 8 ~ 10 mm，具 4 ~ 6 种子；种子 2 列，直径约 1.5 mm，光滑，种阜鳞片状，白色。

| 生境分布 | 生于海拔 700 ~ 1 000 m 的灌木林下或林缘。湖北有分布。

| 采收加工 | **块茎：**立夏后茎叶枯萎时挖取，洗净，在开水中潦过心，捞出，晒干。

| 功能主治 | 行气止痛，活血散瘀。用于胃疼腹痛。

罂粟科 Papaveraceae 紫堇属 *Corydalis*

石生黄堇 *Corydalis saxicola* Bunting

| 药材名 | 岩黄连。

| 形态特征 | 淡绿色易萎软草本，高 30 ~ 40 cm，具粗大主根和单头至多头的根茎。茎分枝或不分枝；枝条与叶对生，花葶状。基生叶长 10 ~ 15 cm，具长柄，叶片约与叶柄等长，1 ~ 2 回羽状全裂，末回羽片楔形至倒卵形，长 2 ~ 4 cm，宽 2 ~ 3 cm，不等大 2 ~ 3 裂或边缘具粗圆齿。总状花序长 7 ~ 15 cm，多花，先密集，后疏离；苞片椭圆形至披针形，全缘，下部的长约 1.5 cm，宽 1 cm，上部的渐狭小，全部长于花梗；花梗长约 5 mm；花金黄色，平展；萼片近三角形，全缘，长约 2 mm；外花瓣较宽展，渐尖，鸡冠状突起仅限于龙骨状突起之上，不伸达先端，上花瓣长约 2.5 cm，距约占花瓣全长的 1/4，稍下弯，末端囊状，蜜腺体短，约贯穿距长的 1/2。下花瓣

长约 1.8 cm，基部近具小瘤状突起，内花瓣长约 1.5 cm，具厚而伸出先端的鸡冠状突起；雄蕊束披针形，中部以上渐缢缩；柱头二叉状分裂，各枝先端具 2 裂的乳突。蒴果线形，下弯，长约 2.5 cm，具 1 列种子。

| 生境分布 | 生于海拔 600 ～ 1 690 m 的石灰岩缝隙中或林下沟边阴湿处。分布于湖北兴山、秭归、当阳、房县、保康、神农架，以及宜昌。

| 资源情况 | 药材主要来源于野生。

| 采收加工 | **块根：**秋后采收，除去杂质，洗净泥土，晒干。

| 功能主治 | 清热解毒，止痛，止泻，利湿，消痈。用于痢疾，腹泻，腹痛，痔疮出血，口舌糜烂，目赤生翳。

罂粟科 Papaveraceae 紫堇属 *Corydalis*

长距元胡 *Corydalis schanginii* (Pall.) B. Fedtsch.

| 药 材 名 | 新疆延胡索。

| 形态特征 | 多年生草本，高 10 ~ 35 cm，上升或近直立。块茎圆球形或长圆形，直径（1.5 ~ ）3 ~ 4 cm，质淡灰色。茎基部以上具 1 鳞片，不分枝或鳞片腋内具 1 小枝，常具 2 叶。叶苍白色，较厚，叶柄短，长约等于叶片的 1/3，叶片二回三出，具全缘或深裂小叶，裂片卵圆形至披针形，常急尖。总状花序明显高出叶，具 5 ~ 25 花（栽培条件下常多达 30 花），先密集，后疏离；苞片卵圆状披针形至线状披针形，全缘，约与花梗等长；花梗纤细，长 5 ~ 15 mm，果期长可达 20 mm；萼片小；花红紫色，狭而长；外花瓣狭，渐尖，具色暗的纵脉且龙骨状凸起部位尤为明显，上花瓣长 3 ~ 4 cm，距长

2.1 ～ 2.8 cm，渐狭，直或末端常弯曲，蜜腺体长约 5 mm，钝；下花瓣直，无囊；内花瓣长 1.4 ～ 1.6（～ 1.8）cm，先端暗紫色；柱头近四方形，具 6 ～ 8 乳突，基部下延。蒴果线形，长 1.8 ～ 2.5 cm，宽 2 ～ 3 mm，具 4 ～ 8 种子；种子平滑，长约 2.5 mm，稍狭，种阜带状，长而狭，基部淡棕色。

| 生境分布 | 生于海拔 500 ～ 2 000 m 的山地草甸、灌丛、草原。湖北有分布。

| 资源情况 | 药材来源于野生。

| 采收加工 | **根：**夏初茎叶枯萎时采挖，去净泥土，水煮 2 ～ 3 分钟，捞出，晒干。

| 功能主治 | 活血散瘀，行气止痛。用于气滞血瘀所致胸胁、脘腹疼痛，闭经，痛经，产后瘀阻，跌扑肿痛。

罂粟科 Papaveraceae 紫堇属 *Corydalis*

地锦苗 *Corydalis sheareri* S. Moore

| 药 材 名 | 地锦苗。

| 形态特征 | 多年生草本。高（10 ~ ）20 ~ 40（ ~ 60） cm。根茎粗壮，干时黑褐色，被以残枯的叶柄基。茎 1 ~ 2，绿色，有时带红色，多汁液，上部分枝。基生叶数枚，长 12 ~ 30 cm，具带紫色的长柄，叶片三角形或卵状三角形，长 3 ~ 13 cm，2 回羽状全裂，第一回全裂片具柄，第二回无柄，卵形，中部以上具圆齿状深齿，下部宽楔形，表面绿色，背面灰绿色，叶脉在表面明显，在背面稍凸起；茎生叶数枚，互生于茎上部，与基生叶同形，但较小且具较短柄。总状花序长 4 ~ 10 cm，有 10 ~ 20 花，通常排列稀疏；苞片下部者近圆形，3 ~ 5 深裂，中部者倒卵形，3 浅裂，上部者狭倒卵形至倒披针形，全缘；花梗通常短于苞片；萼片鳞片状，近圆形，具缺刻状流苏；

花瓣紫红色，平伸，上花瓣长 2 ~ 2.5（~ 3）cm，花瓣片舟状卵形，边缘有时反卷，背部具短鸡冠状突起，鸡冠超出瓣片先端，边缘具不规则的齿裂，距圆锥形，末端极尖，长为花瓣片的 1.5 倍，下花瓣长 1.2 ~ 1.8 cm，匙形，花瓣片近圆形，边缘有时反卷，先端具小尖突，背部鸡冠状突起月牙形，超出花瓣，边缘具不规则的齿裂，爪条形，长约为花瓣片的 2 倍，内花瓣提琴形，长 1.1 ~ 1.6 cm，花瓣片倒卵形，具 1 侧生囊，爪狭楔形，长于花瓣片；雄蕊束长 1 ~ 1.4 cm，花药小，绿色，花丝披针形，蜜腺体贯穿距的 2/5；子房狭椭圆形，长 5 ~ 7 mm，具 2 列胚珠，花柱稍短于子房，柱头双卵形，绿色，具 8 ~ 10 乳突。蒴果狭圆柱形，长 2 ~ 3 cm，直径 1.5 ~ 2 mm。花果期 3 ~ 6 月。

| 生境分布 | 生于海拔（170 ~）400 ~ 1 600（~ 2 600）m 的水边或林下潮湿地。分布于湖北远安、当阳、英山、通城，以及咸宁、恩施。

| 资源情况 | 药材主要来源于野生。

| 采收加工 | **带根茎的全草：**春末夏初采收，洗净，晒干或鲜用。

| 功能主治 | 舒筋活络，散瘀消肿。

罂粟科 Papaveraceae 紫堇属 *Corydalis*

毛黄堇 *Corydalis tomentella* Franch.

| 药 材 名 | 毛黄堇。

| 形态特征 | 丛生草本，高 20 ~ 25 cm，具白色而卷曲的短绒毛。主根先端常具少数叶残基。茎花葶状，约与叶等长，不分枝或少分枝，无叶或下部具少数叶。基生叶具长柄，基部具鞘，叶片披针形，2 回羽状全裂；一回羽片 5 ~ 6 对，疏离，具短柄；二回羽片近无柄，卵圆形至近圆形，顶生的较大，长约 1 cm，宽 1.2 cm，3 深裂，侧生的长 5 ~ 6 mm，宽 5 mm，全缘至 2 ~ 3 裂。总状花序约具 10 花，先密集，后疏离；苞片披针形，长约 9 mm，具短绒毛；花梗长 5 ~ 10 mm，花黄色，近平展；萼片卵圆形，长约 1.5 mm，全缘或下部多少具齿；外花瓣先端多少微凹，无或具浅鸡冠状突起；上花瓣长

1.5 ～ 1.7 cm，距圆钝，约占花瓣全长的 1/4，蜜腺体约贯穿距长的 1/2，末端近渐尖；下花瓣长约 1.2 cm；内花瓣长约 1 cm，具高而伸出先端的鸡冠状突起；子房线形，具细长的花柱，柱头 2 叉状分裂，各枝先端具 2 ～ 3 并生乳突。蒴果线形，长 3 ～ 4 cm，被毛；种子黑亮，平滑。

| 生境分布 | 生于海拔 700 ～ 950 m 的岩石缝中。分布于湖北房县、巴东。

| 采收加工 | 全年均可采收，晒干。

| 功能主治 | 祛瘀止痛，凉血止血。用于跌打损伤，咯血，吐血。

罂粟科 Papaveraceae 紫堇属 *Corydalis*

川鄂黄堇 *Corydalis wilsonii* N. E. Br.

| 药 材 名 |

川鄂黄堇。

| 形态特征 |

灰绿色多年生草本，具主根，高 15 ~ 30 cm。基生叶莲座状丛生。初生茎花葶状，无叶或仅下部具叶，有时节间偶尔伸长，腋生枝条再形成新的莲座丛，与顶生的花葶相似；次生花葶常高于初生花葶，有明显合轴分枝式样。叶灰绿色，长 7.5 ~ 10 cm，具长柄，叶片 2 回羽状全裂，一回羽片 4 ~ 6 对，具短柄至无柄，二回羽片常 3，顶生的较大，倒卵圆形，长 2 ~ 2.5 cm，宽 1.5 ~ 2 cm，3 裂，有时顶生裂片再 3 浅裂，侧生裂片较小，长圆状卵圆形，全缘或有时具 1 缺刻。总状花序密具多花，后期变疏离，具较长的花序轴；苞片披针形，约与花梗等长或稍短，先端渐狭成芒状；花梗长 5 ~ 10 mm；花金黄色；萼片卵圆形，棕色，全缘，长 4 ~ 6 mm，具尾状短尖；外花瓣先端带绿色，外花瓣渐尖，先端常反卷，具浅而全缘的伸达先端的鸡冠状突起或无突起，上花瓣长约 2 cm；距圆钝，约占花瓣全长的 1/3，多少弧形下弯，蜜腺体短，约占距长的 1/2，下花瓣长约 1.5 mm，宽展，向后渐变狭，内花瓣匙状倒卵形，具粗厚伸出先端的鸡冠状突起，爪较短；子房线形，约与花柱等长；柱头二叉状分裂，各枝先端具 2 乳突。蒴果线形，多少弧形弯曲，具 4 棱，长 2.5 ~ 3 cm，具 1 列种子；种子小，光亮，平滑。

| 生境分布 | 生于海拔 1 300 ~ 3 000 m 的林缘草丛中潮湿处、沟边或岩石缝隙。分布于湖北房县、神农架、五峰，以及宜昌。

| 资源情况 | 野生资源较少。药材主要来源于野生。

| 采收加工 | **全草**：夏、秋季采挖，除去杂质和泥土灰沙，干燥。

| 功能主治 | 清热解毒，利尿。

罂粟科 Papaveraceae 紫堇属 *Corydalis*

延胡索 *Corydalis yanhusuo* W. T. Wang ex Z. Y. Su et C. Y. Wu

| 药 材 名 | 延胡索。

| 形态特征 | 多年生草本。高达 30 cm。块茎球形。茎直立，常分枝，基部以上具 1（～ 2）鳞片，鳞片及下部茎生叶常具腋生块茎。叶二回三出或近三回三出，小叶 3 裂或 3 深裂，裂片披针形，长 2 ～ 2.5 cm，全缘，下部叶具长柄及小叶柄。总状花序具 5 ～ 15 花；苞片披针形或窄卵圆形，全缘，有时下部苞片稍分裂，长约 8 mm；花梗长约 1 cm；花冠紫红色，外花瓣宽，具齿，先端微凹，具短尖，上花瓣长 1.5 ～ 2.2 cm，瓣片与距常上弯，距圆筒形，长 1.1 ～ 1.3 cm，蜜腺贯穿距长的 1/2，下花瓣具短爪，内花瓣长 8 ～ 9 mm，爪长于瓣片；柱头近圆形，具 8 乳突。蒴果线形，长 2 ～ 2.8 cm；种子 1 列。

| 生境分布 | 生于背阴且潮湿的山地疏林、林缘草丛中，或背阴的山坡、石缝中。分布于湖北武汉、黄冈等。湖北武汉及英山、罗田等有栽培。

| 采收加工 | **块茎：**夏初茎叶枯萎时采挖，除去须根，洗净，置沸水中煮或蒸至无白心时取出，晒干。

| 功能主治 | 活血，行气，止痛。用于胸胁、脘腹疼痛，胸痹心痛，闭经，痛经，产后瘀阻，跌扑肿痛。

罂粟科 Papaveraceae 紫金龙属 *Dactylicapnos*

紫金龙 *Dactylicapnos scandens* (D. Don) Hutch

| 药 材 名 | 紫金龙。

| 形态特征 | 多年生草质藤本。根粗壮，木质，圆柱形，直径达 5 cm，多分枝，干时外皮呈茶褐色，木栓质，有斜向沟纹。茎长 3 ~ 4 m，攀缘向上，绿色，有时微带紫色，有纵沟，具多分枝。叶片三回三出复叶，三角形或卵形，第 2 或第 3 回小叶变成卷须；叶柄长 4 ~ 5 cm；小叶卵形，长 0.5 ~ 3.5 cm，宽 0.4 ~ 2 cm，先端急尖、钝或圆，具小尖头，基部楔形，两侧不对称，表面绿色，有时微带紫色，背面具白粉，全缘，基出脉 5 ~ 8，在背面较明显。总状花序具（2 ~）7 ~ 10（~ 14）花；苞片线状披针形，长 3 ~ 6 mm，宽约 1 mm，渐尖，全缘；萼片卵状披针形，长 2 ~ 3 mm，宽 1 ~ 2 mm，全缘，

早落；花瓣黄色至白色，先端粉红色或淡紫红色，外面 2 花瓣长 1.7 ~ 2 cm，中部宽 4 ~ 6 mm，先端向两侧叉开，叉开部分长 3 ~ 4 mm，基部囊状心形，囊长 2 ~ 3 mm，里面具一长约 4 mm 的钩状蜜腺体，里面 2 花瓣长 1.3 ~ 1.8 cm，花瓣片宽约 3 mm，先端具长约 2 mm 的圆突，爪长 0.9 ~ 1.3 cm，具长约 1 mm 的鸡冠状突起；雄蕊束长 1 ~ 1.5 cm，花药长圆形，长约 1 mm；子房圆锥形，长约 8 mm，直径约 2 mm，花柱圆柱形，长约 7 mm，向上渐狭，柱头近四方形，具 4 乳突，胚珠多数。蒴果卵形或长圆状狭卵形，长 1 ~ 2.5 cm，宽 0.7 ~ 1 cm，未成熟时绿色，成熟时紫红色，浆果状，具宿存花柱；种子圆形至肾形，长 1.2 ~ 2 mm，黑色，具光泽；外种皮具乳突。花期 7 ~ 10 月，果期 9 ~ 12 月。

| 生境分布 | 生于海拔 1 100 ~ 3 000 m 的林下、山坡、石缝或水沟边、低凹草地、沟谷。湖北有分布。

| 功能主治 | 消炎，镇痛，降血压。用于各种疼痛，高血压，血崩，内伤出血，跌打损伤。

罂粟科 Papaveraceae 荷包牡丹属 *Dicentra*

荷包牡丹 *Dicentra spectabilis* (L.) Lem.

| 药材名 | 荷包牡丹。

| 形态特征 | 直立草本，高 30 ~ 60 cm 或更高。茎圆柱形，带紫红色。叶片三角形，长（15 ~ ）20 ~ 30（ ~ 40）cm，宽（10 ~ ）14 ~ 17（ ~ 20）cm，2 回三出全裂，第一回裂片具长柄，中裂片的柄较侧裂片的长，第二回裂片近无柄，2 或 3 裂，小裂片通常全缘，表面绿色，背面具白粉，两面叶脉明显；叶柄长约 10 cm。总状花序长约 15 cm，有（5 ~ ）8 ~ 11（ ~ 15）花，于花序轴的一侧下垂；花梗长 1 ~ 1.5 cm；苞片钻形或线状长圆形，长 3 ~ 5（ ~ 10）mm，宽约 1 mm；花长 2.5 ~ 3 cm，宽约 2 cm，长为宽的 1 ~ 1.5 倍，基部心形；萼片披针形，长 3 ~ 4 mm，玫瑰色，于花开前脱落；外花瓣紫红色至粉红色，稀白色，下部囊状，囊长约 1.5 cm，宽约 1 cm，具数条脉纹，

上部变狭并向下反曲，长约 1 cm，宽约 2 mm，内花瓣长约 2.2 cm，花瓣片略呈匙形，长 1 ~ 1.5 cm，先端圆形部分紫色，背部鸡冠状突起自先端延伸至瓣片基部，高达 3 mm，爪长圆形至倒卵形，长约 1.5 cm，宽 2 ~ 5 mm，白色；雄蕊束弧曲上升，花药长圆形；子房狭长圆形，长 1 ~ 1.2 cm，直径 1 ~ 1.5 mm，胚珠数枚，2 行排列于子房的下半部，花柱细，长 0.5 ~ 1.1 cm，每边具 1 沟槽，柱头狭长方形，长约 1 mm，宽约 0.5 mm，先端 2 裂，基部近箭形。果实未见。花期 4 ~ 6 月。

| 生境分布 | 生于海拔 780 ~ 2 800 m 的湿润草地和山坡。分布于湖北利川、恩施、鹤峰。

| 采收加工 | **全草或根茎：**秋季采挖，洗净，晒干。

| 功能主治 | **全草：**镇痛，解痉，利尿，调经，散血，活血，除风，消疮毒。

根茎：调经活血。用于月经不调。

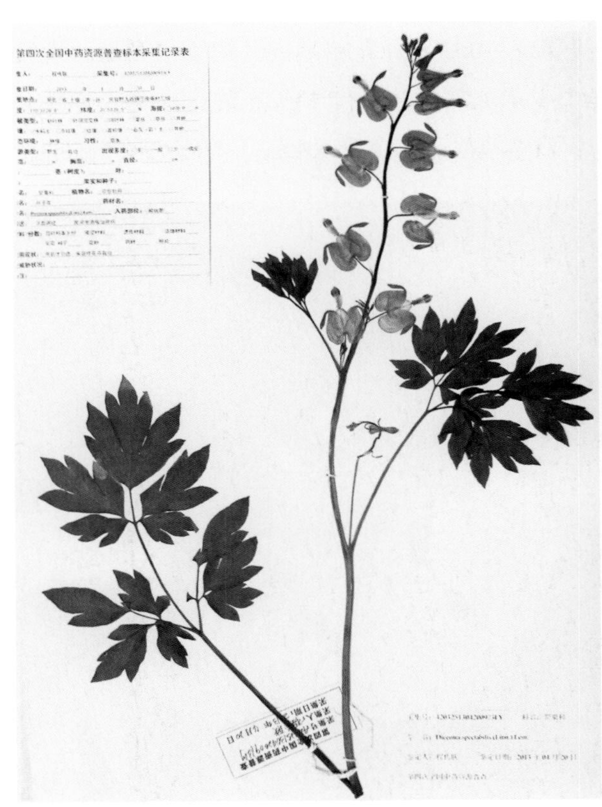

罂粟科 Papaveraceae 血水草属 *Eomecon*

血水草 *Eomecon chionantha* Hance

|**药材名**| 血水草、血水草根。

|**形态特征**| 多年生无毛草本，具红黄色液汁。根橙黄色，根茎匍匐。叶全部基生，叶片心形或心状肾形，稀心状箭形，长 5 ~ 26 cm，宽 5 ~ 20 cm，先端渐尖或急尖，基部耳垂状，边缘呈波状，表面绿色，背面灰绿色，掌状脉 5 ~ 7，网脉细，明显；叶柄条形或狭条形，长 10 ~ 30 cm，带蓝灰色，基部略扩大成狭鞘。花葶灰绿色略带紫红色，高 20 ~ 40 cm，有 3 ~ 5 花，排列成聚伞状伞房花序；苞片和小苞片卵状披针形，长 2 ~ 10 mm，先端渐尖，边缘薄膜质；花梗直立，长 0.5 ~ 5 cm；花芽卵珠形，长约 1 cm，先端渐尖；萼片长 0.5 ~ 1 cm，无毛；花瓣倒卵形，长 1 ~ 2.5 cm，宽 0.7 ~ 1.8 cm，

白色。蒴果狭椭圆形，长约 2 cm，宽约 0.5 cm，果实未成熟时花柱长达 1 cm。花期 3 ~ 6 月，果期 6 ~ 10 月。

| 生境分布 | 生于海拔 1 400 ~ 1 800 m 的林下、灌丛中或溪边、路旁。湖北有分布。

| 采收加工 | **血水草**：秋季采集，晒干或鲜用。

血水草根：9 ~ 10 月采挖，晒干或鲜用。

| 功能主治 | **血水草**：清热解毒，活血止痛，止血。用于目赤肿痛，咽喉疼痛，口腔溃疡，疔疮肿毒，毒蛇咬伤，癣疮，湿疹，跌打损伤，腰痛，咯血。

血水草根：清热解毒，散瘀止痛。用于风热目赤肿痛，咽喉疼痛，尿路感染，疮疡疖肿，毒蛇咬伤，产后小腹疼痛，跌打损伤，湿疹，疥癣等。

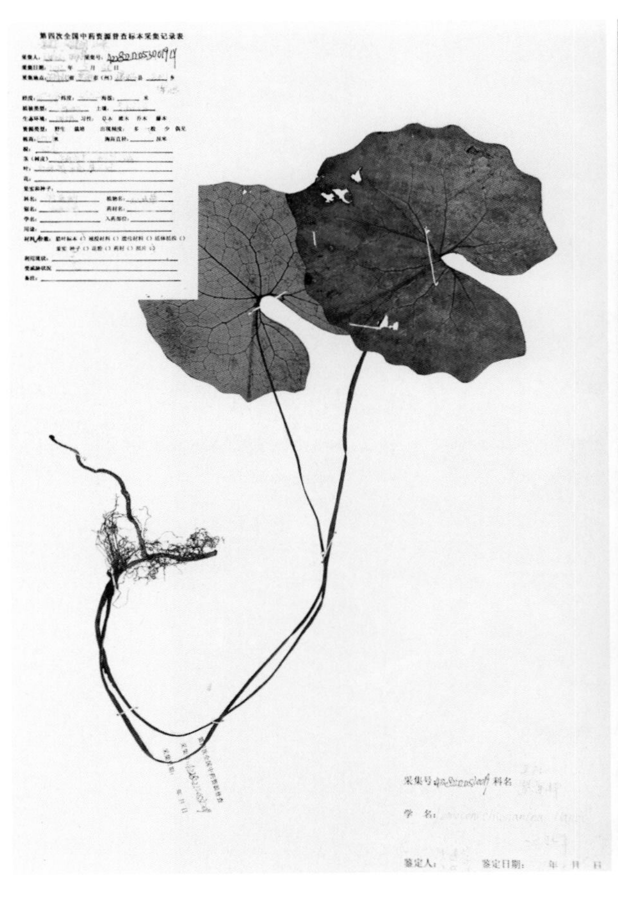

罂粟科 Papaveraceae 荷青花属 *Hylomecon*

多裂荷青花 *Hylomecon japonica* Prantl et Kündig var. *dissecta* Fedde

| 药 材 名 | 多裂荷青花。

| 形态特征 | 多年生草本。根茎短，斜生。茎单生，直立，柔弱。羽状复叶，叶全裂片羽状深裂，裂片再次不整齐的锐裂，基生叶少数，具长柄，茎生叶具短柄，茎生叶含有黄色液汁。花期 4 月，果期 5 ~ 6 月。

| 生境分布 | 生于海拔 600 ~ 2 000 m 的林下或山坡沟边腐殖质丰富的松土上。分布于湖北五峰、神农架、竹溪、丹江口以及恩施等。

| 采收加工 | **根茎：**7 ~ 8 月采挖，除去泥土，洗净，晒干。

| 功能主治 | 清热解毒，止咳。用于毒蛇咬伤，小儿高热、咳嗽等。

罂粟科 Papaveraceae 荷青花属 *Hylomecon*

锐裂荷青花 *Hylomecon japonica* Prantl et Kündig var. *subincisa* Fedde

| 药 材 名 |

荷青花。

| 形态特征 |

多年生草本，高 15 ～ 40 cm；具黄色液汁，疏生柔毛，老时无毛。根茎斜生，长 2 ～ 5 cm，白色，果时橙黄色，肉质，盖以褐色、膜质的鳞片；鳞片圆形，直径 4 ～ 8 mm。茎直立，不分枝，具条纹，无毛，草质，绿色转红色至紫色。基生叶少数，叶片长 10 ～ 15（～ 20）cm，羽状全裂，裂片 2 ～ 3 对，宽披针状菱形、倒卵状菱形或近椭圆形，长 3 ～ 7（～ 10）cm，宽 1 ～ 5 cm，先端渐尖，基部楔形，边缘具不规则的圆齿状锯齿或重锯齿，表面深绿色，背面淡绿色，两面无毛，具长柄；茎生叶通常 2，稀 3，叶片同基生叶，具短柄。花 1 ～ 2（～ 3）排列成伞房状，顶生，有时腋生；花梗直立，纤细，长 3.5 ～ 7 cm；花芽卵圆形，长 8 ～ 10 mm，无毛或疏被毛；萼片卵形，长 1 ～ 1.5 cm，外面散生卷毛或无毛，芽时覆瓦状排列，花期脱落；花瓣倒卵圆形或近圆形，长 1.5 ～ 2 cm，芽时覆瓦状排列，花期突然增大，基部具短爪；雄蕊黄色，长约 6 mm，花丝丝状，花药圆形或长圆形；

子房长约 7 mm，花柱极短，柱头 2 裂。蒴果长 5 ～ 8 cm，直径约 3 mm，无毛，2 瓣裂，具长达 1 cm 的宿存花柱；种子卵形，长约 1.5 mm。花期 4 ～ 7 月，果期 5 ～ 8 月。

| 生境分布 | 生于海拔 300 ～ 1 800（～ 2 400） m 的高山林下阴湿处、林缘或沟边。分布于湖北巴东、建始、宣恩、神农架、长阳、通城等。

| 资源情况 | 药材来源于野生。

| 采收加工 | **根茎：**7 ～ 8 月采收，除去泥土，洗净，晒干。

| 功能主治 | **根茎：**祛风湿，舒筋活络，散瘀消肿，止血止痛。用于风湿性关节炎，劳伤过度，跌打损伤，月经不调。

地上部分：用于胃溃疡，胃肠炎，痢疾。

| 附　　注 | 据《湖北植物志》记载，本种与荷青花功效相同，因此二者被记录为同一民间药材。

罂粟科 Papaveraceae 荷青花属 *Hylomecon*

荷青花 *Hylomecon japonica* Prantl et Kündig

| 药材名 | 补血草。

| 形态特征 | 多年生草本，高 15 ~ 40 cm，具黄色液汁，疏生柔毛，老时无毛。根茎斜生，长 2 ~ 5 cm，白色，果时橙黄色，肉质，盖以褐色膜质的鳞片；鳞片圆形，直径 4 ~ 8 mm。茎直立，不分枝，具条纹，无毛，草质，绿色转红色至紫色。基生叶少数，叶片长 10 ~ 15（~ 20）cm，羽状全裂，裂片 2 ~ 3 对，宽披针状菱形、倒卵状菱形或近椭圆形，长 3 ~ 7（~ 10）cm，宽 1 ~ 5 cm，先端渐尖，基部楔形，边缘具不规则的圆齿状锯齿或重锯齿，表面深绿色，背面淡绿色，两面无毛，具长柄；茎生叶通常 2，稀 3，叶片同基生叶，具短柄。花 1 ~ 2（~ 3）排列成伞房状，顶生，有时也腋生；花梗直立，纤细，长 3.5 ~ 7 cm；花芽卵圆形，长 8 ~ 10 mm，无毛或

疏被毛；萼片卵形，长 1 ～ 1.5 cm，外面散生卷毛或无毛，芽时覆瓦状排列，花期脱落；花瓣倒卵圆形或近圆形，长 1.5 ～ 2 cm，芽时覆瓦状排列，花期突然增大，基部具短爪；雄蕊黄色，长约 6 mm，花丝丝状，花药圆形或长圆形；子房长约 7 mm，花柱极短，柱头 2 裂。蒴果长 5 ～ 8 cm，直径约 3 mm，无毛，2 瓣裂，具长达 1 cm 的宿存花柱；种子卵形，长约 1.5 mm。花期 4 ～ 7 月，果期 5 ～ 8 月。

| 生境分布 | 生于海拔 300 ～ 1 800 m 的高山林下阴湿处。分布于湖北巴东、神农架。

| 功能主治 | 祛风湿，止血，止痛，舒筋活络，散瘀消肿。用于劳伤过度，风湿性关节炎，跌打损伤，月经不调。

罂粟科 Papaveraceae 博落回属 *Macleaya*

博落回 *Macleaya cordata* (Willd.) R. Br.

| 药 材 名 | 博落回。

| 形态特征 | 直立草本，基部木质化，具乳黄色浆汁。茎高 1 ~ 4 m，绿色，光滑，多白粉，中空，上部多分枝。叶片宽卵形或近圆形，长 5 ~ 27 cm，宽 5 ~ 25 cm，先端急尖、渐尖、钝或圆形，通常 7 或 9 深裂，或浅裂，裂片半圆形、方形、六角形或其他，边缘波状、缺刻状、粗齿或多细齿，表面绿色，无毛，背面多白粉，被易脱落的细绒毛；基出脉通常 5，侧脉 2 对，稀 3 对，细脉网状，常呈淡红色；叶柄长 1 ~ 12 cm，上面具浅沟槽。大型圆锥花序多花，长 15 ~ 40 cm，顶生和腋生；花梗长 2 ~ 7 mm；苞片狭披针形；花芽棒状，近白色，长约 1 cm；萼片倒卵状长圆形，长约 1 cm，舟状，黄白色；花瓣无；雄蕊 24 ~ 30，花丝丝状，长约 5 mm，花药条形，

与花丝等长；子房倒卵形至狭倒卵形，长 2 ~ 4 mm，先端圆，基部渐狭，花柱长约 1 mm，柱头 2 裂，下延于花柱上。蒴果狭倒卵形或倒披针形，长 1.3 ~ 3 cm，直径 5 ~ 7 mm，先端圆或钝，基部渐狭，无毛。种子 4 ~ 6（~ 8），卵珠形，长 1.5 ~ 2 mm，生于缝线两侧，无柄，种皮具排成行的整齐的蜂窝状孔穴，有狭的种阜。花果期 6 ~ 11 月。

| 生境分布 | 生于海拔 150 ~ 830 m 的丘陵或低山林中、灌丛中及草丛间。分布于湖北恩施、利川。

| 功能主治 | **全草：**祛风解毒，散瘀消肿。用于跌打损伤，风湿关节痛，痈疖肿毒。

罂粟科 Papaveraceae 博落回属 *Macleaya*

小果博落回 *Macleaya microcarpa* (Maxim.) Fedde

| **药 材 名** | 小果博落回。

| **形态特征** | 直立草本，基部木质化，具乳黄色浆汁。茎高 0.8 ~ 1 m，通常淡黄

绿色，光滑，多白粉，中空，上部多分枝。叶片宽卵形或近圆形，长 5 ～ 14 cm，宽 5 ～ 12 cm，先端急尖、钝或圆形，基部心形，通常 7 或 9 深裂，或浅裂，裂片半圆形、扇形或其他，边缘波状、缺刻状、粗齿或多细齿，表面绿色，无毛，背面多白粉，被绒毛；基出脉通常 5，侧脉 1 对，稀 2 对，细脉网状；叶柄长 4 ～ 11 cm，上面平坦，通常不具沟槽。大型圆锥花序多花，长 15 ～ 30 cm，生于茎和分枝先端；花梗长 2 ～ 10 mm；花芽圆柱形，长约 5 mm；萼片狭长圆形，长约 5 mm，舟状；花瓣无；雄蕊 8 ～ 12，花丝丝状，极短，花药条形，长 3 ～ 4 mm；子房倒卵形，长 1 ～ 3 mm，花柱极短，柱头 2 裂。蒴果近圆形，直径约 5 mm；种子 1，卵珠形，基着，直立，长约 1.5 mm，种皮具孔状雕纹，无种阜。花果期 6 ～ 10 月。

| 生境分布 | 生于海拔 450 ～ 1 600 m 的山坡路边草地或灌丛中。分布于湖北西部。

| 功能主治 | 用于一切恶疮，皮肤病。

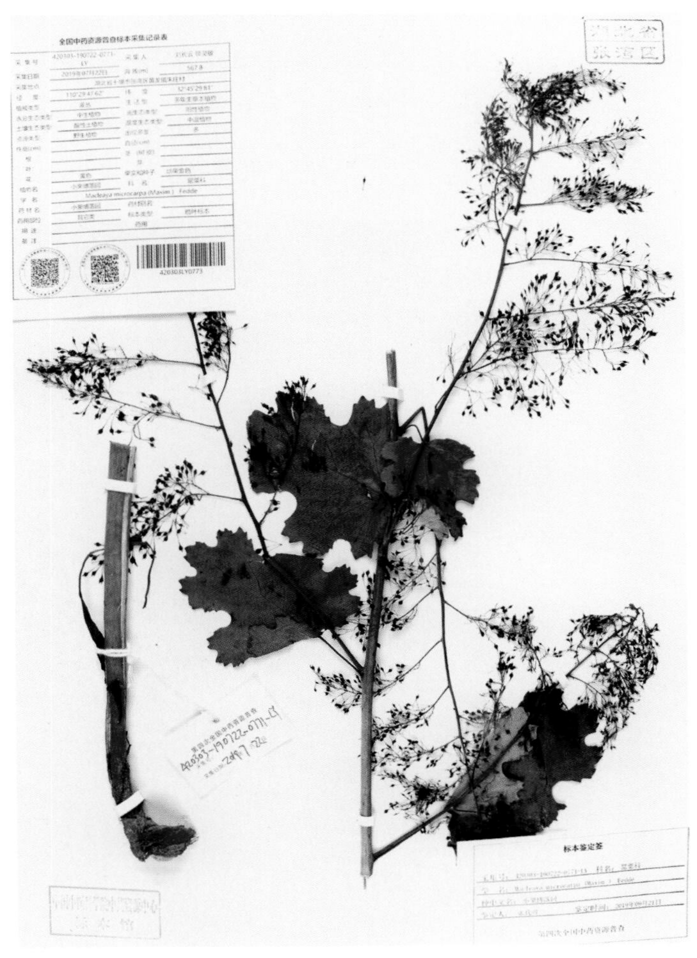

罂粟科 Papaveraceae 绿绒蒿属 *Meconopsis*

柱果绿绒蒿 *Meconopsis oliverana* Franch. et Prain

| 药 材 名 | 柱果绿绒蒿。

| 形态特征 | 多年生草本，高 50 ~ 100 cm，具无色透明的液汁。根细而多；根茎被以宿存的叶基和密被黄棕色具多短分枝的刚毛。茎直立，分枝，具明显的沟槽，近基部疏被刚毛。基生叶卵形或长卵形，长 5 ~ 10 cm，宽 3 ~ 5 cm，近基部羽状全裂，近顶部羽状浅裂，裂片 3 ~ 5，疏离，具柄至近无柄，羽状分裂，小裂片卵形至倒卵形，先端钝圆，基部宽楔形、平截或稍心形，表面深绿色，背面具白粉，两面疏被黄棕色长硬毛，具叶柄，叶柄被黄棕色的长硬毛；茎生叶下部者与基生叶同形，具柄，上部者较小，无柄或近无柄，略抱茎。花 1 或 2 生于茎和分枝最上部的叶腋内，组成聚伞状圆锥花序；花梗细，长 5 ~ 10 cm；花芽球形或卵形；萼片 2，椭圆形，长

7 ~ 10 mm，无毛；花瓣 4，宽卵形至圆形，长 1 ~ 1.5（~ 2）cm，宽 0.8 ~ 1.5（~ 2）cm，黄色；雄蕊多数，花丝丝状，长 4 ~ 7 mm，花药长卵形，长约 1 mm，黄色；子房狭长圆形或近圆柱形，长约 8 mm，直径约 1 mm，无毛，花柱极短，柱头 4 ~ 5 裂，裂片略下延。蒴果狭长圆形或近圆柱形，长 3 ~ 4 cm，直径 3 ~ 4 mm，无毛，具隆起的肋，4 ~ 5 瓣自先端向下微裂；种子多数，椭圆状卵形，长约 1 mm，棕褐色，具光泽，种皮明显具纵条纹及窗格状凹痕。花果期 5 ~ 9 月。

| 生境分布 | 生于海拔 1 500 ~ 2 400 m 的山坡林下或灌丛中。分布于湖北巴东、神农架。

| 资源情况 | 药材主要来源于野生。

| 采收加工 | **全草**：7 ~ 8 月采收，洗净，阴干。

| 功能主治 | 清热解毒，镇静，定喘。

罂粟科 Papaveraceae 绿绒蒿属 *Meconopsis*

五脉绿绒蒿 *Meconopsis quintuplinervia* Regel

| 药 材 名 | 五脉绿绒蒿。

| 形态特征 | 多年生草本，高 30 ~ 50 cm，基部盖以宿存的叶基，其上密被淡黄色或棕褐色、具多短分枝的硬毛。须根纤维状，细长。叶全部基生，莲座状，叶片倒卵形至披针形，长 2 ~ 9 cm，宽 1 ~ 3 cm，先端急尖或钝，基部渐狭并下延入叶柄，两面密被淡黄色或棕褐色、具多短分枝的硬毛，明显具 3 ~ 5 纵脉；叶柄长 3 ~ 6 cm。花葶 1 ~ 3，具肋，被棕黄色、具分枝且反折的硬毛，上部毛较密。花单生于基生花葶上，下垂；花芽宽卵形；萼片长约 2 cm，宽约 1.5 cm，外面密被棕黄色、具分枝的硬毛；花瓣 4 ~ 6，倒卵形或近圆形，长 3 ~ 4 cm，宽 2.5 ~ 3.7 cm，淡蓝色或紫色；花丝丝状，长 1.5 ~ 2 cm，与花瓣同色或白色，花药长圆形，长 1 ~ 1.5 mm，淡黄色；

子房近球形、卵珠形或长圆形，长 5 ~ 8 mm，密被棕黄色、具分枝的刚毛，花柱短，长 1 ~ 1.5 mm，柱头头状，3 ~ 6 裂。果实椭圆形或长圆状椭圆形，长 1.5 ~ 2.5 cm，密被紧贴的刚毛，3 ~ 6 自先端微裂；种子狭卵形，长约 3 mm，黑褐色，种皮具网纹和折皱。花果期 6 ~ 9 月。

| 生境分布 | 生于海拔 2 300 ~ 3 100 m 的背阴山坡灌丛中或高山草地。分布于湖北房县、竹溪、神农架。

| 资源情况 | 药材主要来源于野生。

| 采收加工 | **全草**：7 ~ 8 月采收，洗净，阴干。

| 功能主治 | 清热解毒，镇痉息风，消炎，定喘。用于小儿惊风，肺炎，咳喘。

罂粟科 Papaveraceae 罂粟属 *Papaver*

野罂粟 *Papaver nudicaule* L.

| 药 材 名 | 野罂粟壳。

| 形态特征 | 多年生草本，高 20 ~ 60 cm。主根圆柱形，延长，上部直径 2 ~ 5 mm，向下渐狭或为纺锤状。根茎短，增粗，通常不分枝，密盖麦秆色、覆瓦状排列的残枯叶鞘。茎极缩短。叶全部基生，叶片卵形至披针形，长 3 ~ 8 cm，羽状浅裂、深裂或全裂，裂片 2 ~ 4 对，全缘或再次羽状浅裂或深裂，小裂片狭卵形、狭披针形或长圆形，先端急尖、钝或圆形，两面稍具白粉，密被或疏被刚毛，极稀近无毛；叶柄长（1 ~ ）5 ~ 12 cm，基部扩大成鞘，被斜展的刚毛。花葶 1 至数枚，圆柱形，直立，密被或疏被斜展的刚毛。花单生于花葶先端；花蕾宽卵形至近球形，长 1.5 ~ 2 cm，密被褐色刚毛，通常下垂；萼片 2，舟状椭圆形，早落；花瓣 4，宽楔形或倒卵形，

长（1.5 ~ ）2 ~ 3 cm，边缘具浅波状圆齿，基部具短爪，淡黄色、黄色或橙黄色，稀红色；雄蕊多数，花丝钻形，长 0.6 ~ 1 cm，黄色或黄绿色，花药长圆形，长 1 ~ 2 mm，黄白色、黄色或稀带红色；子房倒卵形至狭倒卵形，长 0.5 ~ 1 cm，密被紧贴的刚毛，柱头 4 ~ 8，辐射状。蒴果狭倒卵形、倒卵形或倒卵状长圆形，长 1 ~ 1.7 cm，密被紧贴的刚毛，具 4 ~ 8 淡色的宽肋；柱头盘平扁，具疏离缺刻状的圆齿；种子多数，近肾形，小，褐色，表面具条纹和蜂窝小孔穴。花果期 5 ~ 9 月。

| 生境分布 | 生于海拔 1 000 ~ 1 500（ ~ 2 500）m 的高山平原、林下、林缘或山坡草地。分布于湖北房县、丹江口、神农架。

| 功能主治 | 涩肠止痛，止咳定喘，止泻。

| 附　　注 | 不宜常服，儿童禁用。本种亦为著名蒙药。

罂粟科 Papaveraceae 罂粟属 *Papaver*

虞美人 *Papaver rhoeas* L.

| 药 材 名 | 虞美人。

| 形态特征 | 一年生草本，全体被伸展的刚毛，稀无毛。茎直立，高 25 ~ 90 cm，具分枝，被淡黄色刚毛。叶互生，叶片披针形或狭卵形，长 3 ~ 15 cm，宽 1 ~ 6 cm，羽状分裂，下部全裂，全裂片披针形和 2 回羽状浅裂，上部深裂或浅裂，裂片披针形，最上部粗齿状羽状浅裂，顶生裂片通常较大，小裂片先端均渐尖，两面被淡黄色刚毛，叶脉在背面突起，在表面略凹；下部叶具柄，上部叶无柄。花单生于茎和分枝先端；花梗长 10 ~ 15 cm，被淡黄色平展的刚毛；花蕾长圆状倒卵形，下垂；萼片 2，宽椭圆形，长 1 ~ 1.8 cm，绿色，外面被刚毛；花瓣 4，圆形、横向宽椭圆形或宽倒卵形，长 2.5 ~ 4.5 cm，全缘，稀圆齿状或先端缺刻状，紫红色，基部通常具

深紫色斑点；雄蕊多数，花丝丝状，长约 8 mm，深紫红色，花药长圆形，长约 1 mm，黄色；子房倒卵形，长 7 ~ 10 mm，无毛，柱头 5 ~ 18，辐射状，连合成扁平、边缘圆齿状的盘状体。蒴果宽倒卵形，长 1 ~ 2.2 cm，无毛，具不明显的肋；种子多数，肾状长圆形，长约 1 mm。花果期 3 ~ 8 月。

| 生境分布 | 生于高海拔的山区。湖北恩施、建始，以及武汉有栽培。

| 采收加工 | **全草：**夏、秋季采收，鲜用。

| 功能主治 | 镇咳，止泻，镇痛。用于咳嗽，腹痛，痢疾。

| 附　　注 | 本种果实含吗啡、那可丁、蒂巴因等，入药称作“雏罂粟”。具有止咳、止痛、止泻、催眠的作用。

罂粟科 Papaveraceae 罂粟属 *Papaver*

罂粟 *Papaver somniferum* L.

| 药材名 | 罂粟。

| 形态特征 | 一年生草本，无毛，稀在植株下部或总花梗上被极少的刚毛，高30 ~ 60（~ 100）cm，栽培种高可达 1.5 m。主根近圆锥状，垂直。茎直立，不分枝，无毛，具白粉。叶互生，叶片卵形或长卵形，长7 ~ 25 cm，先端渐尖至钝，基部心形，边缘为不规则的波状锯齿，两面无毛，具白粉；叶脉明显，略凸起；下部叶具短柄，上部叶无柄，抱茎。花单生；花梗长达 25 cm，无毛或散生刚毛；花蕾卵圆状长圆形或宽卵形，长 1.5 ~ 3.5 cm，宽 1 ~ 3 cm，无毛；萼片 2，宽卵形，绿色，边缘膜质；花瓣 4，近圆形或近扇形，长 4 ~ 7 cm，宽 3 ~ 11 cm，边缘浅波状或各式分裂，白色、粉红色、红色、紫

色或杂色；雄蕊多数，花丝线形，长 1 ~ 1.5 cm，白色，花药长圆形，长 3 ~ 6 mm，淡黄色；子房球形，直径 1 ~ 2 cm，绿色，无毛，柱头（5 ~）8 ~ 12（~ 18），辐射状，连合成扁平的盘状体，盘边缘深裂，裂片具细圆齿。蒴果球形或长圆状椭圆形，长 4 ~ 7 cm，直径 4 ~ 5 cm，无毛，成熟时褐色；种子多数，黑色或深灰色，表面呈蜂窝状。花果期 3 ~ 11 月。

| 生境分布 | 栽培种。湖北有分布。

| 功能主治 | 用于久咳，久泻，久痢，脱肛，心、腹、筋骨诸痛。

罂粟科 Papaveraceae 金罂粟属 *Stylophorum*

金罂粟 *Stylophorum lasiocarpum* (Oliv.) Fedde

| 药 材 名 | 金罂粟。

| 形态特征 | 茎无毛。茎生叶 2 ~ 3，生于茎上部，近对生或近轮生，叶片同基生叶，叶柄较短。花 4 ~ 7，于茎先端排列成伞形花序；花梗长 5 ~ 15 cm；苞片狭卵形，渐尖，长 1 ~ 1.5 cm；萼片卵形，长约 1 cm，急尖，外面被短柔毛；花瓣黄色，倒卵状圆形，长约 2 cm；雄蕊长约 1.2 cm，花丝丝状，花药长圆形，长约 1.5 mm；子房圆柱形，长约 1.2 cm，被短毛，花柱长约 3 mm，柱头 2 裂，裂片大，近平展。蒴果狭圆柱形，长 5 ~ 8 cm，直径约 5 mm，被短柔毛；种子多数，卵圆形，长约 1 mm，具网纹，有鸡冠状的种阜。花期 4 ~ 8 月，果期 6 ~ 9 月。

| 生境分布 | 生于海拔 600 ～ 1 800 m 的林下或沟边。分布于湖北西部。

| 功能主治 | **全草或根：**用于跌打损伤，外伤出血，劳伤，月经不调，疖疮。

山柑科 Capparaceae 白花菜属 *Cleome*

白花菜 *Cleome gynandra* L.

｜药 材 名｜ 白花菜。

｜形态特征｜ 一年生直立分枝草本，高约 1 m，常被腺毛，有时茎上无毛，无刺。叶为 3 ~ 7 小叶的掌状复叶，小叶倒卵状椭圆形、倒披针形或菱形，先端渐尖、急尖、钝或圆形，基部楔形至渐狭延成小叶柄，两面近无毛，边缘有细锯齿或有腺纤毛，中央小叶最大，长 1 ~ 5 cm，宽 8 ~ 16 mm，侧生小叶依次变小；叶柄长 2 ~ 7 cm；小叶柄长 2 ~ 4 mm，在汇合处彼此连生成蹼状；无托叶。总状花序长 15 ~ 30 cm，花少数至多数；苞片由 3 小叶组成，有短柄或几无柄；苞片中央小叶长达 1.5 cm，侧生小叶有时近消失；花梗长约 1.5 cm；萼片分离，披针形、椭圆形或卵形，长 3 ~ 6 mm，宽 1 ~ 2 mm，被腺毛；花瓣白色，少有淡黄色或淡紫色，在花蕾时期

不覆盖着雄蕊和雌蕊，有爪，连爪长 10 ~ 17（~ 20）mm，瓣片近圆形或阔倒卵形，宽 2 ~ 6 mm；花盘稍肉质，微扩展，圆锥状，长 2 ~ 3 mm，直径约 2 mm，果时不明显；雄蕊 6，伸出花冠外；雌雄蕊柄长 5 ~ 18（~ 22）mm；雌蕊柄在两性花中长 4 ~ 10（~ 16）mm，在雄花中长 1 ~ 2 mm 或无柄；子房线柱形，花柱很短或无花柱，柱头头状。果实圆柱形；斜举，长 3 ~ 8 cm，中部直径 3 ~ 4 mm，雌雄蕊柄与雌蕊柄果时长度近相等，5 ~ 20 mm；种子近扁球形，黑褐色，长 1.2 ~ 1.8 mm，宽 1.1 ~ 1.7 mm，高 0.7 ~ 1 mm，表面有横向皱纹或疣状小突起，爪张开，但常近似彼此连生；不具假种皮。花果期 7 ~ 10 月。

| 生境分布 | 生于低海拔村边、道旁、荒地或田野间。分布于湖北秭归、通山，以及武汉。

| 采收加工 | **全草：**秋季采收，鲜用或晒干。

| 功能主治 | 祛风除湿，清热解毒。用于风湿痹痛，跌打损伤，淋浊，带下，疟疾，痢疾，痔疮，蛇虫咬伤。

山柑科 Capparaceae 白花菜属 *Cleome*

醉蝶花 *Cleome spinosa* Jacq.

| 药 材 名 | 醉蝶花。

| 形态特征 | 一年生草本。花茎直立，株高 40 ~ 100 cm，有黏质腺毛和强烈的臭味。掌状复叶，小叶 5 ~ 7，矩圆状披针形，长 4 ~ 10 cm，宽 1 ~ 2 cm，最外侧小叶长约 2 cm，宽约 5 mm，先端急尖，基部楔形，全缘，两面有腺毛；叶柄有腺毛；托叶变成小钩刺。总状花序顶生，长达 40 cm；苞片单生，卵形，近无柄，基部多少心形；花梗长 2 ~ 3 cm，被短腺毛，单生于苞片腋内；萼片 4，披针形，长约 5 mm，向外反折；花瓣呈玫瑰紫红色或白色，倒卵形，长可达 2.5 cm，有长爪；雄蕊 6，花丝长 3.5 ~ 4 cm，花药线形，长 7 ~ 8 mm，蓝色或紫色；雌雄蕊柄长 1 ~ 3 mm；子房柄长约 4 cm，子房线柱形，长 3 ~ 4 mm，无毛；几无花柱，柱头头状。蒴果圆柱形，长 5 ~

6 cm，表面有细密而不甚清晰的脉纹；种子直径约 2 mm，表面近平滑或有小疣状突起，不具假种皮。花期 7 ~ 9 月，果期 9 ~ 10 月。

| 生境分布 | 湖北有栽培。

| 采收加工 | **全草：** 秋季采收，鲜用或晒干。

| 功能主治 | 消肿散瘀，祛寒止痛，杀虫止痒。用于风湿疼痛，腰痛，止痒。

山柑科 Capparaceae 白花菜属 *Cleome*

黄花草 *Cleome viscosa* L.

| 药 材 名 | 黄花草。

| 形态特征 | 一年生直立草本，高 0.3 ~ 1 m，全株密被黏质腺毛与淡黄色柔毛，无刺，有恶臭气味。叶为具 3 ~ 5（~ 7）小叶的掌状复叶；小叶近无柄，倒披针状椭圆形，中央小叶最大，长 1 ~ 5 cm，宽 5 ~ 15 mm，侧生小叶依次减小，全缘但边缘有腺纤毛，侧脉 3 ~ 7 对；叶柄长（1 ~）2 ~ 4（~ 6）cm，无托叶。花单生于茎上部叶腋内，但近先端呈总状或伞房状花序；花梗纤细，长 1 ~ 2 cm；萼片分离，狭椭圆形或倒披针状椭圆形，长 6 ~ 7 mm，宽 1 ~ 3 mm，近膜质，有细条纹，内面无毛，背面及边缘有黏质腺毛；花瓣黄色，无毛，有数条明显的纵行脉，倒卵形或匙形，长 7 ~ 12 mm，宽 3 ~ 5 mm，基部楔形至多少有爪，先端圆形；雄蕊 10 ~ 22（~ 30），花丝比

花瓣短，花期时不露出花冠外，花药背着，长约 2 mm；子房无柄，圆柱形，长约 8 mm，密被腺毛，花期时亦不外露，1 室，侧膜胎座 2，胚珠多数，子房顶部变狭而伸长花柱长 2 ~ 6 mm，柱头头状。果实直立，圆柱形，劲直或稍镰弯，密被腺毛，基部宽阔无柄，先端渐狭成喙，长 6 ~ 9 cm，中部直径约 3 mm，成熟后果瓣自先端向下开裂，果瓣宿存，表面明显纵条纹，2 胎座框特别凸起，宿存的花柱长约 5 mm；种子黑褐色，直径 1 ~ 1.5 mm，表面有约 30 横向平行的皱纹。无明显的花果期，通常 3 月出苗，7 月果实成熟。

| 生境分布 | 生于荒地、路旁及田野间草丛中。分布于湖北武汉及通山。

| 资源情况 | 药材来源于野生和栽培。

| 采收加工 | **全草**：7 月果实成熟时采收，鲜用或晒干。

种子：7 月果实成熟时割取全株，晒干，打下种子，扬净。

| 功能主治 | **全草**：养血平肝，利尿消肿。用于头晕，耳鸣，心悸，腰痛，吐血，衄血，大肠下血，水肿，淋病，咽痛，乳痈。

种子：驱虫消疳。用于肠道寄生虫病，疳积。

| 附　　注 | 本种在《中华本草》中记录为"黄花菜"，在《全国中草药汇编》中记录为"臭矢菜"。因"黄花菜"与《中药大辞典》记录的百合科"黄花菜（又名金针菜或萱草花）"容易混淆，故仍然用植物名"黄花草"作为药材名。原植物拉丁学名为"*Cleome viscosa* L."，经 Flora of China 改为"*Arivela viscosa* (L.) Rafinesque"。

十字花科 Cruciferae 南芥属 *Arabis*

匍匐南芥 *Arabis flagellosa* Miq.

| 药 材 名 | 匍匐南芥。

| 形态特征 | 多年生草本，全株被单毛、2 ~ 3 叉毛及星状毛，有时近无毛。茎自基部分枝，有鞭状匍匐茎；营养茎常向外倾斜，高 10 ~ 35 cm，表面有沟棱。基生叶簇生，长椭圆形至匙形，长 3 ~ 7 cm，宽 1.5 ~ 2.5 cm，先端钝圆，边缘具疏齿，基部下延成翅状的狭叶柄，不具裂片；茎生叶排列疏松，有时先端有 3 ~ 6 叶轮生，倒卵形或长椭圆形，长 7 ~ 9 mm，先端钝。花序顶生；萼片长椭圆形，长约 5 mm，上部边缘白色；花瓣长椭圆形，长 8 ~ 9 mm，宽约 2.5 mm，基部呈长爪状。长角果线形，长 2 ~ 4 cm，宽约 1.5 mm；果瓣扁平或缢缩成念珠状，中脉明显；果柄斜升，长约 1.2 cm；种子每室 1 行，

长圆形，长约 1.5 mm，无翅，具明显凹点。花期 3 月，果期 4 月。

| 生境分布 | 生于海拔 100 ～ 200 m 的林下沟边、阴湿山谷石缝中。分布于湖北英山、麻城等。

| 资源情况 | 野生资源较少，栽培资源较丰富。药材主要来源于栽培。

| 采收加工 | 春季采收，洗净，鲜用或晒干。

| 功能主治 | 清热解毒。用于热病发热，咽喉肿痛，痈肿疮毒等。

十字花科 Cruciferae 南芥属 *Arabis*

圆锥南芥 *Arabis paniculata* Franch.

| 药 材 名 | 圆锥南芥。

| 形态特征 | 二年生草本，高 30 ~ 60 cm。茎直立，自中部以上常呈圆锥状分枝，被 2 ~ 3 叉毛及星状毛。基生叶簇生，叶片长椭圆形，长 3 ~ 8 cm，宽 1.5 ~ 2 cm，与茎生叶均为先端渐尖，边缘具疏锯齿，基部下延成有翅的叶柄；茎生叶多数，叶片长椭圆形至倒披针形，长 1.5 ~ 7.5 cm，宽 10 ~ 25 mm，基部呈心形或肾形，半抱茎或抱茎，两面密生 2 ~ 3 叉毛及星状毛；无柄。总状花序顶生或腋生成圆锥状；萼片长卵形至披针形，长 2 ~ 3.5 mm，背面近无毛；花瓣白色，长匙形，长 4 ~ 6 mm，基部呈爪状；柱头头状。长角果线形，长 3 ~ 5 cm，宽约 1 mm，排列疏松，斜向外展；果瓣具中脉，先

端宿存花柱短；果柄长约 1.4 cm；种子椭圆形或不规则，长约 1.2 mm，黄褐色，具狭翅，表面密具小颗粒而呈条纹状。花期 5 ~ 6 月，果期 7 ~ 9 月。

| 生境分布 | 生于海拔 2 500 ~ 2 900 m 的山坡林下荒地。湖北有分布。

| 功能主治 | 解表退热，清热泻火。用于外感风热，肺热咳嗽，咯黄痰等。

十字花科 Cruciferae 南芥属 *Arabis*

垂果南芥 *Arabis pendula* L.

| 药 材 名 | 垂果南芥。

| 形态特征 | 二年生草本，高 30 ~ 150 cm，全株被硬单毛，杂有 2 ~ 3 叉毛。主根圆锥状，黄白色。茎直立，上部有分枝。茎下部的叶长椭圆形至倒卵形，长 3 ~ 10 cm，宽 1.5 ~ 3 cm，先端渐尖，边缘有浅锯齿，基部渐狭成叶柄，柄长达 1 cm；茎上部的叶狭长椭圆形至披针形，较下部的叶略小，基部呈心形或箭形，抱茎，上面黄绿色至绿色。总状花序顶生或腋生，有 10 余花；萼片椭圆形，长 2 ~ 3 mm，背面被单毛、2 ~ 3 叉毛及星状毛，花蕾期毛更密；花瓣白色，匙形，长 3.5 ~ 4.5 mm，宽约 3 mm。长角果线形，长 4 ~ 10 cm，宽 1 ~ 2 mm，弧曲，下垂；种子每室 1 行，椭圆形，褐色，长 1.5 ~ 2 mm，

边缘有环状的翅。花期 6 ~ 9 月，果期 7 ~ 10 月。

| **生境分布** | 生于海拔 1 500 ~ 3 100 m 的山坡、路旁、河边草丛中及高山灌木林下和荒漠地区。湖北有分布。

| **功能主治** | 清热，解毒，消肿。用于疮痈肿毒。

十字花科 Cruciferae 芸薹属 *Brassica*

芸苔 *Brassica campestris* L.

| 药材名 |

芸薹、芸薹子。

| 形态特征 |

二年生草本，高 30 ~ 90 cm。茎粗壮，直立，分枝或不分枝，无毛或近无毛，稍带粉霜。基生叶大头羽裂，顶裂片圆形或卵形，边缘有不整齐弯缺牙齿，侧裂片 1 至数对，卵形；叶柄宽，长 2 ~ 6 cm，基部抱茎；下部茎生叶羽状半裂，长 6 ~ 10 cm，基部扩展且抱茎，两面有硬毛及缘毛；上部茎生叶长圆状倒卵形、长圆形或长圆状披针形，长 2.5 ~ 8（~ 15）cm，宽 0.5 ~ 4（~ 5）cm，基部心形，抱茎，两侧有垂耳，全缘或有波状细齿。总状花序在花期呈伞房状，以后伸长；花鲜黄色，直径 7 ~ 10 mm；萼片长圆形，长 3 ~ 5 mm，直立开展，先端圆形，边缘透明，稍有毛；花瓣倒卵形，长 7 ~ 9 mm，先端近微缺，基部有爪。长角果线形，长 3 ~ 8 cm，宽 2 ~ 4 mm，果瓣有中脉及网纹，萼直立，长 9 ~ 24 mm，果柄长 5 ~ 15 mm；种子球形，直径约 1.5 mm，紫褐色。花期 3 ~ 4 月，果期 5 月。

| 生境分布 | 湖北谷城、郧西、南漳、麻城、恩施、利川、五峰、长阳、房县、巴东等有栽培。

| 资源情况 | 栽培资源丰富。药材来源于栽培。

| 采收加工 | **芸薹：**2 ~ 3 月采收，鲜用。

芸薹子：4 ~ 6 月种子成熟时采收，晒干，打落种子，除去杂质，晒干。

| 功能主治 | **芸薹：**凉血散血，解毒消肿。用于血痢，丹毒，热毒疮肿，乳痈，风疹，吐血。

芸薹子：活血化瘀，消肿散结，润肠通便。用于产后恶露不尽，瘀血腹痛，痛经，肠风下血，血痢，风湿关节肿痛，痈肿丹毒，乳痈，便秘，粘连性肠梗阻。

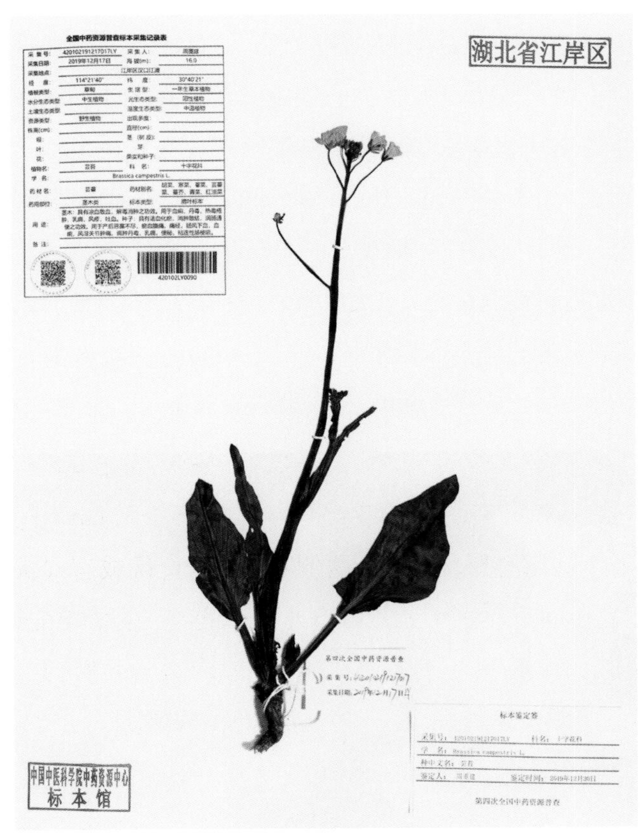

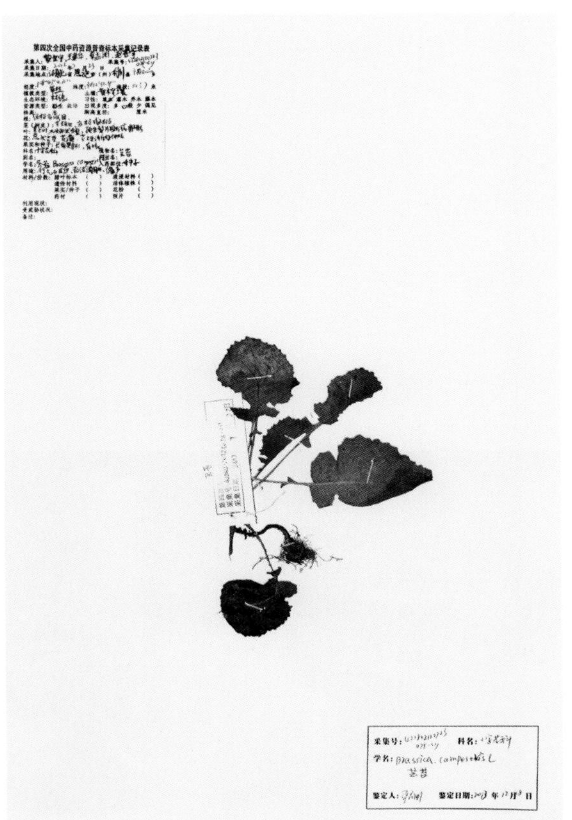

十字花科 Cruciferae 芸薹属 *Brassica*

青菜 *Brassica chinensis* L.

| 药 材 名 | 菘菜、菘菜子。

| 形态特征 | 一年生或二年生草本。高 25 ~ 70 cm，无毛，带粉霜；根粗，坚硬，常成纺锤形块根，先端常有短根颈。茎直立，有分枝。基生叶倒卵形或宽倒卵形，长 20 ~ 30 cm，坚实，深绿色，有光泽，基部渐狭成宽柄，全缘或有不明显圆齿或波状齿；中脉白色，宽达 1.5 cm，有多条纵脉；下部茎生叶和基生叶相似，基部渐狭成叶柄；上部茎生叶倒卵形或椭圆形，长 3 ~ 7 cm，宽 1 ~ 3.5 cm，基部抱茎，宽展，两侧有垂耳，全缘，微带粉霜；叶柄长 3 ~ 5 cm，有或无窄边。总状花序顶生，呈圆锥状；花浅黄色，长约 1 cm，授粉后长达 1.5 cm；花梗细，与花等长或较短；萼片长圆形，长 3 ~ 4 mm，直立开展，白色或黄色；花瓣长圆形，长约 5 mm，先端圆钝，有脉纹，具宽爪。

长角果线形，长 2 ~ 6 cm，宽 3 ~ 4 mm，坚硬，无毛，果瓣有明显中脉及网结侧脉；喙先端细，基部宽，长 8 ~ 12 mm；果柄长 8 ~ 30 mm；种子球形，直径 1 ~ 1.5 mm，紫褐色，有蜂窝纹。花期 4 月，果期 5 月。

| 生境分布 | 栽培种。湖北枣阳、红安、竹溪等有栽培。

| 资源情况 | 栽培资源丰富。药材来源于栽培。

| 采收加工 | **菘菜：**2 ~ 3 月采收，多鲜用。

菘菜子：6 ~ 7 月种子成熟时，于晴天早晨刈取植株，干燥，打出种子，再干燥。

| 功能主治 | **菘菜：**解热除烦，生津止渴，清肺消痰，通利肠胃。用于肺热咳嗽，便秘，消渴，食积，丹毒，漆疮。

菘菜子：清肺化痰，消食醒酒。用于痰热咳嗽，食积，醉酒。

十字花科 Cruciferae 芸薹属 *Brassica*

雪里蕻 *Brassica juncea* (L.) Czern. & Coss. var. *multiceps* Tsen & Lee

| 药 材 名 | 芥菜。

| 形态特征 | 一年生草本，高 30 ～ 150 cm，常无毛，有时幼茎及叶具刺毛，带粉霜，有辣味。茎直立，有分枝。基生叶倒披针形或长圆状倒披针形，

不裂或稍有缺刻，有不整齐锯齿或重锯齿，上部及顶部茎生叶小，长圆形，全缘，皱缩。总状花序顶生，花后延长；花黄色，直径 7 ~ 10 mm；花梗长 4 ~ 9 mm；萼片淡黄色，长圆状椭圆形，长 4 ~ 5 mm，直立开展；花瓣倒卵形，长 8 ~ 10 mm，宽 4 ~ 5 mm。长角果线形，长 3 ~ 5.5 cm，宽 2 ~ 3.5 mm，果瓣具 1 突出中脉，喙长 6 ~ 12 mm，果柄长 5 ~ 15 mm；种子球形，直径约 1 mm，紫褐色。花期 3 ~ 5 月，果期 5 ~ 6 月。

| 生境分布 | 湖北枣阳、郧西、竹溪等有栽培。

| 资源情况 | 栽培资源丰富。药材来源于栽培。

| 采收加工 | **嫩茎、叶：**秋季采收，鲜用或晒干。

| 功能主治 | 利肺豁痰，消肿散结。用于寒饮咳嗽，痰滞气逆，胸膈满闷，石淋，牙龈肿烂，乳痈，痔肿，冻疮，漆疮。

| 附　　注 | 目疾、疮疡、痔疮、便血及阴虚火旺者慎食。

十字花科 Cruciferae 芸薹属 *Brassica*

欧洲油菜 *Brassica napus* L.

| 药 材 名 | 欧洲油菜。

| 形态特征 | 一年生或二年生草本，高 30 ~ 50 cm，具粉霜。茎直立，有分枝，仅幼叶有少数散生刚毛。下部叶大头羽裂，长 5 ~ 25 cm，宽 2 ~ 6 cm，顶裂片卵形，长 7 ~ 9 cm，先端圆形，基部近平截，边缘具钝齿，侧裂片约 2 对，卵形，长 1.5 ~ 2.5 cm，叶柄长 2.5 ~ 6 cm，基部有裂片；中部及上部茎生叶由长圆状椭圆形渐变成披针形，基部心形，抱茎。总状花序伞房状；花直径 10 ~ 15 mm；花梗长 6 ~ 12 mm；萼片卵形，长 5 ~ 8 mm；花瓣浅黄色，倒卵形，长 10 ~ 15 mm，爪长 4 ~ 6 mm。长角果线形，长 40 ~ 80 mm，果瓣具 1 中脉，喙细，长 1 ~ 2 cm，果柄长约 2 cm；种子球形，直径约 1.5 mm，黄棕色，近种脐处常带黑色，有网状窠穴。花期 3 ~ 4 月，

果期 4 ～ 5 月。

| 生境分布 | 湖北有栽培。

| 资源情况 | 栽培资源丰富。药材来源于栽培。

| 采收加工 | **茎、叶：** 12 月至翌年 3 月上旬抽薹前采收。

种子： 4 ～ 6 月种子成熟时采收，晒干，打落种子，除去杂质，晒干。

| 功能主治 | **茎、叶：** 疏肝健脾，滑肠通便。用于肝脾不和，饮食积滞，脘腹痞胀，纳呆，便秘。

种子： 清湿热，散热毒，消食下气。用于湿热黄疸，便秘腹胀，热毒乳痈，小儿头疮，无名肿毒，骨疽。

十字花科 Cruciferae 芸薹属 *Brassica*

甘蓝 *Brassica oleracea* L. var. *capitata* L.

| **药材名** | 甘蓝。

| **形态特征** | 二年生草本，被粉霜，矮且粗壮。一年生茎肉质，不分枝，绿色或灰绿色。基生叶多数，质厚，层层包裹成球状体，扁球形，直径 10 ~ 30 cm 或更大，乳白色或淡绿色；二年生茎有分枝，具茎生叶。

基生叶及下部茎生叶长圆状倒卵形至圆形，长、宽均达 30 cm，先端圆形，基部骤窄成极短且有宽翅的叶柄，边缘有不明显的波状锯齿；上部茎生叶卵形或长圆状卵形，长 8 ～ 13.5 cm，宽 3.5 ～ 7 cm，基部抱茎；最上部叶长圆形，长约 4.5 cm，宽约 1 cm，抱茎。总状花序顶生及腋生；花淡黄色，直径 2 ～ 2.5 cm；花梗长 7 ～ 15 mm；萼片直立，线状长圆形，长 5 ～ 7 mm；花瓣宽椭圆状倒卵形或近圆形，长 13 ～ 15 mm，脉纹明显，先端微缺，基部骤变窄成爪，爪长 5 ～ 7 mm。长角果圆柱形，长 6 ～ 9 cm，宽 4 ～ 5 mm，两侧稍压扁，中脉凸出，喙圆锥形，长 6 ～ 10 mm；果柄粗，直立开展，长 2.5 ～ 3.5 cm；种子球形，直径 1.5 ～ 2 mm，棕色。花期 4 月，果期 5 月。

｜生境分布｜ 栽培于庭园、旱地和田圃间。湖北有栽培。

｜采收加工｜ 夏、秋季采收，鲜用。

｜功能主治｜ 清利湿热，散结止痛，益肾补虚。用于湿热黄疸，消化道溃疡，关节不利，虚损。

十字花科 Cruciferae 芸薹属 *Brassica*

白菜 *Brassica pekinensis* Rupr.

| 药 材 名 | 黄芽白菜。

| 形态特征 | 二年生草本，高 40 ~ 60 cm；常全株无毛，有时叶下面中脉上有少数刺毛。基生叶多数，大型，倒卵状长圆形至宽倒卵形，长 30 ~ 60 cm，宽不及长的 1/2，先端圆钝，边缘皱缩，波状，有时具

不明显的牙齿，中脉白色，很宽，有多数粗壮侧脉；叶柄白色，扁平，长 5 ～ 9 cm，宽 2 ～ 8 cm，边缘有具缺刻的宽薄翅；上部茎生叶长圆状卵形、长圆状披针形至长披针形，长 2.5 ～ 7 cm，先端圆钝至短急尖，全缘或有裂齿，有柄或抱茎，有粉霜。花鲜黄色，直径 1.2 ～ 1.5 cm；花梗长 4 ～ 6 mm；萼片长圆形或卵状披针形，长 4 ～ 5 mm，直立，淡绿色至黄色；花瓣倒卵形，长 7 ～ 8 mm，基部渐窄成爪。长角果较粗短，长 3 ～ 6 cm，宽约 3 mm，两侧压扁，直立，喙长 4 ～ 10 mm，宽约 1 mm，先端圆；果柄开展或上升，长 2.5 ～ 3 cm，较粗；种子球形，直径 1 ～ 1.5 mm，棕色。花期 5 月，果期 6 月。

| 生境分布 | 栽培于园地或大田。湖北有栽培。

| 采收加工 | 夏、秋季采收，鲜用。

| 功能主治 | 通利肠胃，养胃和中，利小便。用于水肿，胃炎。

十字花科 Cruciferae 荠属 *Capsella*

荠 *Capsella bursa-pastoris* (L.) Medic.

| 药 材 名 | 荠。

| 形态特征 | 一年生或二年生草本，高（7 ~ ）10 ~ 50 cm，无毛、有单毛或分叉毛。茎直立，单一或从下部分枝。基生叶丛生呈莲座状，大头羽状分裂，长可达 12 cm，宽可达 2.5 cm，顶裂片卵形至长圆形，长 5 ~ 30 mm，宽 2 ~ 20 mm，侧裂片 3 ~ 8 对，长圆形至卵形，长 5 ~ 15 mm，先端渐尖，浅裂，有不规则粗锯齿或近全缘，叶柄长 5 ~ 40 mm；茎生叶窄披针形或披针形，长 5 ~ 6.5 mm，宽 2 ~ 15 mm，基部箭形，抱茎，边缘有缺刻或锯齿。总状花序顶生及腋生，果期延长达 20 cm；花梗长 3 ~ 8 mm；萼片长圆形，长 1.5 ~ 2 mm；花瓣白色，卵形，长 2 ~ 3 mm，有短爪。短角果倒三角形或倒心状三角形，长 5 ~ 8 mm，宽 4 ~ 7 mm，扁平，无毛，先端微凹，裂

瓣具网脉，花柱长约 0.5 mm，果柄长 5 ~ 15 mm；种子 2 行，长椭圆形，长约 1 mm，浅褐色。花果期 4 ~ 6 月。

| 生境分布 | 生于山坡、田边及路旁。分布于湖北丹江口、当阳、红安、谷城、保康、宜都、郧西、郧阳、公安、黄梅、兴山、南漳、英山、蕲春、恩施、来凤、竹溪、巴东等。

| 资源情况 | 野生资源丰富。药材来源于野生。

| 采收加工 | **荠菜**：3 ~ 5 月采收，除去枯叶杂质，洗净，晒干。

荠菜花：4 ~ 5 月采收，晒干。

荠菜籽：6 月果实成熟时采收，晒干，揉出种子。

| 功能主治 | **荠菜**：凉肝止血，平肝明目，清热利湿。用于吐血，衄血，咯血，尿血，崩漏，口角疼痛，眼底出血，高血压，赤白痢，肾炎性水肿，乳糜尿。

十字花科 Cruciferae 碎米荠属 *Cardamine*

光头山碎米荠 *Cardamine engleriana* O. E. Schulz

| 药 材 名 | 光头山碎米荠。

| 形态特征 | 多年生草本，高达 26 cm，有线形根状匍匐茎。茎单一，通常不分枝，有时自根茎处丛生，直立或仅基部稍倾斜，表面有沟棱，下部有白色柔毛，上部光滑无毛。生于匍匐茎上的叶小，单叶，肾形，长 3.5 ~ 6 mm，宽 6 ~ 8 mm；边缘波状，质薄，叶柄柔弱，长 2 ~ 10 mm；基生叶亦为单叶，肾形，长 6 ~ 12 mm，宽 6 ~ 16 mm，边缘波状，叶柄长 10 ~ 12 mm；茎生叶无柄，3 小叶，顶生小叶大，肾形、心形或卵形，长 1 ~ 5.4（~ 9）cm，宽 1.1 ~ 3.5（~ 4.5）cm，先端钝圆，基部心形或阔楔形，通常向叶柄下延，边缘有 3 ~ 7 波状圆齿，先端有小尖头，侧生的 1 对小叶着生于顶生小叶的基部，小形，菱状卵形或肾形，边缘具波状钝齿；全部小叶无毛。总状花

序有花 3 ～ 10，花梗细，长 5 ～ 16 mm；萼片卵形，长约 2.5 mm，边缘膜质，内轮萼片基部呈囊状；花瓣白色，倒卵状楔形，长约 7 mm；雌蕊柱状，花柱细，与子房近等长，柱头头状，比花柱宽大。长角果稍扁平，长 15 ～ 20 mm，宽约 1 mm，无毛，果柄长 11 ～ 16 mm；种子长圆形，稍扁平，长约 1.8 cm，宽约 0.7 mm，黄褐色，一端有窄翅。花期 4 ～ 6 月，果期 6 ～ 7 月。

| 生境分布 | 生于海拔 800 ～ 2 400 m 的山谷沟边、山坡林下阴凉处以及路旁潮湿处。分布于湖北兴山、建始、神农架、郧阳、竹溪。

| 资源情况 | 野生资源丰富。药材主要来源于野生。

| 采收加工 | **全草：**春季采收，洗净，鲜用或晒干。

| 功能主治 | 清热解毒。

十字花科 Cruciferae 碎米荠属 *Cardamine*

弯曲碎米荠 *Cardamine flexuosa* With.

| 药 材 名 | 弯曲碎米荠。

| 形态特征 | 一年生或二年生草本，高达 30 cm。茎自基部多分枝，斜升，铺散状，表面疏生柔毛。基生叶有叶柄，小叶 3 ~ 7 对，顶生小叶卵形、倒卵形或长圆形，长与宽均为 2 ~ 5 mm，先端 3 齿裂，基部宽楔形，有小叶柄，侧生小叶卵形，较顶生的形小，1 ~ 3 齿裂，有小叶柄；茎生叶有小叶 3 ~ 5 对，小叶多为长卵形或线形，1 ~ 3 裂或全缘，小叶柄有或无，全部小叶近无毛。总状花序多数，生于枝顶，花小；花梗纤细，长 2 ~ 4 mm；萼片长椭圆形，长约 2.5 mm，边缘膜质；花瓣白色，倒卵状楔形，长约 3.5 mm；花丝不扩大；雌蕊柱状，花柱极短，柱头扁球状。长角果线形，扁平，长 12 ~ 20 mm，宽约 1 mm，与果序轴近平行排列，果序轴左右弯曲，果柄直立开展，长

3 ~ 9 mm；种子长圆形而扁，长约 1 mm，黄绿色，先端有极窄的翅。花期 3 ~ 5 月，果期 4 ~ 6 月。

| 生境分布 | 生于田边、路旁及草地。分布于湖北当阳、红安、郧西、秭归、公安、枣阳、南漳、神农架、英山、利川、五峰、竹溪、房县、江夏。

| 资源情况 | 野生资源丰富。药材主要来源于野生。

| 采收加工 | **全草**：2 ~ 5 月采收，鲜用或晒干。

| 功能主治 | 清热利湿，安神，止血。用于湿热泻痢，热淋，带下，心悸，失眠，虚火牙痛，疳积，便血，疔疮。

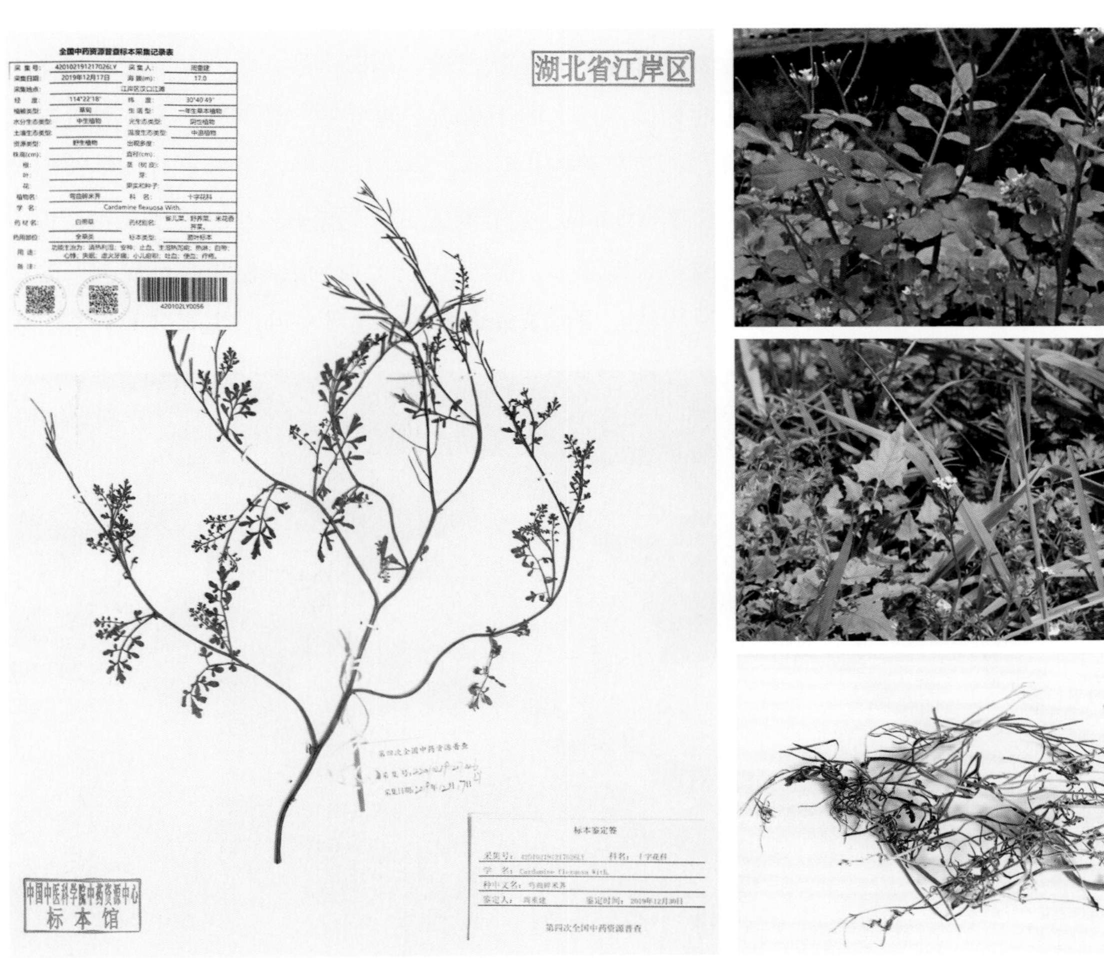

十字花科 Cruciferae 碎米荠属 *Cardamine*

碎米荠 *Cardamine hirsuta* L.

| 药 材 名 | 碎米荠。

| 形态特征 | 一年生或二年生草本，高 20 ~ 60 cm。茎直立，不分枝或有时上部分枝，表面有沟棱，有少数短柔毛或无毛，着生多数羽状复叶。基生叶叶柄长 1 ~ 3 cm，两缘通常有短柔毛，基部稍扩大，有 1 对托叶状耳，小叶 2 ~ 8 对，顶生小叶卵形，长 6 ~ 13 mm，宽 4 ~ 8 mm，边缘有不整齐钝齿状浅裂，基部楔形，小叶柄显著，侧生小叶与顶生的相似，自上而下渐小，通常生于最下的 1 ~ 2 对近披针形，全缘，都有显著的小叶柄；茎生叶有柄，基部也有抱茎线形弯曲的耳，长 3 ~ 8 mm，先端渐尖，缘毛显著，小叶 5 ~ 8 对，顶生小叶卵形或卵状披针形，侧生小叶与之相似，但较小；最上部的茎生叶小叶片较狭，少齿裂或近全缘；全部小叶散生短柔毛，有时无

毛，边缘均有缘毛。总状花序顶生和腋生，花多数，形小，直径约 2 mm，果期花序极延长；花梗纤细，长 2 ~ 6 mm；萼片长椭圆形，长约 2 mm；花瓣白色，狭长椭圆形，长 2 ~ 3 mm，基部稍狭；雌蕊柱状，无毛，花柱极短，柱头较花柱稍宽。长角果狭条形而扁，长 20 ~ 28 mm，果瓣无毛，成熟时自下而上弹性开裂，果柄直立开展或水平开展，长 10 ~ 15 mm，无毛；种子椭圆形，长约 1.3 mm，边缘有极狭的翅。花期 4 ~ 6 月，果期 5 ~ 7 月。

| 生境分布 | 生于海拔 1 000 m 以下的山坡、路旁、荒地及耕地草丛中。分布于湖北丹江口、江夏、麻城。

| 资源情况 | 野生资源一般，栽培资源丰富。药材主要来源于栽培。

| 采收加工 | **全草**：夏季采收，鲜用。

| 功能主治 | 清热利湿，安神，止血。用于湿热泻痢，热淋，带下，心悸，失眠，虚火牙痛，疳积，吐血，便血，疔疮。

十字花科 Cruciferae 碎米荠属 *Cardamine*

湿生碎米荠 *Cardamine hygrophila* T. Y. Cheo & R. C. Fang

药材名

湿生碎米荠。

形态特征

一年生或多年生草本，高 12 ~ 28 cm。根短而纤细。茎直立，自基部分枝，表面有沟棱，下部有白色柔毛，上部光滑无毛。基生叶叶柄长 2 ~ 3 cm，羽状复叶，小叶 1 ~ 2（~ 3）对，顶生小叶肾状圆形，长 9 ~ 15 mm，宽 11 ~ 19 mm，先端钝圆或微凹，边缘具波状圆齿，基部肾形，有小叶柄，侧生小叶较小，近圆形，全缘或稍呈波状，无小叶柄或有极短的柄；茎生小叶无柄，羽状复叶，小叶 1 ~ 3 对，与基生叶形态相似，顶生小叶长 7 ~ 24 mm，宽 10 ~ 28 mm，小叶柄长 2 ~ 17 mm，侧生小叶长 4 ~ 13 mm，宽 5 ~ 14 mm，近无柄，最下面 1 对小叶抱茎；全部小叶两面均无毛。总状花序有花 5 ~ 13；花梗长 5 ~ 8 mm；萼片卵形，长约 2.5 mm；花瓣白色，倒卵状楔形，长约 6 mm；花丝扁平而扩大，花药卵形；雌蕊柱状，花柱长约为子房的 1/2，柱头扁压。成熟长角果未见，幼果果柄细长，水平展开或斜升，果瓣平坦，无脉。花果期 3 ~ 4 月。

| **生境分布** | 生于山沟或溪边潮湿处。分布于湖北恩施、竹溪。

| **资源情况** | 野生资源丰富。药材主要来源于野生。

| **采收加工** | **全草：**春季采收，洗净，鲜用或晒干。

| **功能主治** | 清热解毒，散瘀通络，祛湿，止血。用于跌打损伤，风湿痹痛，黄水疮，外伤出血。

十字花科 Cruciferae 碎米荠属 *Cardamine*

弹裂碎米荠 *Cardamine impatiens* L.

|药 材 名|

弹裂碎米荠。

|形态特征|

一年生或二年生草本，高 20 ~ 60 cm。茎直立，不分枝或有时上部分枝，表面有沟棱，有少数短柔毛或无毛，着生多数羽状复叶。基生叶叶柄长 1 ~ 3 cm，两缘通常有短柔毛，基部稍扩大，有 1 对托叶状耳，小叶 2 ~ 8 对，顶生小叶卵形，长 6 ~ 13 mm，宽 4 ~ 8 mm，边缘有不整齐钝齿状浅裂，基部楔形，小叶柄显著，侧生小叶与顶生的相似，自上而下渐小，通常生于最下的 1 ~ 2 对近披针形，全缘，都有显著的小叶柄；茎生叶有柄，基部有抱茎线形弯曲的耳，长 3 ~ 8 mm，先端渐尖，缘毛显著，小叶 5 ~ 8 对，顶生小叶卵形或卵状披针形，侧生小叶与之相似，但较小；最上部的茎生叶小叶片较狭，边缘少齿裂或近全缘；全部小叶散生短柔毛，有时无毛，边缘均有缘毛。总状花序顶生和腋生，花多数，形小，直径约 2 mm，果期花序极延长；花梗纤细，长 2 ~ 6 mm；萼片长椭圆形，长约 2 mm；花瓣白色，狭长椭圆形，长 2 ~ 3 mm，基部稍狭；雌蕊柱状，无毛，花柱极短，柱头较花柱稍宽。长角果狭条形而扁，长 20 ~ 28 mm，果瓣无毛，成熟时自下而上弹性开裂，果柄直立开展或水平开展，长 10 ~ 15 mm，无毛；种子椭圆形，长约 1.3 mm，边缘有极狭的翅。花期 4 ~ 6 月，果期 5 ~ 7 月。

| **生境分布** | 生于海拔 150 ~ 3 100 m 的路旁、山坡、沟谷、水边或阴湿处。分布于湖北丹江口、谷城、枣阳、郧西、神农架、通山、竹溪、利川、巴东、建始、房县等。

| **资源情况** | 野生资源较丰富。药材主要来源于野生。

| **采收加工** | **全草**：春季采收，鲜用或晒干。

| **功能主治** | 活血调经，清热解毒，利尿通淋。用于月经不调，痈肿，淋证。

十字花科 Cruciferae 碎米荠属 *Cardamine*

白花碎米荠 *Cardamine leucantha* (Tausch) O. E. Schulz

| 药 材 名 | 白花碎米荠。

| 形态特征 | 多年生草本，高 30 ~ 75 cm。根茎短而匍匐，着生多数粗线状长短不一的匍匐茎，其上生有须根。茎单一，不分枝，有时上部有少数分枝，表面有沟棱，密被短绵毛或柔毛。基生叶有长叶柄，小叶 2 ~ 3 对，顶生小叶卵形至长卵状披针形，长 3.5 ~ 5 cm，宽 1 ~ 2 cm，先端渐尖，边缘有不整齐的钝齿或锯齿，基部楔形或阔楔形，小叶柄长 5 ~ 13 mm，侧生小叶的大小、形态和顶生相似，但基部不等、有小叶柄或无；茎中部叶有较长的叶柄，通常有小叶 2 对；茎上部叶有小叶 1 ~ 2 对，小叶阔披针形，较小；全部小叶干后带膜质而半透明，两面均有柔毛，尤以下面较多。总状花序顶生，分枝或不分枝，花后伸长；花梗细弱，长约 6 mm；萼片长椭圆形，长

2.5 ～ 3.5 mm，边缘膜质，外面有毛；花瓣白色，长圆状楔形，长 5 ～ 8 mm；花丝稍扩大；雌蕊细长，子房有长柔毛，柱头扁球形。长角果线形，长 1 ～ 2 cm，宽约 1 mm，花柱长约 5 mm，果瓣散生柔毛，毛易脱落，果柄直立开展，长 1 ～ 2 cm；种子长圆形，长约 2 mm，栗褐色，边缘具窄翅或无。花期 4 ～ 7 月，果期 6 ～ 8 月。

| 生境分布 | 生于海拔 200 ～ 2 000 m 的路边、山坡湿草地、杂木林下及山谷沟边阴湿处。分布于湖北郧阳、郧西、麻城、神农架、恩施、建始、竹溪、南漳等。

| 资源情况 | 野生资源丰富。药材主要来源于野生。

| 采收加工 | **根及根茎：**秋季采挖，除去泥土杂质及须根，晒干。

| 功能主治 | 化痰止咳，活血止痛。用于百日咳，慢性支气管炎，月经不调，跌打损伤等。

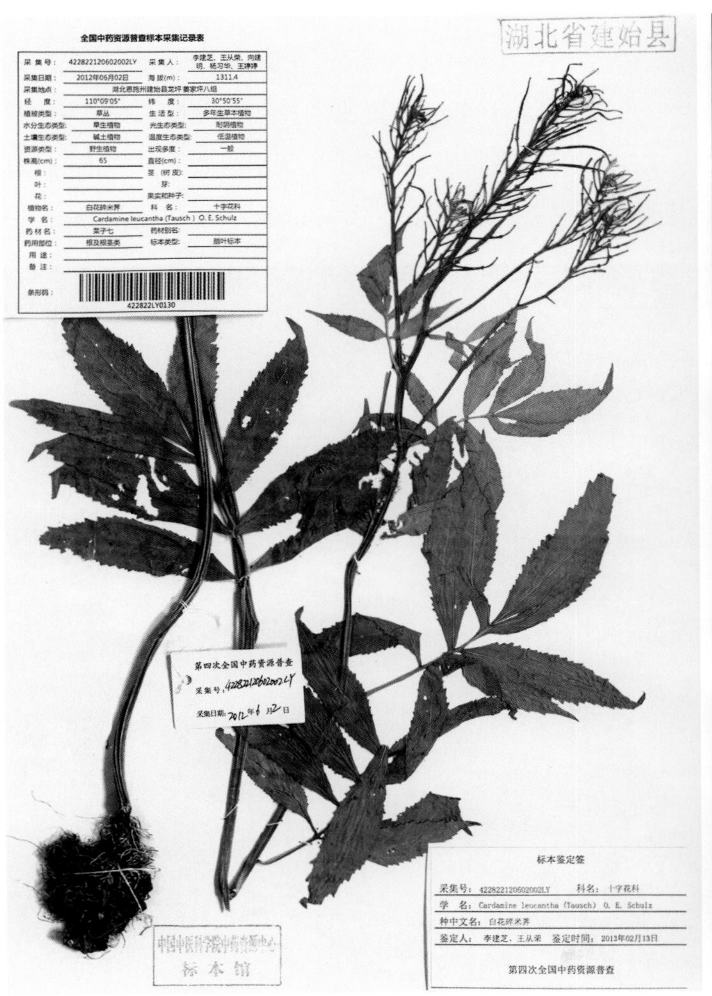

十字花科 Cruciferae 碎米荠属 *Cardamine*

水田碎米荠 *Cardamine lyrata* Bunge

| **药材名** | 水田碎米荠。

| **形态特征** | 多年生草本，高达 70 cm；无毛。根茎较短。匍匐茎从根茎或从茎基部节上发出，长可达 80 cm，柔软，生有单叶，叶近圆形，长 1 ~ 3 cm，先端圆或微凹，基部心形，叶柄长 0.3 ~ 1.2 cm，柄上常有 1 ~ 2 对鳞片状微小叶片。茎有棱。茎生叶羽状，长 3 ~ 5 cm，无柄；顶生小叶近圆形，基部心形或宽楔形；侧生小叶 2 ~ 9 对，圆卵形，长 0.5 ~ 1.3 cm，基部斜楔形，生于叶柄基部的 1 对小叶耳状抱茎。花序顶生；萼片长 4 ~ 5 mm；花瓣白色，倒卵状楔形，长约 8 mm。长角果长 2.5 ~ 4 cm，极压扁；宿存花柱长约 4 mm；果柄长 1.2 ~ 2.2 cm，平展或下弯；种子长圆形，长 2 ~ 3 mm，边缘有宽翅。花果期 4 ~ 7 月。

| **生境分布** | 生于水田边、溪边及浅水处。分布于湖北麻城、长阳、房县、竹溪，以及宜昌。

| **资源情况** | 野生资源丰富，栽培资源丰富。药材主要来源于栽培。

| **采收加工** | **全草：**春季采收，洗净，鲜用或晒干。

| **功能主治** | 清热利湿，凉血调经，明目去翳。用于肾炎性水肿，痢疾，吐血，崩漏，月经不调，目赤云翳。

十字花科 Cruciferae 碎米荠属 *Cardamine*

大叶碎米荠 *Cardamine macrophylla* Willd.

| **药 材 名** | 大叶碎米荠。

| **形态特征** | 多年生草本。高 30 ~ 100 cm。根茎匍匐延伸，密被纤维状的须根。茎较粗壮，圆柱形，直立，有时基部倾卧，不分枝或上部分枝，表面有沟棱。茎生叶通常 4 ~ 5，有叶柄，长 2.5 ~ 5 cm；小叶 4 ~ 5 对，顶生小叶与侧生小叶的形状及大小相似，小叶椭圆形或卵状披针形，长 4 ~ 9 cm，宽 1 ~ 2.5 cm，先端钝或短渐尖，边缘具比较整齐的锐锯齿或钝锯齿，顶生小叶基部楔形，无小叶柄，侧生小叶基部稍不等，生于最上部的 1 对小叶基部常下延，生于最下部的 1 对有时有极短的柄；小叶上面毛少、下面散生短柔毛，有时两面均无毛。总状花序多花，花梗长 10 ~ 14 mm；外轮萼片淡红色，长椭圆形，长 5 ~ 6.5 mm，边缘膜质，外面有毛或无毛，内轮萼片基部囊状；

花瓣淡紫色、紫红色，少有白色，倒卵形，长 9 ~ 14 mm，先端圆或微凹，向基部渐狭成爪；花丝扁平；子房柱状，花柱短。长角果扁平，长 35 ~ 45 mm，宽 2 ~ 3 mm，果瓣平坦无毛，有时带紫色，花柱很短，柱头微凹，果柄直立开展，长 10 ~ 25 mm；种子椭圆形，长约 3 mm，褐色。花期 5 ~ 6 月，果期 7 ~ 8 月。

| 生境分布 | 生于海拔 1 600 ~ 3 100 m 的山坡灌木林下、沟边、石隙、高山草坡水湿处。分布于湖北长阳等地。

| 资源情况 | 野生资源丰富，栽培资源丰富。药材主要来源于栽培。

| 采收加工 | **全草：**春、夏季采集，洗净，鲜用或晒干。

| 功能主治 | 健脾利水消肿，凉血止血。用于脾虚，水肿，小便不利，带下崩漏，尿血。

十字花科 Cruciferae 碎米荠属 *Cardamine*

三小叶碎米荠 *Cardamine trifoliolata* Hook. f. et Thoms.

| 药材名 | 三小叶碎米荠。

| 形态特征 | 多年生草本，高 12 ~ 20 cm。根茎短，具须根。茎直立或斜升，不分枝或稍分枝，无毛或基部有疏单毛。叶少数，茎下部的叶长 4 ~ 4.5 cm，有小叶 1 对，顶生小叶宽卵形，长约 10 mm，宽约 13 mm，边缘上端呈微波状 3 钝裂，裂片先端有小尖头，基部浅心形或近截形，小叶柄长约 5 mm，侧生小叶近卵形，长、宽均约 5 mm，小叶柄极短；中部叶长 3 ~ 4 cm，有小叶 2 对，顶生小叶倒卵形，上端 3 齿裂，基部楔形，侧生小叶向下渐次变小；上部小叶长 2 ~ 3 cm，单一或成对，线形，先端渐尖，全缘或具 1 齿，基部狭细；全部小叶上面散生白色单毛，下面毛较少，并具缘毛。总状花序生于枝端，花少，疏生；花梗丝状，长约 4 mm；萼片长卵形，

长约 2.5 mm，边缘白色膜质，外面疏生单毛，内轮萼片基部稍呈囊状；花瓣白色、粉红色或紫色，倒卵形，长约 5 mm，先端钝圆、平截或微凹；花丝扁平而扩大；子房圆柱形，被有单毛，柱头扁压状，微 2 裂。未成熟长角果线形，果瓣平，有稀疏单毛。花果期 5 ～ 6 月。

| 生境分布 | 生于海拔 2 000 m 以上的山坡林下、山沟或水边草地。分布于湖北利川、房县、竹溪。

| 资源情况 | 野生资源丰富。药材主要来源于野生。

| 采收加工 | **全草：**春季采收，洗净，鲜用或晒干。

| 功能主治 | 清热解毒，利湿消肿。用于风湿痛。

十字花科 Cruciferae 碎米荠属 *Cardamine*

华中碎米荠 *Cardamine urbaniana* O. E. Schulz

| 药 材 名 | 半边菜。

| 形态特征 | 多年生草本，高 35 ~ 65 cm。根茎粗壮，通常匍匐，其上密生须根。茎粗壮，直立，不分枝，表面有沟棱，近无毛。茎生叶有小叶 4 ~ 5 对，有时 3 ~ 6 对，顶生小叶与侧生小叶相似，卵状披针形、宽披针形或狭披针形，长 5 ~ 10 cm，宽 1 ~ 3 cm，先端渐尖或长渐尖，边缘有不整齐的锯齿或钝锯齿，顶生小叶基部楔形，无小叶柄，侧生小叶基部不等而多少下延成翅状，小叶片薄纸质，两面散生短柔毛或有时均无毛；叶柄长 1.5 ~ 6.5 cm。总状花序多花，花梗长 6 ~ 12 mm；萼片绿色或淡紫色，长卵形，长 5 ~ 7 mm，先端钝，边缘膜质，外面有毛或无毛，内轮萼片基部囊状；花瓣紫色、淡紫色或紫红色，长椭圆状楔形或倒卵状楔形，长 8 ~ 14 mm，先端圆；

花丝扁平而显著扩大；雌蕊花柱短，柱头扁球形。长角果条形而微扁，长 3 ~ 4 cm，宽约 3 mm，果瓣有时带紫色，疏生短柔毛或无毛，果柄直立展，长 1 ~ 2 cm，有短柔毛；种子椭圆形，长约 3 mm，褐色。花期 4 ~ 7 月，果期 6 ~ 8 月。

| 生境分布 | 生于海拔 500 ~ 3 100 m 的山谷阴湿地及山坡林下。分布于湖北郧阳、郧西、麻城、通山、神农架、恩施、建始、五峰、竹溪、南漳。

| 资源情况 | 野生资源丰富。药材主要来源于野生。

| 采收加工 | **根茎：**春、夏季采挖，洗净，晒干。

| 功能主治 | 止咳化痰，活血消肿。用于百日咳，慢性支气管炎，跌打损伤。

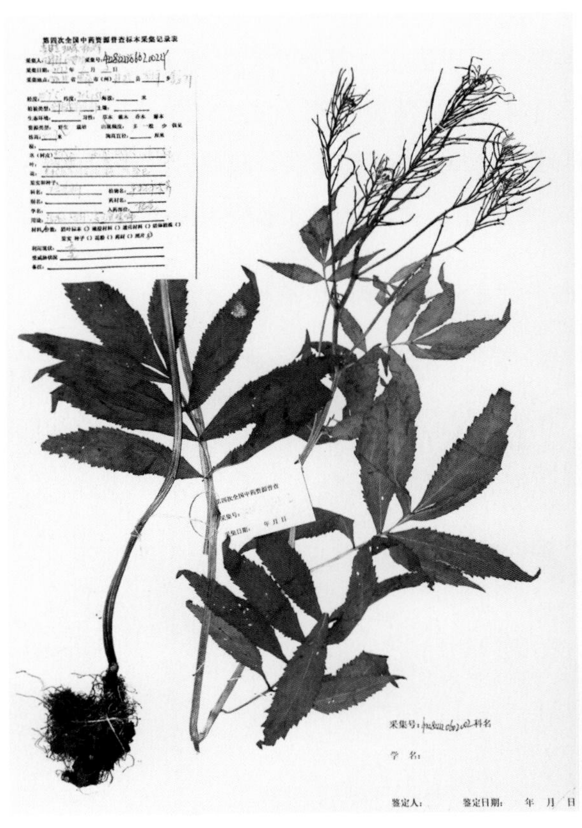

十字花科 Cruciferae 臭荠属 *Coronopus*

臭荠 *Coronopus didymus* (L.) J. E. Sm.

| **药材名** | 臭荠。

| **形态特征** | 一年生或二年生匍匐草本，高 5 ~ 30 cm，全体有臭味。主茎短且不显明，基部多分枝，无毛或有长单毛。叶 1 ~ 2 回羽状全裂，裂片 3 ~ 5 对，线形或窄长圆形，长 4 ~ 8 mm，宽 0.5 ~ 1 mm，先端急尖，基部楔形，全缘，两面无毛；叶柄长 5 ~ 8 mm。花极小，直径约 1 mm，萼片具白色膜质边缘；花瓣白色，长圆形，比萼片稍长或无花瓣；雄蕊通常 2。短角果肾形，长约 1.5 mm，宽 2 ~ 2.5 mm，2 裂，果瓣半球形，表面有粗糙皱纹，成熟时分离成 2 瓣；种子肾形，长约 1 mm，红棕色。花期 3 月，果期 4 ~ 5 月。

| **生境分布** | 生于路旁或荒地。分布于湖北公安、枣阳、麻城、竹溪。

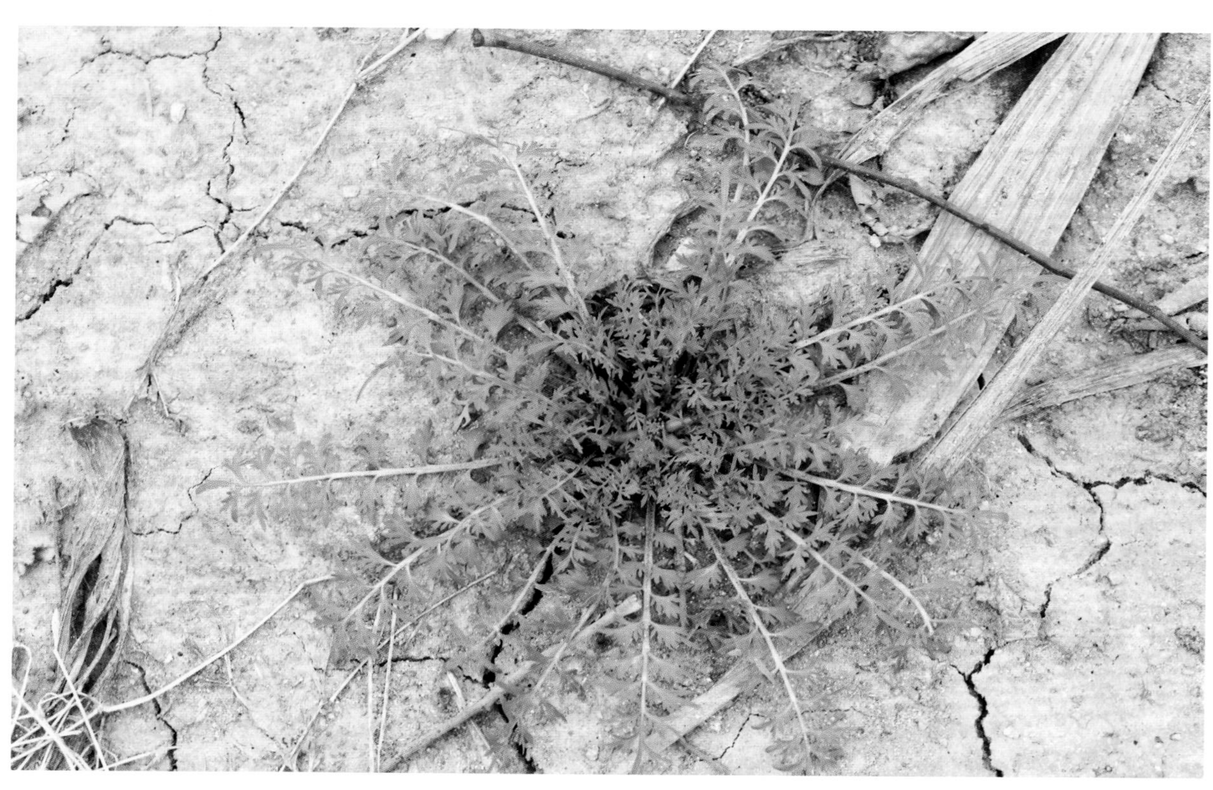

| 资源情况 | 野生资源丰富。药材主要来源于野生。

| 采收加工 | **全草：**春季采收，洗净，鲜用或晒干。

| 功能主治 | 清热解毒，活血化瘀。

十字花科 Cruciferae 播娘蒿属 *Descurainia*

播娘蒿 *Descurainia sophia* (L.) Webb ex Prantl

| 药 材 名 | 葶苈子。

| 形态特征 | 一年生草本，高 20 ~ 80 cm，有毛或无毛，毛为叉状毛，以下部茎生叶为多，向上渐少。茎直立，分枝多，常于下部呈淡紫色。叶为 3 回羽状深裂，长 2 ~ 12（~ 15）cm，末端裂片条形或长圆形，裂片长（2 ~）3 ~ 5（~ 10）mm，宽 0.8 ~ 1.5（~ 2）mm，下部叶具柄，上部叶无柄。花序伞房状，果期伸长；萼片直立，早落，长圆条形，背面有分叉细柔毛；花瓣黄色，长圆状倒卵形，长 2 ~ 2.5 mm，或稍短于萼片，具爪；雄蕊 6，比花瓣长 1/3。长角果圆筒状，长 2.5 ~ 3 cm，宽约 1 mm，无毛，稍内曲，与果柄不成 1 直线，果瓣中脉明显，果柄长 1 ~ 2 cm；种子每室 1 行，种子形小、多数，长圆形，长约 1 mm，稍扁，淡红褐色，表面有细网纹。花期 4 ~ 5 月。

| 生境分布 | 生于低海拔的山坡路旁、田野及农田。分布于湖北枣阳、南漳、郧西，以及武汉、随州、荆门。

| 资源情况 | 野生资源较丰富。药材来源于野生。

| 采收加工 | 同“独行菜”。

| 功能主治 | 同“独行菜”。

十字花科 Cruciferae 葶苈属 *Draba*

葶苈 *Draba nemorosa* L.

| 药材名 | 葶苈子。

| 形态特征 | 一年生或二年生草本。茎直立，高 5 ~ 45 cm，单一或分枝，疏生叶片或无叶，但分枝茎有叶片；下部密生单毛、叉状毛和星状毛，上部渐稀至无毛。基生叶莲座状，长倒卵形，先端稍钝，有疏细齿或近全缘；茎生叶长卵形或卵形，先端尖，基部楔形或渐圆，边缘有细齿，无柄，上面被单毛和叉状毛，下面以星状毛为多。总状花序有花 25 ~ 90，密集成伞房状，花后显著伸长，疏松，小花梗细，长 5 ~ 10 mm；萼片椭圆形，背面略有毛；花瓣黄色，花期后成白色，倒楔形，长约 2 mm，先端凹；雄蕊长 1.8 ~ 2 mm；花药短心形；雌蕊椭圆形，密生短单毛，花柱几不发育，柱头小。短角果长圆形

或长椭圆形，长 4 ~ 10 mm，宽 1.1 ~ 2.5 mm，被短单毛；果柄长 8 ~ 25 mm，与果序轴成直角开展或近直角向上开展；种子椭圆形，褐色，种皮有小疣。花期 3 ~ 4 月上旬，果期 5 ~ 6 月。

| 生境分布 | 生于田边路旁、山坡草地及河谷湿地。分布于湖北神农架、丹江口、郧阳、郧西、枣阳、南漳等。

| 资源情况 | 野生资源丰富，栽培资源丰富。药材主要来源于栽培。

| 采收加工 | **种子：**夏季果实成熟、呈黄绿色时及时采摘，晒干，打下种子。

| 功能主治 | 用于痰涎壅肺，喘咳痰多，胸胁胀满，不得平卧，胸腹水肿，小便不利，肺源性心脏病水肿。

十字花科 Cruciferae 糖芥属 *Erysimum*

小花糖芥 *Erysimum cheiranthoides* L.

| 药材名 |

桂竹糖芥。

| 形态特征 |

一年生草本，高 15 ~ 50 cm。茎直立，分枝或不分枝，有棱角，具 2 叉毛。基生叶莲座状，无柄，平铺地面，叶片长（1 ~ ）2 ~ 4 cm，宽 1 ~ 4 mm，有 2 ~ 3 叉毛；茎生叶披针形或线形，长 2 ~ 6 cm，宽 3 ~ 9 mm，先端急尖，基部楔形，边缘具深波状疏齿或近全缘，两面具 3 叉毛。总状花序顶生，果期长达 17 cm；萼片长圆形或线形，长 2 ~ 3 mm，外面有 3 叉毛；花瓣浅黄色，长圆形，长 4 ~ 5 mm，先端圆形或截形，下部具爪；雄蕊 6；雌蕊 1，子房有多数胚珠，花柱长约 1 mm，柱头头状，并稍 2 裂。长角果圆柱形，长 2 ~ 4 cm，稍有棱，具 3 叉毛，果瓣有 1 不明显中脉；种子每室 1 行，种子卵形，淡褐色。花期 5 月，果期 6 月。

| 生境分布 |

生于海拔 500 ~ 2 000 m 的田边、山坡、山谷、路旁及村旁荒地。分布于湖北神农架、郧西、枣阳、南漳等。

| 资源情况 | 野生资源较丰富，栽培资源丰富。药材主要来源于栽培。

| 采收加工 | **全草：**4 ~ 5 月花期采收，晒干；或夏、秋季采收，阴干。
种子：果实近成熟时采收，晒干，将种子打落，除去杂质。

| 功能主治 | 强心利尿，健脾胃，消食。用于心力衰竭，心悸，浮肿，脾胃不和，食积不化。

十字花科 Cruciferae 山萮菜属 *Eutrema*

山萮菜 *Eutrema yunnanense* Franch.

| 药 材 名 | 山萮菜。

| 形态特征 | 多年生草本，高 30 ~ 80 cm。根茎横卧，直径约 1 cm，具多数须根。近地面处生数茎，直立或斜上升，表面有纵沟，下部无毛，上部有单毛。基生叶具柄，长 25 ~ 35 cm；叶片近圆形，长 7 ~ 16 cm，宽 7 ~ 10 cm，基部深心形，边缘具波状齿或牙齿；茎生叶具柄，柄长 5 ~ 30 mm，向上渐短，叶片向上渐小，长卵形或卵状三角形，先端渐尖，基部浅心形，边缘有波状齿或锯齿。花序密集成伞房状，果期伸长；花梗长 5 ~ 10 mm；萼片卵形，长约 1.5 mm；花瓣白色，长圆形，长 3.5 ~ 6 mm，先端钝圆，有短爪。角果长圆筒状，长 7 ~ 15 mm，宽 1 ~ 2 mm，两端渐窄；果瓣中脉明显；果柄纤细，

长 8 ~ 16 mm，向下反折；角果常翘起；种子长圆形，长 2.2 ~ 2.5 mm，褐色。花期 3 ~ 4 月。

| **生境分布** | 生于海拔 1 000 ~ 3 100 m 的林下或山坡草丛、沟边、水中。分布于湖北竹溪等。

| **资源情况** | 野生资源较少。药材来源于野生。

| **采收加工** | 春季采收，洗净，鲜用或晒干。

| **功能主治** | 用于麻疹，咳嗽，支气管炎。

十字花科 Cruciferae 菘蓝属 *Isatis*

菘蓝 *Isatis indigotica* Fortune

| 药 材 名 | 板蓝根、大青叶。

| 形态特征 | 二年生草本，高 40 ~ 100 cm。茎直立，绿色，顶部多分枝。植株光滑无毛，带白粉霜。基生叶莲座状，长圆形至宽倒披针形，长 5 ~ 15 cm，宽 1.5 ~ 4 cm，先端钝或尖，基部渐狭，全缘或稍具波状齿，具柄；茎生叶蓝绿色，长椭圆形或长圆状披针形，长 7 ~ 15 cm，宽 1 ~ 4 cm，茎部叶耳不明显或为圆形。萼片宽卵形或宽披针形，长 2 ~ 2.5 mm；花瓣黄白色，宽楔形，长 3 ~ 4 mm，先端近平截，具短爪。短角果近长圆形，扁平，无毛，边缘有翅，果柄细长，微下垂；种子长圆形，长 3 ~ 3.5 mm，淡褐色。花期 4 ~ 5 月，果期 5 ~ 6 月。

| 生境分布 | 湖北有栽培。

| 资源情况 | 栽培资源丰富。药材来源于栽培。

| 采收加工 | **板蓝根：**秋季采挖，除去茎叶，洗净，晒干。

大青叶：8 ~ 10 月采收，晒干。

| 功能主治 | **板蓝根：**清热，解毒，凉血，利咽。用于温毒发瘢，高热头痛，大头瘟疫，烂喉丹痧，丹毒，痄腮，喉痹，疮肿，水痘，麻疹，肝炎，流行性感冒。

大青叶：清热解毒，凉血消斑。用于热病，高热烦渴，神昏，斑疹，吐血，衄血，黄疸泻痢，丹毒，喉痹，口疮，痄腮。

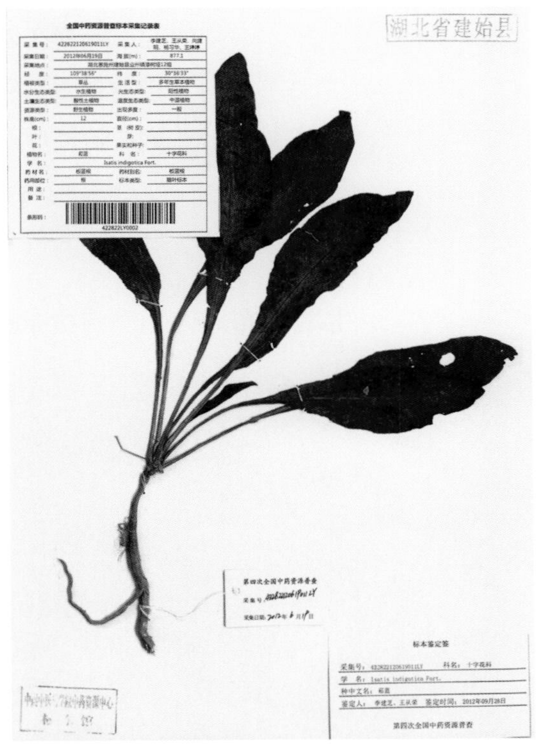

十字花科 Cruciferae 独行菜属 *Lepidium*

独行菜 *Lepidium apetalum* Willd.

| 药 材 名 | 葶苈子。

| 形态特征 | 一年生或二年生草本，高 5 ~ 30 cm。茎直立，有分枝，无毛或具微小头状毛。基生叶窄匙形，1 回羽状浅裂或深裂，长 3 ~ 5 cm，宽 1 ~ 1.5 cm；叶柄长 1 ~ 2 cm；茎上部叶线形，有疏齿或全缘。总状花序在果期可延长至 5 cm；萼片早落，卵形，长约 0.8 mm，外面有柔毛；花瓣不存在或退化成丝状，比萼片短；雄蕊 2 或 4。短角果近圆形或宽椭圆形，扁平，长 2 ~ 3 mm，宽约 2 mm，先端微缺，上部有短翅，隔膜宽不到 1 mm，果柄弧形，长约 3 mm；种子椭圆形，长约 1 mm，平滑，棕红色。花果期 5 ~ 7 月。

| 生境分布 | 生于海拔 400 ~ 2 000 m 的山坡、山沟、路旁及村庄附近。分布于

湖北红安、谷城、通城、团风、罗田、丹江口、房县、竹溪。

| 资源情况 | 野生资源较丰富，栽培资源丰富。药材主要来源于栽培。

| 采收加工 | **种子：**翌年 4 月底至 5 月上旬果实呈黄绿色时采收，晒干。

| 功能主治 | 润肺平喘，行水消肿。用于痰涎壅肺，喘咳痰多，胸胁胀满，不得平卧，胸腹水肿，小便不利。

十字花科 Cruciferae 独行菜属 *Lepidium*

北美独行菜 *Lepidium virginicum* L.

|药 材 名|

葶苈子。

|形态特征|

一年生或二年生草本，高 20 ~ 50 cm。茎单一，直立，上部分枝，具柱状腺毛。基生叶倒披针形，长 1 ~ 5 cm，羽状分裂或大头羽裂，裂片大小不等，卵形或长圆形，边缘有锯齿，两面有短伏毛，叶柄长 1 ~ 1.5 cm；茎生叶有短柄，倒披针形或线形，长 1.5 ~ 5 cm，宽 2 ~ 10 mm，先端急尖，基部渐狭，边缘有尖锯齿或全缘。总状花序顶生；萼片椭圆形，长约 1 mm；花瓣白色，倒卵形，和萼片等长或稍长；雄蕊 2 或 4。短角果近圆形，长 2 ~ 3 mm，宽 1 ~ 2 mm，扁平，有窄翅，先端微缺，花柱极短，果柄长 2 ~ 3 mm；种子卵形，长约 1 mm，光滑，红棕色，边缘有窄翅，子叶缘倚胚根。花期 4 ~ 5 月，果期 6 ~ 7 月。

|生境分布|

生于田边或荒地。分布于湖北丹江口、江夏、黄陂、大悟、公安、枣阳、神农架、英山、团风、房县。

| 资源情况 | 野生资源丰富。药材来源于野生。

| 采收加工 | 同“独行菜”。

| 功能主治 | 同“独行菜”。

十字花科 Cruciferae 诸葛菜属 *Orychophragmus*

诸葛菜 *Orychophragmus violaceus* (L.) O. E. Schulz

| 药 材 名 | 诸葛菜。

| 形态特征 | 一年生或二年生草本，高 10 ~ 50 cm，无毛。茎单一，直立，基部或上部稍有分枝，浅绿色或带紫色。基生叶及下部茎生叶大头羽状

全裂，顶裂片近圆形或短卵形，长 3 ~ 7 cm，宽 2 ~ 3.5 cm，先端钝，基部心形，有钝齿，侧裂片 2 ~ 6 对，卵形或三角状卵形，长 3 ~ 10 mm，越向下越小，偶在叶轴上杂有极小裂片，全缘或有牙齿，叶柄长 2 ~ 4 cm，疏生细柔毛；上部叶长圆形或窄卵形，长 4 ~ 9 cm，先端急尖，基部耳状，抱茎，边缘有不整齐牙齿。花紫色、浅红色或褪成白色，直径 2 ~ 4 cm；花梗长 5 ~ 10 mm；花萼筒状，紫色，萼片长约 3 mm；花瓣宽倒卵形，长 1 ~ 1.5 cm，宽 7 ~ 15 mm，密生细脉纹，爪长 3 ~ 6 mm。长角果线形，长 7 ~ 10 cm，具 4 棱，裂瓣有 1 凸出中脊，喙长 1.5 ~ 2.5 cm，果柄长 8 ~ 15 mm；种子卵形至长圆形，长约 2 mm，稍扁平，黑棕色，有纵条纹。花期 4 ~ 5 月，果期 5 ~ 6 月。

| 生境分布 | 生于海拔 1 700 m 以下的山地、林下、沟边及平原路旁、园地等。分布于湖北丹江口、当阳、红安、谷城、保康、郧西、南漳、神农架、通山、远安、郧阳、恩施、长阳、竹溪、房县。

| 资源情况 | 野生资源丰富，栽培资源丰富。药材主要来源于栽培。

| 采收加工 | **全草：**春、夏季采收，洗净，鲜用或晒干。

| 功能主治 | 清热利湿，宽中下气，解毒。用于消化不良，糖尿病，黄疸，疥疮，乳痈，小便不利。

十字花科 Cruciferae 萝卜属 *Raphanus*

萝卜 *Raphanus sativus* L.

| 药 材 名 |

莱菔子。

| 形态特征 |

一年生或二年生草本，高 20 ~ 100 cm。直根肉质，长圆形、球形或圆锥形，外皮绿色、白色或红色。茎有分枝，无毛，稍具粉霜。基生叶和下部茎生叶大头羽状半裂，长 8 ~ 30 cm，宽 3 ~ 5 cm，顶裂片卵形，侧裂片 4 ~ 6 对，长圆形，有钝齿，疏生粗毛，上部叶长圆形，有锯齿或近全缘。总状花序顶生及腋生；花白色或粉红色，直径 1.5 ~ 2 cm；花梗长 5 ~ 15 mm；萼片长圆形，长 5 ~ 7 mm；花瓣倒卵形，长 1 ~ 1.5 cm，具紫纹，下部有长 5 mm 的爪。长角果圆柱形，长 3 ~ 6 cm，宽 10 ~ 12 mm，在相邻种子处缢缩，并形成海绵质横隔，先端喙长 1 ~ 1.5 cm，果柄长 1 ~ 1.5 cm；种子 1 ~ 6，卵形，微扁，长约 3 mm，红棕色，有细网纹。花期 4 ~ 5 月，果期 5 ~ 6 月。

| 生境分布 |

湖北有栽培。

| **资源情况** | 野生资源稀少，栽培资源丰富。药材主要来源于栽培。

| **采收加工** | **种子：**夏季果实成熟时采收，晒干，搓出种子，除去杂质，再晒干。

| **功能主治** | 消食除胀，降气化痰，导滞泻痢。用于饮食停滞，脘腹胀痛，便秘，痰壅喘咳。

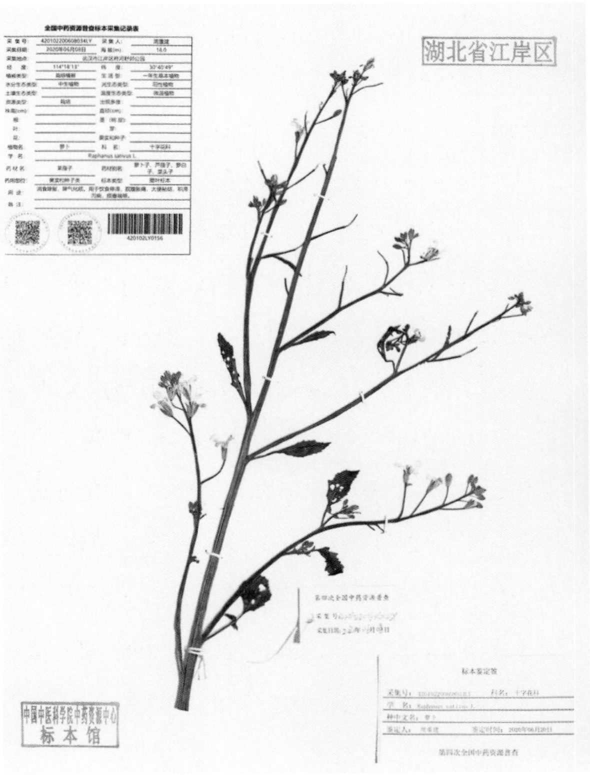

十字花科 Cruciferae 蔊菜属 *Rorippa*

广州蔊菜 *Rorippa cantoniensis* (Lour.) Ohwi

| 药 材 名 | 广州蔊菜。

| 形态特征 | 一年生直立草本，无毛，高 10 ~ 30 cm。基生叶有柄，茎生叶几无柄；叶片羽状浅裂至羽状深裂，长 2 ~ 6 cm，宽 1 ~ 1.5 cm，基部两侧耳形。总状花序顶生；花单生于苞片的腋部；苞片呈叶状，宽倒披针形，长 5 ~ 20 mm，羽状分裂，无柄；花小，黄色；萼片长圆形，长 1.5 ~ 2 mm；花瓣宽倒披针形，长 2 ~ 3 mm。长角果圆柱形，长 6 ~ 10 mm，宽 1 ~ 2 mm，宿存花柱短粗；种子多数，细小，红褐色，有网纹。花期 3 ~ 4 月，果期 4 ~ 6 月。

| 生境分布 | 生于海拔 500 ~ 1 800 m 的田边路旁、山沟、河边或潮湿处。分布于湖北江夏、麻城、公安、枣阳、房县。

| **资源情况** | 野生资源较丰富，栽培资源丰富。药材主要来源于栽培。

| **采收加工** | **全草：**春季采收，洗净，鲜用或晒干。

| **功能主治** | 清热解毒。

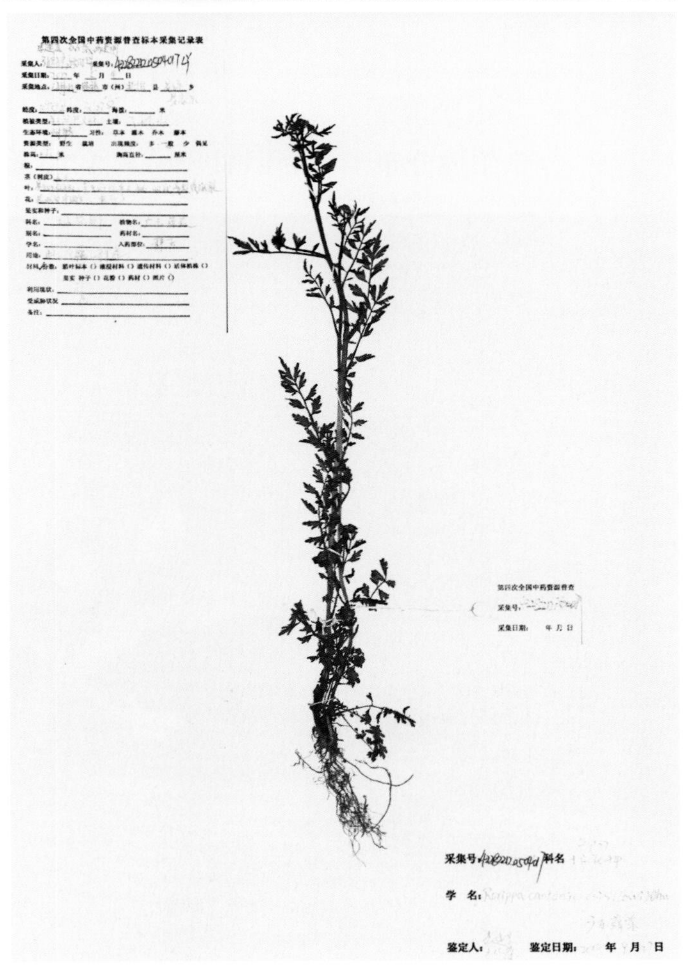

十字花科 Cruciferae 蔊菜属 *Rorippa*

无瓣蔊菜 *Rorippa dubia* (Pers.) Hara

| 药材名 | 无瓣蔊菜。

| 形态特征 | 一年生草本，通常无毛。茎细弱，披散，高 10 ~ 30 cm，不分枝。基生叶和下部茎生叶有柄，大头羽状分裂，长 6 ~ 9 cm，宽 1 ~ 2.5 cm，顶生裂片较大，长圆状卵形，先端钝，边缘有不整齐的锯齿，侧生裂片 1 ~ 3 对，向下渐小；上部茎生叶无柄，卵形或卵状披针形，两面无毛。总状花序顶生；通常无花瓣；萼片 4，长圆形，长约 2 mm；雄蕊稍长于萼片。长角果狭线形，长 2 ~ 4 cm，宽约 1 mm，稍斜向上开展，果柄长 2 ~ 4 mm；种子多数，细小，卵圆形，褐色。花期 4 ~ 6 月，果期 6 ~ 8 月。

| 生境分布 | 生于海拔 500 ~ 3 100 m 的山坡路旁、山谷、河边湿地、园圃及田

野较潮湿处。分布于湖北江夏、麻城、恩施、兴山、利川、长阳、竹溪，以及宜昌。

| 资源情况 | 野生资源较丰富，栽培资源丰富。药材主要来源于栽培。

| 采收加工 | **全草：**春、夏季采收，洗净，鲜用或晒干。

| 功能主治 | 清热利尿，活血，镇咳，祛风湿。用于感冒发热，热咳，咽喉肿痛，慢性支气管炎，风湿性关节炎，肝炎，疮疖疔痈，毒蛇咬伤，水肿，跌打损伤。

十字花科 Cruciferae 蔊菜属 *Rorippa*

风花菜 *Rorippa globosa* (Turcz.) Hayek

| 药 材 名 |

风花菜。

| 形态特征 |

一年生或二年生直立粗壮草本，高 20 ~ 80 cm，植株被白色硬毛或近无毛。茎单一，基部木质化，下部被白色长毛，上部近无毛，分枝或不分枝。茎下部叶具柄，上部叶无柄；叶片长圆形至倒卵状披针形，长 5 ~ 15 cm，宽 1 ~ 2.5 cm，基部渐狭，下延成短耳状，半抱茎，边缘具不整齐粗齿，两面被疏毛，尤以叶脉为显。总状花序多数，呈圆锥花序式排列，果期伸长；花小，黄色，具细梗，长 4 ~ 5 mm；萼片 4，长卵形，长约 1.5 mm，开展，基部等大，边缘膜质；花瓣 4，倒卵形，与萼片等长或稍短，基部渐狭成短爪；雄蕊 6，四强或近等长。短角果近球形，直径约 2 mm，果瓣隆起，平滑无毛，有不明显网纹，先端具宿存短花柱，果柄纤细，呈水平开展或稍向下弯，长 4 ~ 6 mm；种子多数，淡褐色，极细小，扁卵形，一端微凹，子叶缘倚胚根。花期 4 ~ 6 月，果期 7 ~ 9 月。

| 生境分布 | 生于海拔 30 ~ 2 500 m 的河岸、湿地、路旁、沟边、草丛中或干旱处。分布于湖北公安、江夏等。

| 资源情况 | 野生资源一般，栽培资源丰富。药材来源于栽培。

| 采收加工 | **全草：**春、夏季采收，洗净，鲜用或晒干。

| 功能主治 | 清热利尿，解毒，消肿。用于黄疸，水肿，淋病，咽痛，痈肿，烫火伤。

十字花科 Cruciferae 蔊菜属 *Rorippa*

蔊菜 *Rorippa indica* (L.) Hiern

| 药 材 名 | 蔊菜。

| 形态特征 | 茎直立或呈铺散状分枝。花无瓣或偶有退化的花瓣；萼片 4，淡黄绿色，披针形，先端微带紫色并内凹，长 2.5 ~ 3 mm。长角果细圆柱形，细长而直，长 1.5 ~ 3 cm，果瓣近扁平，光滑或稀有柔毛；种子每室 1 行，表面有小疣点及细网纹。花期 4 ~ 9 月，果期 5 月。

| 生境分布 | 生于田野、土坎及沟边。分布于湖北丹江口、当阳、谷城、保康、秭归、郧西、公安、南漳、通城、通山、英山、麻城、恩施、利川、来凤、宣恩、长阳、竹溪等。

| 资源情况 | 野生资源丰富，栽培资源丰富。药材主要来源于栽培。

| 采收加工 | **全草**：5 ~ 7 月采收，鲜用或晒干。

| 功能主治 | 祛痰止咳，解表散寒，活血解毒，利湿退黄。用于咳嗽痰喘，感冒发热，麻疹透发不畅，风湿痹痛，咽喉肿痛，疔疮痈肿，漆疮，经闭，跌打损伤，黄疸，水肿。

十字花科 Cruciferae 蔊菜属 *Rorippa*

沼生蔊菜 *Rorippa islandica* (Oed.) Borb.

| 药 材 名 | 沼生蔊菜。

| 形态特征 | 一年生或二年生草本，高（10 ~ ）20 ~ 50 cm；光滑无毛，稀有单毛。茎直立，单一或分枝，下部常带紫色，具棱。基生叶多数，具柄，叶片羽状深裂或大头羽裂，长圆形至狭长圆形，长 5 ~ 10 cm，宽 1 ~ 3 cm，裂片 3 ~ 7 对，边缘不规则浅裂或呈深波状，先端裂片较大，基部耳状抱茎，有时有缘毛；茎生叶向上渐小，近无柄，叶片羽状深裂或具齿，基部耳状抱茎。总状花序顶生或腋生，果期伸长，花小，多数，黄色或淡黄色，具纤细花梗，长 3 ~ 5 mm；萼片长椭圆形，长 1.2 ~ 2 mm，宽约 0.5 mm；花瓣长倒卵形至楔形，等长于或稍短于萼片；雄蕊 6，近等长，花丝线状。短角果椭圆形

或近圆柱形，有时稍弯曲，长 3 ~ 8 mm，宽 1 ~ 3 mm，果瓣肿胀；种子每室 2 行，多数，褐色，细小，近卵形而扁，一端微凹，表面具细网纹；子叶缘倚胚根。花期 4 ~ 7 月，果期 6 ~ 8 月。

| 生境分布 | 生于潮湿环境或近水处、路旁、田边、山坡草地及草场。分布于湖北谷城、竹溪等。

| 资源情况 | 野生资源较丰富，栽培资源丰富。药材来源于栽培。

| 采收加工 | **全草：**7 ~ 8 月采收，洗净，切段，晒干。

| 功能主治 | 用于风热感冒，咽喉肿痛，黄疸，淋病，水肿，关节炎，痈肿，烫火伤。

十字花科 Cruciferae 菥蓂属 *Thlaspi*

菥蓂 *Thlaspi arvense* L.

| 药 材 名 | 菥蓂。

| 形态特征 | 一年生草本，高 9 ~ 60 cm，无毛。茎直立，分枝或不分枝，具棱。基生叶倒卵状长圆形，长 3 ~ 5 cm，宽 1 ~ 1.5 cm，先端圆钝或急尖，基部抱茎，两侧箭形，边缘具疏齿；叶柄长 1 ~ 3 cm。总状花序顶生；花白色，直径约 2 mm；花梗细，长 5 ~ 10 mm；萼片直立，卵形，长约 2 mm，先端圆钝；花瓣长圆状倒卵形，长 2 ~ 4 mm，先端圆钝或微凹。短角果倒卵形或近圆形，长 13 ~ 16 mm，宽 9 ~ 13 mm，扁平，先端凹入，边缘有宽约 3 mm 的翅；种子每室 2 ~ 8，倒卵形，长约 1.5 mm，稍扁平，黄褐色，有同心环状条纹。花期 3 ~ 4 月，果期 5 ~ 6 月。

| **生境分布** | 生于平地路旁、沟边或村落附近。分布于湖北郧阳、郧西、房县、竹溪、枣阳等。

| **资源情况** | 野生资源丰富，栽培资源丰富。药材来源于栽培。

| **采收加工** | **全草：**5 ~ 6 月果实成熟时采收，晒干。

| **功能主治** | 清热解毒，利水消肿。用于目赤肿痛，肺痈，肠痈，泄泻，痢疾，带下，产后瘀血腹痛，消化不良，肾炎性水肿，肝硬化腹水，痈疮肿毒。

茅膏菜科 Droseraceae 茅膏菜属 *Drosera*

茅膏菜 *Drosera peltata* Smith var. *multisepala* Y. Z. Ruan

| 药 材 名 | 茅膏菜、地下明珠。

| 形态特征 | 多年生草本，直立，有时攀缘状，高 9 ~ 32 cm，淡绿色，具紫红色汁液。鳞茎状球茎紫色，球形，直径 1 ~ 8 mm。茎地下部分长 1 ~ 4 cm，地上部分通常直，无毛或具乳突状黑色腺点，顶部 3 至多分枝。基生叶密集成近 1 轮或最上数片着生于节间伸长的茎上，退化、脱落或最下数片不退化、宿存，退化基生叶线状钻形，长约 2 mm，不退化基生叶圆形或扁圆形，叶柄长 2 ~ 8 mm，叶片长 2 ~ 4 mm；茎生叶稀疏，盾状，互生，叶柄长 8 ~ 13 mm，叶片半月形或半圆形，长 2 ~ 3 mm，基部近平截，叶缘密具单一或成对而 1 长 1 短的头状粘腺毛，背面无毛。螺状聚伞花序生于枝顶和茎顶，分叉、二叉状分枝或不分枝，具花 3 ~ 22；花序下部的苞片楔形或

倒披针形，顶部具 3 ~ 5 腺齿或全缘，边缘无毛或被腺毛，两面无毛或背面密被腺毛，中、上部的苞片渐狭为钻形；花梗长 6 ~ 20 mm；花萼长约 4 mm，5 ~ 7 裂，裂片大小不一，歪斜，一边具角的披针形或卵形，背面被疏或密的长腺毛，边缘全部或仅中部以上密被长腺毛，整齐或仅顶部稍缺裂；花瓣楔形，白色、淡红色或红色，基部有黑点或无；雄蕊 5，长约 5 mm；子房近球形，淡绿色，无毛，1 室，胚珠多数，花柱 3 ~ 5，稀 6，各 2 深裂，裂条顶部分别为 2 ~ 3 和 3 ~ 5 浅裂。蒴果长 2 ~ 4 mm，3 ~ 5 裂，稀 6 裂；种子椭圆形、卵形或球形，种皮脉纹加厚成蜂房格状。花果期 6 ~ 9 月。

| 生境分布 | 生于湿地或平地草丛中。分布于湖北江夏。

| 资源情况 | 野生资源较少。药材主要来源于野生。

| 采收加工 | **茅膏菜：** 5 ~ 6 月采收，鲜用或晒干。

地下明珠： 夏季采挖，鲜用或晒干。

| 功能主治 | **茅膏菜：** 祛风止痛，活血，解毒。用于风湿痹痛，跌打损伤，腰肌劳损，胃痛，感冒，咽喉肿痛，痢疾，小儿疳积，目疾，瘰疬，湿疹，疥疮。

地下明珠： 祛风胜湿，活血止痛，散结解毒。用于筋骨疼痛，腰痛，偏头痛，跌打损伤，痢疾，肿毒，目赤，翳障，疥疮，小儿破伤风，肺炎，感冒。

景天科 Crassulaceae 八宝属 *Hylotelephium*

八宝 *Hylotelephium erythrostictum* (Miq.) H. Ohba

| 药 材 名 | 八宝。

| 形态特征 | 多年生草本。块根胡萝卜状。茎直立，高 30 ～ 70 cm，不分枝。叶对生，少有互生或 3 叶轮生，长圆形至卵状长圆形，长 4.5 ～ 7 cm，宽 2 ～ 3.5 cm，先端急尖，钝，基部渐狭，边缘有疏锯齿，无柄。伞房状花序顶生；花密生，直径约 1 cm；花梗稍短或同长；萼片 5，卵形，长 1.5 mm；花瓣 5，白色或粉红色，宽披针形，长 5 ～ 6 mm，渐尖；雄蕊 10，与花瓣同长或稍短，花药紫色；鳞片 5，长圆状楔形，长 1 mm，先端有微缺；心皮 5，直立，基部几分离。花期 8 ～ 10 月。

| 生境分布 | 生于海拔 1 770 m 的山坡草地上。分布于湖北恩施。

| 资源情况 | 野生资源较少。药材主要来源于野生。

| 采收加工 | **全草：**夏、秋季采挖，除去泥土，置沸水中稍烫，晒干。

花：7 ~ 8 月花期采摘，晒干。

| 功能主治 | **全草：**清热解毒，止血。用于赤游丹，疔疮痈疖，火眼目翳，烦热惊狂，风疹，漆疮，烫火伤，蛇虫咬伤，吐血，咯血，月经量多，外伤出血。

花：清热利湿，明目，止痒。用于赤白带，火眼赤肿，风疹瘙痒。

景天科 Crassulaceae 八宝属 *Hylotelephium*

轮叶八宝 *Hylotelephium verticillatum* (L.) H. Ohba

| 药 材 名 | 轮叶八宝。

| 形态特征 | 多年生草本。须根细。茎高 40 ~ 500 cm，直立，不分枝。4 叶轮生，稀 5 叶轮生，下部的常为 3 叶轮生或对生，叶比节间长，长圆状披针形至卵状披针形，长 4 ~ 8 cm，宽 2.5 ~ 3.5 cm，先端急尖，钝，基部楔形，边缘有整齐的疏牙齿，叶下面常带苍白色，叶有柄。聚伞状伞房花序顶生；花密生，顶半圆球形，直径 2 ~ 6 cm；苞片卵形；萼片 5，三角状卵形，长 0.5 ~ 1 mm，基部稍合生；花瓣 5，淡绿色至黄白色，长圆状椭圆形，长 3.5 ~ 5 mm，先端急尖，基部渐狭，分离；雄蕊 10，对萼的较花瓣稍长，对瓣的稍短；鳞片 5，线状楔形，长约 1 mm，先端有微缺；心皮 5，倒卵形至长圆形，长 2.5 ~ 5 mm，有短柄，花柱短。种子狭长圆形，长 0.7 mm，淡褐色。花期 7 ~ 8 月，

果期 9 月。

| 生境分布 | 生于山坡草丛中或沟边阴湿处。湖北有分布。

| 资源情况 | 野生资源较少。药材主要来源于野生。

| 采收加工 | 夏、秋季采收，鲜用或晒干。

| 功能主治 | 活血化瘀，解毒消肿。用于劳伤腰痛，金疮出血，无名肿毒，蛇虫咬伤。

景天科 Crassulaceae 瓦松属 *Orostachys*

晚红瓦松 *Orostachys erubescens* (Maxim.) Ohwi

| 药 材 名 | 瓦松。

| 形态特征 | 多年生草本。莲座叶狭匙形，肉质，长 1.5 ~ 3 cm，宽 4 ~ 7 mm，先端长渐尖，有软骨质的刺。花茎高 17 ~ 25 cm，下部生叶。叶线形至线状披针形，长 2 ~ 6 cm，宽 3 ~ 7 mm，先端长渐尖，不具刺尖，有红色斑点。花序总状，高 8 ~ 20 cm，直径 2 ~ 5 cm；苞片与叶相似，较小；花密生，有梗；萼片 5，卵形，长 2 mm，宽 1 mm，钝；花瓣 5，白色，披针形，长 6 mm，宽 1.8 mm，先端有红色小圆斑点；雄蕊 10，较花瓣短；鳞片 5，小，近四方形，长 0.3 mm，先端有微缺；心皮 5，直立，披针形，长 6 mm，花柱细，长 2 mm，基部急狭，分离。种子长 1 mm，褐色。花期 9 ~ 10 月。

| **生境分布** | 生于低山石上或溪沟旁。湖北有分布。

| **资源情况** | 野生资源较少。药材主要来源于野生。

| **采收加工** | 同“瓦松”。

| **功能主治** | 同“瓦松”。

景天科 Crassulaceae 瓦松属 *Orostachys*

瓦松 *Orostachys fimbriata* (Turcz.) A. Berger.

| 药 材 名 | 瓦松。

| 形态特征 | 二年生草本。一年生莲座丛的叶短，莲座叶线形，先端增大，为白色软骨质，半圆形，有齿；二年生花茎一般高 10 ~ 20 cm，小的长仅 5 cm，高的有时达 40 cm。叶互生，疏生，有刺，线形至披针形，长可达 3 cm，宽 2 ~ 5 mm。花序总状，紧密，或下部分枝，可呈宽 20 cm 的金字塔形；苞片线状渐尖；花梗长达 1 cm，萼片 5，长圆形，长 1 ~ 3 mm；花瓣 5，红色，披针状椭圆形，长 5 ~ 6 mm，宽 1.2 ~ 1.5 mm，先端渐尖，基部 1 mm 合生；雄蕊 10，与花瓣同长或稍短，花药紫色；鳞片 5，近四方形，长 0.3 ~ 0.4 mm，先端稍凹。蓇葖果 5，长圆形，长 5 mm，喙细，长 1 mm；种子多数，卵形，细小。花期 8 ~ 9 月，果期 9 ~ 10 月。

| **生境分布** | 生于干燥的岩上或老屋瓦缝中。分布于湖北麻城、红安、罗田。

| **资源情况** | 野生资源较少。药材主要来源于野生。

| **采收加工** | 夏、秋季采收，用开水烫后，鲜用或晒干。

| **功能主治** | 凉血止血，清热解毒，收湿敛疮。用于吐血，鼻衄，便血，血痢，热淋，月经不调，疔疮痈肿，痔疮，湿疹，烫伤，肺炎，肝炎，宫颈糜烂，乳糜尿。

景天科 Crassulaceae 费菜属 *Phedimus*

费菜 *Phedimus aizoon* L.

|药材名|

费菜。

|形态特征|

多年生草本。根茎短粗。茎高 20 ~ 50 cm，密被叶，无毛。叶互生，长披针形至卵状倒披针形，长 5 ~ 8 cm，宽 1.7 ~ 2 cm，先端渐尖，基部楔形，边有不整齐锯齿；叶坚实，近革质。伞房状聚伞花序，多花，水平分枝；萼片 5，线形，不等长，长 3 ~ 5 mm，先端钝；花瓣 5，金黄色，椭圆状披针形，长 6 ~ 10 mm；雄蕊 10，较花瓣短；心皮 5，基部合生，卵状长圆形，腹面浅囊状，花柱长钻形；鳞片细小，近正方形。蓇葖果星芒状放射，长约 7 mm，有直立的喙；种子椭圆形，长 1 mm。花期 6 ~ 7 月，果期 8 ~ 9 月。

|生境分布|

生于海拔 600 ~ 2 100 m 的山坡向阳岩石上。分布于湖北鹤峰、恩施、五峰、长阳、神农架、黄陂、英山。

|资源情况|

野生资源较少。药材主要来源于野生。

| 采收加工 | **根**：春、秋季采挖，洗净，晒干。

全草：秋季采收，鲜用或晒干。

| 功能主治 | 散瘀，止血，宁心安神，解毒。用于吐血，衄血，咯血，便血，尿血，崩漏，紫癜，外伤出血，跌打损伤，心悸，失眠，疮疥痈肿，烫火伤，毒虫蜇伤。

景天科 Crassulaceae 费菜属 *Phedimus*

乳毛费菜 *Phedimus aizoon* L. var. *scabrus* (Maximowicz) H. Ohba

| 药 材 名 | 费菜。

| 形态特征 | 本种与费菜的区别在于本种叶狭，先端钝，植株被微乳头状突起；花期 6 ~ 7 月，果期 8 月。

| 生境分布 | 生于海拔 3 100 m 以下的山坡草地上。分布于湖北武汉、十堰。

| 资源情况 | 野生资源较少。药材主要来源于野生。

| 采收加工 | **根**：春、秋季采挖，洗净，晒干。

全草：秋季采收，鲜用或晒干。

| 功能主治 | 散瘀，止血，宁心安神，解毒。用于吐血，衄血，咯血，便血，尿血，崩漏，紫癍，外伤出血，跌打损伤，心悸，失眠，疮疥痈肿，烫火伤，毒虫螫伤。

景天科 Crassulaceae 红景天属 *Rhodiola*

小丛红景天 *Rhodiola dumulosa* (Franch.) S. H. Fu

| 药材名 | 小丛红景天。

| 形态特征 | 多年生草本。根茎粗壮，分枝，地上部分常被有残留的老枝。花茎聚生于主轴先端，长 5 ~ 28 cm，直立或弯曲，不分枝。叶互生，线形至宽线形，长 7 ~ 10 mm，宽 1 ~ 2 mm，先端稍急尖，基部无柄，全缘。花序聚伞状，有 4 ~ 7 花；萼片 5，线状披针形，长 4 mm，宽 0.7 ~ 0.9 mm，先端渐尖，基部宽；花瓣 5，白色或红色，披针状长圆形，直立，长 8 ~ 11 mm，宽 2.3 ~ 2.8 mm，先端渐尖，有较长的短尖，边缘平直或多少呈流苏状；雄蕊 10，较花瓣短，对萼片的长 7 mm，对花瓣的长 3 mm，着生花瓣基部上 3 mm 处；鳞片 5，横长方形，长 0.4 mm，宽 0.8 ~ 1 mm，先端微缺；心皮 5，卵状长圆形，直立，长 6 ~ 9 mm，基部 1 ~ 1.5 mm 合生。种子

长圆形，长 1.2 mm，有微乳头状突起，有狭翅。花期 6 ~ 7 月，果期 8 月。

| **生境分布** | 生于海拔 2 940 m 的山顶石缝中。分布于湖北神农架。

| **资源情况** | 野生资源较少。药材主要来源于野生。

| **采收加工** | 秋季采挖，除去残茎叶及须根，洗净，晒干或阴干。

| **功能主治** | 益肾养肝，调经活血。用于劳热骨蒸，干血痨，头晕目眩，月经不调。

景天科 Crassulaceae 红景天属 *Rhodiola*

菱叶红景天 *Rhodiola henryi* (Diels) S. H. Fu

| 药 材 名 | 豌豆七。

| 形态特征 | 多年生草本。根茎直立，直径 7 ~ 10 mm，先端被披针状三角形鳞片。花茎直立，高 30 ~ 40 cm，不分枝。3 叶轮生，卵状菱形至椭圆状菱形，长 1 ~ 3 cm，宽 0.8 ~ 2 cm，先端急尖，基部宽楔形至圆形，边缘有疏锯齿 3 ~ 6，膜质，干后带黄绿色，无柄。聚伞圆锥花序，高 3 ~ 7 cm，宽 2 ~ 7 cm；雌雄异株；萼片 4，线状披针形，长 1 mm；花瓣 4，黄绿色，长圆状披针形，长 2 mm，宽 1 mm；雄蕊 8，长 1.6 mm，淡黄绿色；鳞片 4，匙状四方形，长 0.5 mm，宽 0.2 mm，先端有微缺；雌花心皮 4，黄绿色，长圆状披针形，长 2 mm，花柱长 0.5 mm。蓇葖果上部叉开，呈星芒状。花期 5 月，

果期 6 ~ 7 月。

| 生境分布 | 生于海拔 1 600 ~ 2 700 m 的背阴岩石上或林下。分布于湖北鹤峰、恩施、巴东、神农架、兴山。

| 资源情况 | 野生资源较少。药材主要来源于野生。

| 采收加工 | **全草**：夏季采收，鲜用或晒干。

根：初春或秋季采挖，除去残茎、须根及泥土，晒干。

| 功能主治 | **全草**：散瘀止痛，止血，安神。用于跌打损伤，骨折，外伤出血，月经不调，痛经，失眠。

根：清热止泻，散疲止痛，安神。用于痢疾，泄泻，跌打损伤，风湿疼痛，心烦，失眠。

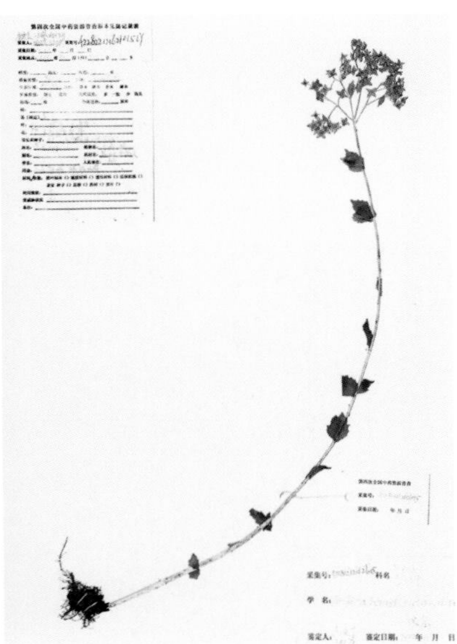

景天科 Crassulaceae 红景天属 *Rhodiola*

库页红景天 *Rhodiola sachalinensis* A. Bor.

| 药 材 名 | 扫罗玛尔布。

| 形态特征 | 多年生草本。根粗壮，通常直立，少有横生；根颈短粗，先端被多数棕褐色、膜质鳞片状叶。花茎高 6 ~ 30 cm，下部茎生叶较小，疏生，上部茎生叶较密，叶长圆状匙形、长圆状菱形或长圆状披针形，长 7 ~ 40 mm，宽 4 ~ 9 mm，先端急尖至渐尖，基部楔形，上部有粗牙齿，下部近全缘。聚伞花序，密集多花，宽 1.5 ~ 2.5 cm，下部似托叶；雌雄异株；萼片 4，稀 5，披针状线形，长 1 ~ 3 mm，先端钝；花瓣 4，稀 5，淡黄色，线状倒披针形或长圆形，长 2 ~ 6 mm，先端钝；雄蕊 8，较花瓣长，花药黄色，有不发育的心皮；心皮 4，花柱外弯，鳞片 4，长圆形，长 1 ~ 1.5 mm，宽 0.6 mm，

先端微缺。蓇葖果披针形或线状披针形，直立，长 6 ~ 8 mm，喙长 1 mm；种子长圆形至披针形，长 2 mm，宽 0.6 mm。花期 4 ~ 6 月，果期 7 ~ 9 月。

| 生境分布 | 生于海拔 1 600 ~ 2 500 m 的山坡草地或林下、碎石滩及高山冻原。湖北有分布。

| 资源情况 | 野生资源较少。

| 采收加工 | **根及根茎：**春、秋季采收，以秋季为好，除去地上枯萎茎叶，除去泥土，晒干或在 70 ℃以下烘干。

| 功能主治 | 补气清肺，益智养心，收涩止血，散瘀消肿。用于气虚体弱，病后畏寒，气短乏力，肺热咳嗽，咯血，带下，腹泻，跌打损伤，烫火伤，神经症，高原反应。

景天科 Crassulaceae 红景天属 *Rhodiola*

云南红景天 *Rhodiola yunnanensis* (Franch.) S. H. Fu

| 药 材 名 | 云南红景天。

| 形态特征 | 多年生草本。根茎粗，长，直径可达 2 cm，不分枝或少分枝，先端被卵状三角形鳞片。花茎单生或少数着生，无毛，高可达 100 cm，直立，圆。3 叶轮生，稀对生，卵状披针形、椭圆形或卵状长圆形至宽卵形，长 4 ~ 7（~ 9）cm，宽 2 ~ 4（~ 6）cm，先端钝，基部圆楔形，多少有疏锯齿，稀近全缘，下面苍白绿色，无柄。聚伞圆锥花序，长 5 ~ 15 cm，宽 2.5 ~ 8 cm，多次三叉分枝；雌雄异株，稀两性花；雄花小，多，萼片 4，披针形，长 0.5 mm，花瓣 4，黄绿色，匙形，长 1.5 mm，雄蕊 8，较花瓣短，鳞片 4，楔状四方形，长 0.3 mm，心皮 4，小；雌花萼片、花瓣均 4，绿色或紫色，线形，长 1.2 mm，鳞片 4，近半圆形，长 0.5 mm，心皮 4，卵形，叉开，

长 1.5 mm，基部合生。蓇葖果星芒状排列，长 3 ~ 3.2 mm，基部 1 mm 合生，喙长 1 mm。花期 5 ~ 7 月，果期 7 ~ 8 月。

| 生境分布 | 生于海拔 2 000 ~ 3 100 m 的山坡林下岩石上或河沟边岩石上。湖北有分布。

| 资源情况 | 野生资源较少。药材主要来源于野生。

| 采收加工 | 夏、秋季采收，洗净，切碎，鲜用或晒干。

| 功能主治 | 补肺益肾，清热止咳，散瘀止血。用于虚劳咳嗽，肾虚腰痛，咽喉疼痛，跌打肿痛，外伤出血。

景天科 Crassulaceae 景天属 *Sedum*

东南景天 *Sedum alfredii* Hance

| 药 材 名 | 石上瓜子菜。

| 形态特征 | 多年生草本。茎斜上，单生或上部有分枝，高 10 ~ 20 cm。叶互生，下部叶常脱落，上部叶常聚生，线状楔形、匙形至匙状倒卵形，长 1.2 ~ 3 cm，宽 2 ~ 6 mm，先端钝，有时微缺，基部狭楔形，有距，全缘。聚伞花序宽 5 ~ 8 cm，有多花；苞片似叶而小；花无梗，直径 1 cm；萼片 5，线状匙形，长 3 ~ 5 mm，宽 1 ~ 1.5 mm，基部有距；花瓣 5，黄色，披针形至披针状长圆形，长 4 ~ 6 mm，宽 1.6 ~ 1.8 mm，有短尖，基部稍合生；雄蕊 10，对瓣的长 2.5 mm，在基部上 1 ~ 1.5 mm 处着生，对萼的长 4 mm；鳞片 5，匙状正方形，长 1.2 mm，先端钝，截形；心皮 5，卵状披针形，直立，基部合生，全长 4 mm，花柱长 1 mm。蓇葖果斜叉开；种子多数，长 0.6 mm，

褐色。花期 4 ~ 5 月，果期 6 ~ 8 月。

| 生境分布 | 生于海拔 500 ~ 1 500 m 的山坡阴湿处或石缝中。分布于湖北来凤、鹤峰、利川、巴东、兴山。

| 资源情况 | 野生资源较少。药材主要来源于野生。

| 采收加工 | 全年均可采收，鲜用，或用沸水烫过，晒干。

| 功能主治 | 清热凉血，消肿解毒。用于血热，吐血，衄血，热毒痈肿。

景天科 Crassulaceae 景天属 *Sedum*

珠芽景天 *Sedum bulbiferum* Makino

| 药 材 名 | 珠芽半支。

| 形态特征 | 多年生草本。根须状。茎高 7 ~ 22 cm，茎下部常横卧。叶腋常有圆球形肉质小珠芽。基部叶常对生，上部的互生，下部叶卵状匙形，上部叶匙状倒披针形，长 10 ~ 15 mm，宽 2 ~ 4 mm，先端钝，基部渐狭。花序聚伞状，分枝 3，常再二叉分枝；萼片 5，披针形至倒披针形，长 3 ~ 4 mm，宽达 1 mm，有短距，先端钝；花瓣 5，黄色，披针形，长 4 ~ 5 mm，宽 1.25 mm，先端有短尖；雄蕊 10，长 3 mm；心皮 5，略叉开，基部 1 mm 合生，全长 4 mm，连花柱在内长 1 mm。花期 4 ~ 5 月。

| 生境分布 | 生于路旁或山坡谷中阴湿处。分布于湖北麻城、江夏、黄陂。

| **资源情况** | 野生资源较少。药材主要来源于野生。

| **采收加工** | **全草：**夏季采收，鲜用或晒干。

| **功能主治** | 清热解毒，凉血止血，截疟。用于热毒痈肿，牙龈肿痛，毒蛇咬伤，血热出血，外伤出血，疟疾。

景天科 Crassulaceae 景天属 *Sedum*

轮叶景天 *Sedum chauveaudii* Raym.-Hamet

| 药 材 名 | 互生叶景天。

| 形态特征 | 多年生草本，无毛。不育茎长 3 ~ 6 cm；花茎上升，长 8 ~ 18 cm，基部节上生不定根。叶 3 数轮生，近柄状匙形，长 0.8 ~ 2.2 cm，宽 3 ~ 5 mm，有钝或略 2 浅裂的距，先端近钝形，前缘有乳头状突起，上面具锈色斑点。花序伞房状，疏松，有多数花；苞片叶形；花为不等的 5 基数；花梗极短；萼片线状匙形，不等长，长 4.5 ~ 6.5 mm，有宽钝距，前缘有乳头状突起，先端圆或极钝，上面具锈色斑点；花瓣黄色，披针形至长圆形，长 8 ~ 10 mm，合生约 1.5 mm，先端有短突尖头；雄蕊 10，2 轮，内轮的生于距花瓣基部 2 ~ 3 mm 处，长约 4.5 mm；鳞片方形至长方形，长 0.5 ~ 0.6 mm，上部略宽；心皮长圆形，长约 7.5 mm，合生约 1.5 mm，有多数胚珠，花柱长。

种子卵形，长约 0.8 mm，有浅乳头状突起。花期 9 ~ 11 月，果期 10 ~ 12 月。

| **生境分布** | 生于海拔 1 400 ~ 2 850 m 的沟边林下草丛中。分布于湖北巴东、神农架。

| **功能主治** | 解毒，消肿，止血。用于创伤，无名肿毒，蛇咬伤，蝎蜇伤。

景天科 Crassulaceae 景天属 *Sedum*

细叶景天 *Sedum elatinoides* Franch.

| 药材名 | 细叶景天。

| 形态特征 | 一年生草本，无毛，有须根。茎单生或丛生，高 5 ~ 30 cm。3 ~ 6 叶轮生，叶狭倒披针形，长 8 ~ 20 mm，宽 2 ~ 4 mm，先端急尖，基部渐狭，全缘，无柄或几无柄。花序圆锥状或伞房状，分枝长，下部叶腋也生有花序；花稀疏；花梗长 5 ~ 8 mm，细；萼片 5，狭三角形至卵状披针形，长 1 ~ 1.5 mm，先端近急尖；花瓣 5，白色，披针状卵形，长 2 ~ 3 mm，急尖；雄蕊 10，较花瓣短；鳞片 5，宽匙形，长 0.5 mm，先端有缺刻；心皮 5，近直立，椭圆形，下部合生，有微乳头状突起。蓇葖果成熟时上半部斜展；种子卵形，长 0.4 mm。花期 5 ~ 7 月，果期 8 ~ 9 月。

| 生境分布 | 生于海拔 500 ~ 1 750 m 的山坡石缝中。分布于湖北神农架、兴山、宜昌。

| 资源情况 | 野生资源较少。药材主要来源于野生。

| 采收加工 | **全草**：春、夏季采收，洗净，鲜用或晒干。

| 功能主治 | 清热解毒。用于热毒痈肿，丹毒，睾丸炎，烫火伤，湿疮，细菌性痢疾，阿米巴痢疾。

景天科 Crassulaceae 景天属 *Sedum*

凹叶景天 *Sedum emarginatum* Migo

| **药 材 名** | 凹叶景天。

| **形态特征** | 多年生草本。茎细弱，高 10 ~ 15 cm。叶对生，匙状倒卵形至宽卵形，长 1 ~ 2 cm，宽 5 ~ 10 mm，先端圆，有微缺，基部渐狭，有短距。花序聚伞状，顶生，宽 3 ~ 6 mm，有多花，常有 3 分枝；花无梗；萼片 5，披针形至狭长圆形，长 2 ~ 5 mm，宽 0.7 ~ 2 mm，先端钝；基部有短距；花瓣 5，黄色，线状披针形至披针形，长 6 ~ 8 mm，宽 1.5 ~ 2 mm；鳞片 5，长圆形，长 0.6 mm，钝圆；心皮 5，长圆形，长 4 ~ 5 mm，基部合生。蓇葖果略叉开，腹面有浅囊状隆起；种子细小，褐色。花期 5 ~ 6 月，果期 6 月。

| **生境分布** | 生于海拔 560 ~ 1 400 的阴湿石缝中。分布于湖北来凤、咸丰、宣恩、

鹤峰、恩施、巴东、兴山、崇阳。

| 资源情况 | 野生资源较少。药材主要来源于野生。

| 采收加工 | 夏、秋季采收，洗净，鲜用，或置沸水中稍烫，晒干。

| 功能主治 | 清热解毒，凉血止血，利湿。用于痈疖，疔疮，带状疱疹，瘰疬，咯血，吐血，衄血，便血，痢疾，淋病，黄疸，崩漏，带下。

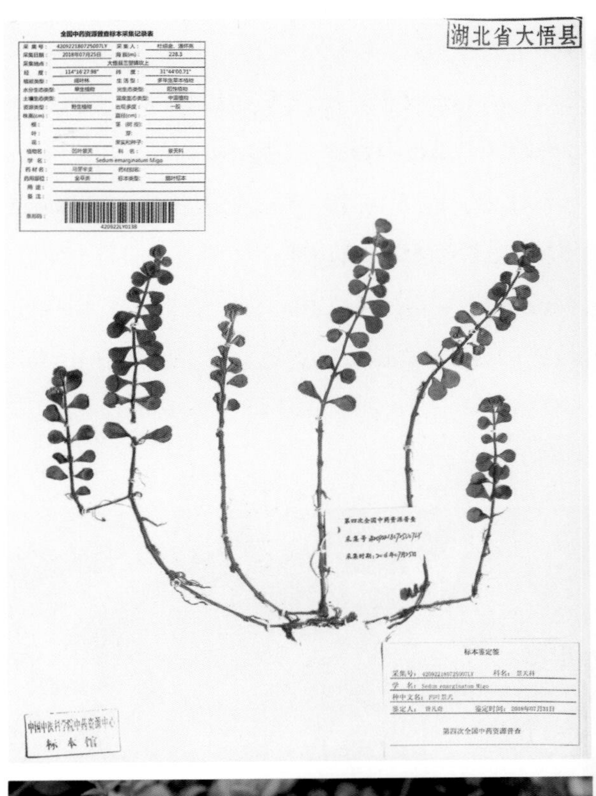

景天科 Crassulaceae 景天属 *Sedum*

小山飘风 *Sedum filipes* Hemsl.

|药材名| 山飘风。

|形态特征| 一年生或二年生草本，全株无毛。花茎常分枝，直立或上升，高 10 ~ 30 cm。叶对生或 3 ~ 4 叶轮生，宽卵形至近圆形，长 1.5 ~ 3 cm，宽 1.2 ~ 2 cm，先端圆，基部有距，全缘，假叶柄长达 1.5 cm。伞房状花序顶生及上部腋生，宽 5 ~ 10 cm；花梗长 3 ~ 5 mm；萼片 5，披针状三角形，长 1 ~ 1.2 mm，钝；花瓣 5，淡红紫色，卵状长圆形，长 3 ~ 4 mm，先端钝；雄蕊 10，长 3 ~ 5 mm；鳞片 5，匙形，微小，先端有微缺；心皮 5，披针形，近直立，长 3 ~ 4 mm，花柱长 1 mm。蓇葖果有种子 3 ~ 4；种子倒卵形，长 1 mm，棕色。花期 8 ~ 10 月初，果期 10 月。

| **生境分布** | 生于海拔 800 ~ 2 400 m 的山沟阴湿处或林下。分布于湖北巴东、神农架、房县、丹江口。

| **资源情况** | 野生资源较少。药材主要来源于野生。

| **采收加工** | **全草：**夏、秋季采收，除去泥土，洗净，晒干。

| **功能主治** | 清热解毒，活血止痛。用于月经不调，劳伤腰痛，鼻衄，烧伤，跌打损伤，外伤出血，痄腮。

景天科 Crassulaceae 景天属 *Sedum*

佛甲草 *Sedum lineare* Thunb.

| 药 材 名 | 佛甲草。

| 形态特征 | 多年生草本，无毛。茎高 10 ~ 20 cm。3 叶轮生，少有 4 叶轮生或对生；叶线形，长 20 ~ 25 mm，宽约 2 mm，先端钝尖，基部无柄，有短距。花序聚伞状，顶生，疏生花，宽 4 ~ 8 cm，中央有一有短梗的花，另有 2 ~ 3 分枝，分枝常再 2 分枝，着生花无梗；萼片 5，线状披针形，长 1.5 ~ 7 mm，不等长，不具距，有时有短距，先端钝；花瓣 5，黄色，披针形，长 4 ~ 6 mm，先端急尖，基部稍狭；雄蕊 10，较花瓣短；鳞片 5，宽楔形至近四方形，长 0.5 mm，宽 0.5 ~ 0.6 mm。蓇葖果略叉开，长 4 ~ 5 mm，花柱短；种子小。花期 4 ~ 5 月，果期 6 ~ 7 月。

| **生境分布** | 生于低山向阳处或阴湿处。分布于湖北江夏、浠水、神农架。

| **资源情况** | 野生资源较少。药材主要来源于野生。

| **采收加工** | **全株：**夏、秋季采收，洗净，放开水中烫后，捞起，晒干或炕干或鲜用。

| **功能主治** | 清热解毒，利湿，止血。用于咽喉肿痛，目赤肿痛，热毒痈肿，疔疮，丹毒，蛇串疮，烫火伤，毒蛇咬伤，黄疸，湿热泻痢，便血，崩漏，外伤出血，扁平疣。

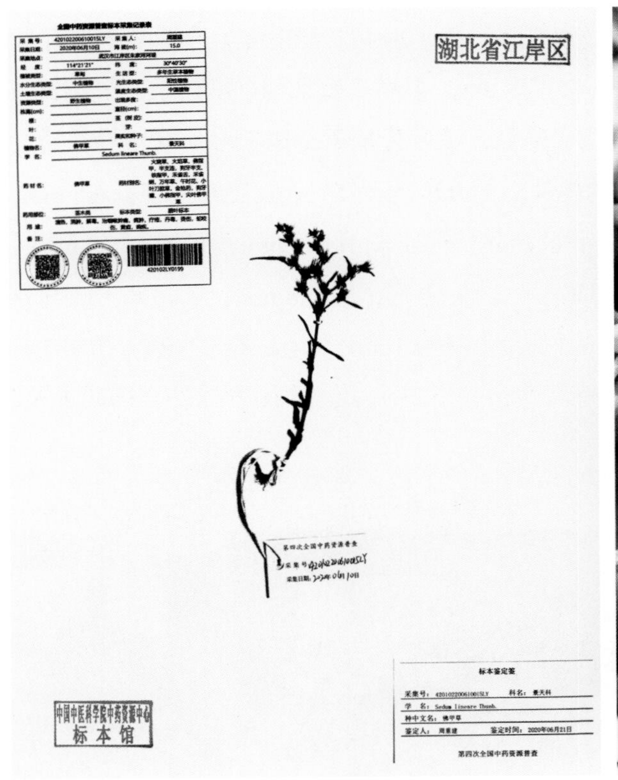

景天科 Crassulaceae 景天属 *Sedum*

山飘风 *Sedum major* (Hemsl.) Migo

| 药 材 名 | 山飘风。

| 形态特征 | 小草本，高 10 cm，基部分枝或不分枝。4 叶轮生，叶圆形至卵状圆形，大的一对长、宽均 4 cm，小的一对常稍小或较小，先端圆或钝，基部急狭，下延成叶柄，或几无柄，全缘。伞房状花序，总梗长 1.5 ~ 3 cm；花梗长 3 ~ 5 mm；萼片 5，近正三角形，长 0.5 mm，钝；花瓣 5，白色，长圆状披针形，长 3 ~ 4 mm，宽 1 ~ 1.2 mm；雄蕊 10，长 3 mm；鳞片 5，长方形，长 0.8 mm；心皮 5，椭圆状披针形，长 3 ~ 4 mm，直立，基部 1 mm 合生。种子少数。花期 7 ~ 10 月。

| 生境分布 | 生于海拔 850 ~ 1 800 m 的密林下或阴湿处。分布于湖北恩施、神

农架、兴山。

| 资源情况 | 野生资源较少。药材主要来源于野生。

| 采收加工 | **全草：**夏、秋季采收，除去泥土，洗净，晒干。

| 功能主治 | 清热解毒，活血止痛。用于月经不调，劳伤腰痛，鼻衄，烧伤，跌打损伤，外伤出血，痄腮。

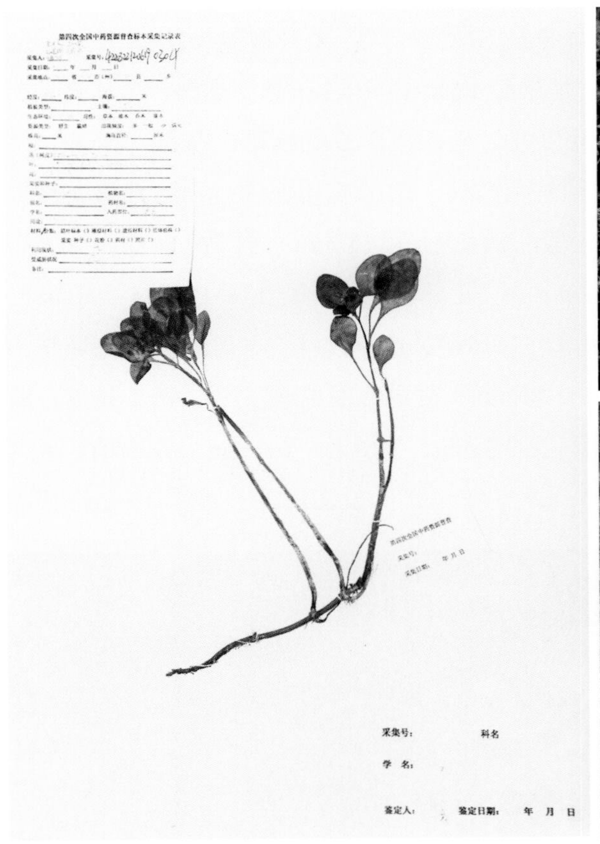

景天科 Crassulaceae 景天属 *Sedum*

齿叶景天 *Sedum odontophyllum* Fröd.

| 药 材 名 | 齿叶景天。

| 形态特征 | 多年生草本，无毛，须根长，或幼时匍匐。不育枝斜升，长 5 ~ 10 cm，叶对生或 3 叶轮生，常聚生于枝顶。花茎在基部生根，弧状直立，高 10 ~ 30 cm。叶互生或对生，卵形或椭圆形，长 2 ~ 5 cm，宽 12 ~ 28 mm，先端稍急尖或钝，边缘有疏而不规则的牙齿，基部急狭，入于假叶柄，假叶柄长 11 ~ 18 mm。聚伞状花序，分枝蝎尾状；花无梗；萼片 5 ~ 6，三角状线形，长 2 ~ 2.5 mm，先端钝，基部扩大，无距；花瓣 5 ~ 6，黄色，披针状长圆形或几为卵形，长 5 ~ 7 mm，宽 1.7 ~ 2 mm，先端有长的短尖头，基部稍狭；鳞片 5 ~ 6，近四方形，长 0.5 mm，宽 0.4 ~ 0.6 mm，先端稍扩大，有微缺；心皮 5 ~ 6，近直立，卵状长圆形，长 3 ~ 4 mm，基部

0.5 ~ 0.7 mm 合生，腹面稍呈浅囊状。蓇葖果横展，长 5 mm，基部 1 mm 合生，腹面囊状隆起；种子多数。花期 4 ~ 6 月，果期 6 月底。

| 生境分布 | 生于海拔 1 200 m 的沟底阴湿处。分布于湖北巴东、神农架。

| 资源情况 | 野生资源较少。药材主要来源于野生。

| 采收加工 | **全草：**夏季采收，洗净，鲜用或晒干。

| 功能主治 | 散瘀止血，清热解毒。用于血滞闭经，痛经，崩漏，跌打损伤，瘀肿疼痛，骨折，肺痨咯血，便血，金疮出血，疮疖肿毒。

景天科 Crassulaceae 景天属 *Sedum*

大苞景天 *Sedum oligospermum* Maire

| 药 材 名 | 苞叶景天。

| 形态特征 | 植株高 50 cm。叶互生至 3 叶轮生，叶有柄，长达 1 cm；叶菱状椭圆形，长 3 ~ 6 cm，宽 1.5 ~ 2 cm，向两端渐狭，常聚生于花序下；苞叶圆形或稍长，与花略同长。聚伞花序常三叉分枝，每枝上有 1 ~ 4 花，无柄；萼片 5，宽三角形，长 0.5 ~ 0.7 mm；花瓣 5，长圆形，黄色，长 5 ~ 6 mm，亚急尖；雄蕊 5 或 10，较花瓣稍短；鳞片线状匙形至长圆状匙形，长不到 1 mm；心皮 5，略叉开，基部 2 mm 合生，全长 5 mm。蓇葖果有种子 1 ~ 2；种子大，纺锤形，长 2 ~ 2.5 mm。花期 8 ~ 9 月，果期 9 月底至 11 月初。

| 生境分布 | 生于海拔 1 230 ~ 2 000 m 的山地林下阴湿处或沟边。分布于湖北鹤

峰、五峰、恩施、巴东、神农架、丹江口。

| 资源情况 | 野生资源较少。药材主要来源于野生。

| 采收加工 | 夏、秋季采收，洗净，晒干。

| 功能主治 | 清热解毒，活血行瘀。用于产后腹痛，胃痛，大便燥结，烫火伤。

景天科 Crassulaceae 景天属 *Sedum*

南川景天 *Sedum rosthornianum* Diels

| 药 材 名 | 南川景天。

| 形态特征 | 多年生草本，植株无毛。花茎不分枝，直立，高 15 ~ 25 cm。叶对生，或 3 ~ 4 叶轮生，菱状长圆形，长 2 ~ 3.3 cm，宽 8 ~ 12 mm，先端近急尖，基部急狭，入于长 4 ~ 6 mm 的宽假叶柄，边缘有浅锯齿 4 ~ 8。聚伞圆锥花序，有稀疏的花，长 5 ~ 10 cm；花梗长 3 ~ 8 mm；萼片 5，狭三角形，长 1 ~ 1.5 mm，有中脉 1，基部合生；花瓣 5，白色，半长圆形，长 3 ~ 4 mm，先端渐尖，稍钝，基部宽广；雄蕊 10，对瓣的长 1.5 mm，在基部稍上着生，对萼的长 2 mm；鳞片 5，宽匙形，长 0.6 mm，心皮 5，宽卵形，长 3 mm，花柱细，长 1 mm，心皮外侧被微乳头状突起。种子多数，卵形，长 0.6 mm。

花期 6 月。

| **生境分布** | 生于海拔 1 500 m 的山坡草地上。湖北有分布。

| **采收加工** | **全草：**夏季采收，洗净，鲜用或晒干。

| **功能主治** | 清热解毒，止痢，止血。用于咽喉痛，痢疾，便血。

景天科 Crassulaceae 景天属 *Sedum*

垂盆草 *Sedum sarmentosum* Bunge

| 药 材 名 | 垂盆草。

| 形态特征 | 多年生草本。不育枝及花茎细，匍匐而节上生根，直到花序之下，长 10 ~ 25 cm。3 叶轮生，叶倒披针形至长圆形，长 15 ~ 28 mm，宽 3 ~ 7 mm，先端近急尖，基部急狭，有距。聚伞花序，有 3 ~ 5 分枝；花少，宽 5 ~ 6 cm；花无梗；萼片 5，披针形至长圆形，长 3.5 ~ 5 mm，先端钝，基部无距；花瓣 5，黄色，披针形至长圆形，长 5 ~ 8 mm，先端有稍长的短尖；雄蕊 10，较花瓣短；鳞片 10，楔状四方形，长 0.5 mm，先端稍有微缺；心皮 5，长圆形，长 5 ~ 6 mm，略叉开，有长花柱。种子卵形，长 0.5 mm。花期 5 ~ 7 月，果期 8 月。

| 生境分布 | 生于海拔 1 500 m 以下的山坡背阴岩石上。分布于湖北来凤、宣恩、鹤峰、巴东、丹江口、江夏、通山、浠水、神农架。

| 资源情况 | 野生资源较少。药材主要来源于野生。

| 采收加工 | 全年均可采收，鲜用或晒干。

| 功能主治 | 清热利湿，解毒消肿。用于湿热黄疸，淋病，泻痢，肺痈，肠痈，疮疖肿毒，蛇虫咬伤，烫火伤，咽喉肿痛，口腔溃疡，湿疹，带状疱疹。

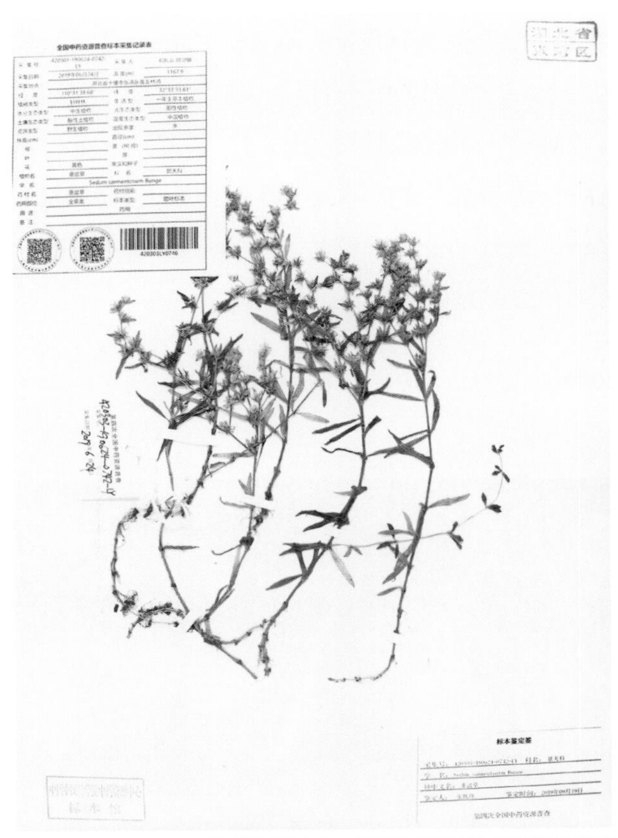

景天科 Crassulaceae 石莲属 *Sinocrassula*

石莲 *Sinocrassula indica* (Decne.) A. Berger

| **药材名** | 石莲。

| **形态特征** | 根短或长，分枝，木质。花茎基部叶莲座状，匙状长圆形，先端短渐尖；花茎直立或弯曲，被微乳头状突起，高 10 ~ 50 cm，其叶宽线形至卵圆形，长达 5 cm，宽达 1 cm，先端渐尖，基部渐狭。圆锥花序或近伞房花序，总梗长，花梗稍长；萼片 5，宽三角形至半卵圆形，长 2 mm，急尖；花瓣 5，披针形至半卵形，长 4 ~ 5 mm，钝或近急尖，粉红色；雄蕊 5，花药大；鳞片 5，正方形，长 0.5 mm；心皮 5，基部合生，半卵圆形。花期 10 ~ 11 月。

| **生境分布** | 生于海拔 400 ~ 1 400 m 的岩石上或山坡草丛中。分布于湖北鹤峰、巴东、神农架。

| 资源情况 | 野生资源较少。药材主要来源于野生。

| 采收加工 | 8 ~ 9 月采收，洗净，晒干。

| 功能主治 | 清热解毒，凉血止血，收敛生肌，止咳。用于热毒疮疡，咽喉肿痛，烫伤，痢疾，热淋，血热出血，肺热咳嗽。

虎耳草科 Saxifragaceae 落新妇属 *Astilbe*

落新妇 *Astilbe chinensis* (Maxim.) Franch. et Sav.

| 药材名 | 落新妇、红升麻。

| 形态特征 | 多年生草本，高 50 ~ 100 cm。根茎暗褐色，粗壮，须根多数。茎无毛。基生叶为二至三回三出羽状复叶，顶生小叶片菱状椭圆形，侧生小叶片卵形至椭圆形，长 1.8 ~ 8 cm，宽 1.1 ~ 4 cm，先端短渐尖至急尖，边缘有重锯齿，基部楔形、浅心形至圆形，腹面沿脉生硬毛，背面沿脉疏生硬毛和小腺毛，叶轴仅于叶腋部具褐色柔毛；茎生叶 2 ~ 3，较小。圆锥花序长 8 ~ 37 cm，宽 3 ~ 4（~ 12）cm；下部第 1 回分枝长 4 ~ 11.5 cm，通常与花序轴成 15° ~ 30° 角斜上；花序轴密被褐色卷曲长柔毛；苞片卵形；几无花梗；花密集；萼片 5，卵形，长 1 ~ 1.5 mm，宽约 0.7 mm，

两面无毛，边缘中部以上生微腺毛；花瓣 5，淡紫色至紫红色，线形，长 4.5 ～ 5 mm，宽 0.5 ～ 1 mm，单脉；雄蕊 10，长 2 ～ 2.5 mm；心皮 2，仅基部合生，长约 1.6 mm。蒴果长约 3 mm；种子褐色，长约 1.5 mm。花果期 6 ～ 9 月。

| 生境分布 | 生于海拔 400 ～ 3 100 m 的山坡林下阴湿地或林缘路旁草丛中。湖北有分布。

| 资源情况 | 野生资源较少。药材主要来源于野生。

| 采收加工 | **落新妇：**秋季采收，除去根茎，洗净，晒干或鲜用。

红升麻：夏、秋季采挖，除去杂质，洗净，鲜用或晒干。

| 功能主治 | **落新妇：**祛风，清热，止咳。用于风热感冒，头身疼痛，咳嗽。

红升麻：活血止痛，祛风除湿，强筋健骨，解毒。用于跌打损伤，风湿痹痛，劳倦乏力，毒蛇咬伤。

虎耳草科 Saxifragaceae 落新妇属 *Astilbe*

大落新妇 *Astilbe grandis* Stapf ex Wils.

| 药 材 名 | 同"落新妇"。

| 形态特征 | 本种与落新妇的区别在于本种小叶片通常短渐尖至渐尖，圆锥花序宽达 17 cm，花序轴被腺毛，花瓣白色或紫色，花期 5 ~ 6 月，果期 8 ~ 9 月。

| 生境分布 | 生于海拔 400 ~ 2 000 m 的山谷、溪边和林中。湖北有分布。

| 资源情况 | 同"落新妇"。

| **采收加工** | 同“落新妇”。

| **功能主治** | 同“落新妇”。

虎耳草科 Saxifragaceae 落新妇属 *Astilbe*

多花落新妇 *Astilbe rivularis* Buch.-Ham. ex D. Don var. *myriantha* (Diels) J. T. Pan

| **药 材 名** | 多花落新妇。

| **形态特征** | 多年生草本，高 6 ～ 150 cm。全株有短腺毛，老时近无毛。根茎粗壮，为不规则条形，生多数须根。茎被褐色腺状柔毛。基生叶为二至三回三出羽状复叶，具长柄；小叶片卵形或宽卵形至阔椭圆形，长 2.5 ～ 15 cm，宽 1.5 ～ 8.5 cm，先端渐尖，基部心形，边缘有重锯齿，下面只沿脉有短毛。圆锥花序，长 40 ～ 60 cm，密生短柔毛和腺毛；苞片钻形，比花萼短；花两性或单性，雌雄异株；花萼白色，长 1 ～ 1.8 mm，5 深裂，裂片狭卵形；花瓣无或具 1（～ 5）退化花瓣；雄蕊 7 ～ 10；心皮 2，离生。蓇葖果，长约 4 mm。花果期 7 ～ 10 月。

| **生境分布** | 生于海拔 1 100 ～ 2 500 m 的山坡、林下、灌丛及沟谷阴处。湖北有分布。

| **资源情况** | 野生资源较少。药材主要来源于野生。

| **采收加工** | **根茎：**春、秋季采挖，除去须根，洗净，切片，晒干。

| **功能主治** | 祛风解表，止痛。用于感冒，偏正头痛。

虎耳草科 Saxifragaceae 岩白菜属 *Bergenia*

岩白菜 *Bergenia purpurascens* (Hook. f. et Thoms.) Engl.

| 药 材 名 | 岩白菜、岩菖蒲。

| 形态特征 | 多年生草本，高 20 ~ 52 cm。根茎粗如手指，长 20 ~ 30 cm，紫红色，节间短，每节有扩大成鞘的叶柄基部残余物宿存，干后呈黑褐色。叶基生，革质而厚；叶柄长 2 ~ 8 cm，基部具托叶鞘；叶片倒卵形或长椭圆形，长 7 ~ 15 cm，宽 3.5 ~ 10 cm，先端钝圆，基部楔形，全缘或有小齿，上面红绿色，有光泽，下面浅赤红色，有褐色绵毛，两面具小腺窝。蝎尾状聚伞花序；花 6 ~ 7，常下垂；托杯外面被具长柄的腺毛；花萼宽钟状，在中部以上 5 裂，裂片长椭圆形，先端钝，表面和边缘无毛，背面密被具长柄的腺毛；花瓣 5，紫红色或暗紫色，宽倒卵形，长 1.5 ~ 1.8 cm，先端钝或微凹，基

部变狭成爪；雄蕊 10；雌蕊由 2 心皮组成，离生，花柱长，柱头头状，2 浅裂。蒴果直立；种子多数。花期 4 ~ 5 月，果期 5 ~ 6 月。

| 生境分布 | 生于海拔 2 700 ~ 3 100 m 的杂木林内阴湿处、有岩石的草坡上或石缝中。分布于湖北利川等。

| 资源情况 | 野生资源较少。药材主要来源于野生。

| 采收加工 | **岩白菜：**栽后 2 年，每年挖大留小，洗去泥沙，除去靠近根头的枯朽叶片，晒干或鲜用。

岩菖蒲：全年均可采挖，除去叶鞘及须根，晒干。

| 功能主治 | **岩白菜：**滋补强壮，止咳止血。用于虚弱头晕，肺虚咳喘，劳伤咯血，吐血，淋浊，带下。

岩菖蒲：健胃止泻，生肌止血。用于胃痛，食积，泄泻，便血，跌打损伤，外伤出血。

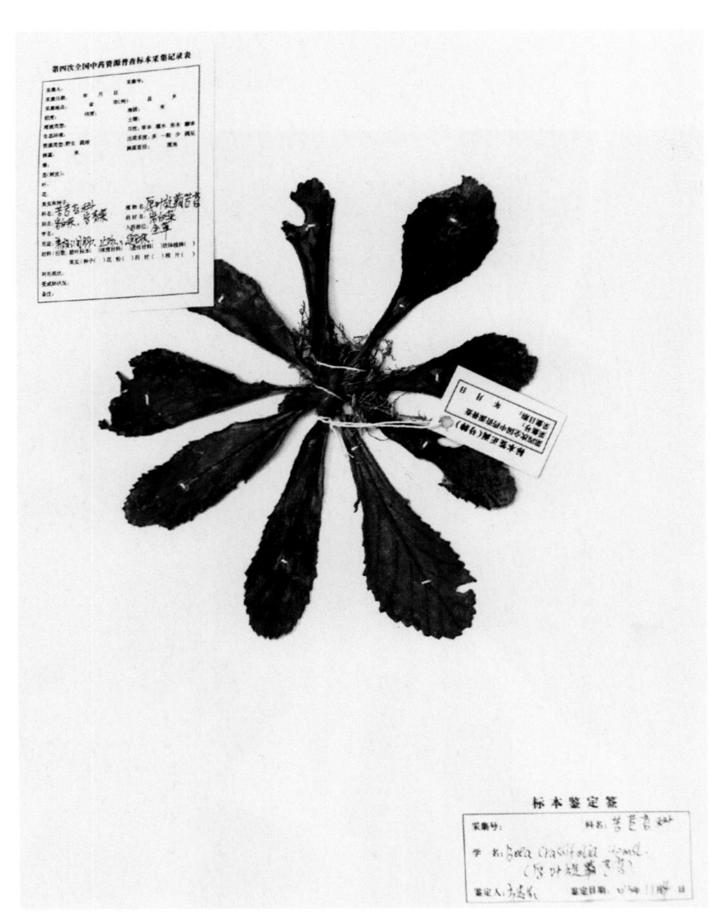

虎耳草科 Saxifragaceae 草绣球属 *Cardiandra*

草绣球 *Cardiandra moellendorffi* (Hance) Migo

| 药材名 | 草绣球。

| 形态特征 | 亚灌木，高 0.4 ~ 1 m；茎单生，干后淡褐色，稍具纵条纹。叶通常单片、分散互生于茎上，纸质，椭圆形或倒长卵形，长 6 ~ 13 cm，宽 3 ~ 6 cm，先端渐尖或短渐尖，具短尖头，基部沿叶柄两侧下延成楔形，边缘有粗长牙齿状锯齿，上面被短糙伏毛，下面疏被短柔毛或仅脉上有疏毛；侧脉 7 ~ 9 对，弯拱，在下面微凸，小脉纤细，稀疏网状，在下面明显；叶柄长 1 ~ 3 cm，茎上部的渐短或几无柄。伞房状聚伞花序顶生，苞片和小苞片线形或狭披针形，宿存；不育花萼片 2 ~ 3，较小，近等大，阔卵形至近圆形，长 5 ~ 15 mm，先端圆或略尖，基部近平截，膜质，白色或粉红色；孕性花萼筒杯状，

长 1.5 ~ 2 mm，萼齿阔卵形，先端钝；花瓣阔椭圆形至近圆形，长 2.5 ~ 3 mm，淡红色或白色；雄蕊 15 ~ 25，稍短于花瓣；子房近下位，3 室，花柱 3，结果时长约 1 mm。蒴果近球形或卵球形，不连花柱长 3 ~ 3.5 mm，宽 2.5 ~ 3 mm；种子棕褐色，长圆形或椭圆形，扁平，连翅长 1 ~ 1.4 mm，两端的翅颜色较深，与种子同色，不透明。花期 7 ~ 8 月，果期 9 ~ 10 月。

| 生境分布 | 生于海拔 700 ~ 1 500 m 的山谷密林或山坡疏林下。湖北有分布。

| 资源情况 | 野生资源较少。

| 采收加工 | **根茎：**夏、秋季采挖，洗净，切片，鲜用。

| 功能主治 | 活血祛瘀。用于跌打损伤。

虎耳草科 Saxifragaceae 金腰属 *Chrysosplenium*

金腰 *Chrysosplenium alternifolium* L.

| 药材名 | 金腰。

| 形态特征 | 多年生草本，高 6.5 ~ 19.5 cm，无单宁质斑纹；鞭匐枝具鳞片状叶，叶边缘具褐色柔毛。基生叶具长柄，叶片肾形至圆状肾形，长 0.8 ~ 2.5 cm，宽 1 ~ 3 cm，边缘具 8 ~ 11 圆齿，齿先端微凹，具 1 小疣点，叶两面和边缘均疏生柔毛，有时背面无毛，叶柄长 2.5 ~ 4 cm，疏生柔毛；茎生叶通常 1 枚，稀不存在，肾形，长 0.4 ~ 1 cm，宽 0.7 ~ 1.7 cm，边缘具 5 ~ 9 圆齿，基部近心形至心形，多少具柔毛，叶柄长 1.5 ~ 4 cm，疏生褐色柔毛。聚伞花序长 1.5 ~ 3 cm；苞叶卵形、近阔卵形至扁圆形，长 0.4 ~ 1.5 cm，宽 0.3 ~ 2 cm，具 2 ~ 7 圆齿，稀全缘，基部楔形至宽楔形，无

毛，柄长 1 ~ 5 mm，疏生柔毛，苞腋具褐色柔毛和乳头状突起；花黄色，直径 3 ~ 4 mm；花梗无毛或疏生褐色柔毛；萼片近圆形至阔卵形，长 1.5 ~ 2 mm，宽 1.4 ~ 2 mm，先端钝圆，无毛，花期时近直立；雄蕊 8，长约 1 mm；子房半下位，花柱长 0.7 mm，直立或叉开；花盘不存在。蒴果长 2.6 ~ 3 mm，先端微凹，2 果瓣近等大，喙长 0.5 ~ 0.7 mm；种子黑棕色，卵球形，长 0.9 ~ 1 mm，光滑无毛，有光泽。花果期 5 ~ 7 月。

| 生境分布 | 生于海拔 1 707 ~ 2 800 m 的林区湿地或溪畔。分布于湖北西部。

| 资源情况 | 野生资源较少。药材来源于野生。

| 采收加工 | **全草：**夏季采收，晒干。

| 功能主治 | 清热利湿。用于黄疸，出血。

虎耳草科 Saxifragaceae 金腰属 *Chrysosplenium*

肾萼金腰 *Chrysosplenium delavayi* Franch.

| 药 材 名 |

肾萼金腰。

| 形态特征 |

多年生草本。高 4.5 ~ 13 cm；不育枝出自茎下部叶腋，其叶对生，近扁圆形，长约 7 mm，宽 8.2 ~ 9.2 mm，先端钝圆，边缘具 8 圆齿（齿先端具 1 褐色乳头状突起），基部宽楔形，两面无毛；叶柄长约 5 mm，叶腋具褐色乳头状突起，顶生者阔卵形、阔椭圆形至近扁圆形，长 0.95 ~ 1.1 cm，宽 1 ~ 1.25 cm，先端钝，边缘具 7 ~ 10 圆齿，基部宽楔形至稍心形，腹面无毛，背面疏生褐色乳头状突起，叶柄长 0.5 ~ 3 mm，叶腋及近旁具褐色乳头状突起。花茎无毛。茎生叶对生，叶片阔卵形、近圆形至扇形，长 0.22 ~ 1.5 cm，宽 0.3 ~ 1.6 cm，先端钝，边缘具 7 ~ 12 圆齿（齿不甚明显，先端具 1 褐色乳头突起），基部宽楔形，腹面无毛，背面疏生褐色乳头状突起；叶柄长 3 ~ 7 mm，叶腋具褐色柔毛和乳头状突起。单花，或聚伞花序具 2 ~ 5 花，长 1 ~ 1.4 cm；花序分枝无毛；苞叶通常阔卵形，长 2 ~ 5 mm，宽 2.4 ~ 5 mm，先端钝，边缘具 6 ~ 9 圆齿（齿先端具 1 褐色乳头状突起），腹面无毛，但偶尔疏生褐色乳头状突起，背面疏生褐色乳头突起，柄长 2 ~ 5.6 mm，苞腋及其近旁具褐色乳头状突起；花梗长 2.5 ~ 19 mm，无毛；花黄绿色，直径约 8.7 mm；萼片在花期开展，近扁圆形，长 1.9 ~ 3 mm，宽 3 ~ 5 mm，先端微凹，凹处具 1 褐色乳头状突起，其边缘有时相互叠接；雄蕊 8，长约 0.6 mm；子房近下位，花柱长约 0.4 mm；花盘 8 裂，周围疏生褐色乳头状突起。蒴果先端近平截而微凹，2 果瓣近等大且水平状叉开，喙长约 0.4 mm；种子黑褐色，卵球形，长 0.7 ~ 1 mm，具纵肋 13 ~ 15，肋上有横纹。花果期 3 ~ 6 月。

| 生境分布 | 生于海拔 500 ~ 2 800 m 的林下、灌丛或山谷石隙。湖北有分布。

| 资源情况 | 野生资源较少。药材主要来源于野生。

| 采收加工 | 夏季采收，鲜用或晒干。

| 功能主治 | 清热解毒，生肌。用于小儿惊风，烫伤，肿毒。

虎耳草科 Saxifragaceae 金腰属 *Chrysosplenium*

绵毛金腰 *Chrysosplenium lanuginosum* Hook. f.

| 药 材 名 | 绵毛金腰。

| 形态特征 | 多年生草本，高 8 ~ 22 cm；根茎直下或横走，长达 20 cm；不育枝出自基生叶腋部，长 5 ~ 25 cm，被褐色长柔毛，其叶互生，自下而上渐变大，叶片卵形、阔卵形至近扇形，长 2.8 ~ 25 mm，宽 2.5 ~ 17 mm，边缘具 5 ~ 12 圆齿，基部楔形，两面和边缘均具褐色长柔毛，毛长 1 ~ 1.4 mm，叶柄长 0.7 ~ 1 cm，密被褐色长柔毛，毛长 1.5 ~ 3.3 mm。茎被褐色柔毛或近无毛。基生叶卵形、阔卵形至近椭圆形，长 1.3 ~ 4.5 cm，宽 1.2 ~ 2.9 cm，先端钝圆，边缘具 9 ~ 17 不明显的波状圆齿，基部通常宽楔形，稀稍心形，两面和边缘均多少具褐色柔毛，叶柄长 0.8 ~ 5 cm，密被褐色柔毛；茎生叶

1 ~ 3，互生，阔卵形、扇形至椭圆形，长 0.2 ~ 1 cm，宽 0.16 ~ 1 cm，边缘具 5 ~ 9 圆齿，基部楔形，两面和边缘多少具褐色柔毛，毛长 0.6 ~ 1.3 mm，有时背面无毛，叶柄长 0.5 ~ 1.7 cm，密被褐色柔毛，毛长 2.5 ~ 4 mm。聚伞花序长 5 ~ 9.5 cm；花序分枝无毛或疏生柔毛；苞叶偏斜状阔卵形、近扇形至倒卵形，长 0.3 ~ 1.1 cm，宽 0.4 ~ 1.2 cm，边缘具 5 ~ 11 圆齿，齿先端有时具 1 褐色柔毛，基部宽楔形至截形，通常两面无毛，柄长 1.5 ~ 7 mm，无毛或疏生柔毛，最下部 1 苞叶腹面被褐色柔毛；花较疏，绿色，直径 4.2 ~ 6.2 mm；萼片在花期开展，具褐色单宁质斑点，肾状扁圆形至阔卵形，长 1.5 ~ 2.2 mm，宽 2.2 ~ 3 mm，先端钝或短渐尖；雄蕊 8，长约 0.8 mm；子房近下位，花柱长 0.6 ~ 0.7 mm；花盘退化，但可见其痕迹，且为 8 裂，周围具 1 圈褐色乳头状突起。蒴果长 3.2 ~ 3.5 mm，先端近平截而微凹，2 果瓣近等大，喙长约 0.8 mm；种子黑褐色，近卵球形，长 0.6 ~ 1 mm，具乳头状突起。花果期 4 ~ 6 月。

| 生境分布 | 生于海拔 1 130 ~ 1 600 m 的山谷石隙阴湿处。湖北有分布。

| 采收加工 | 夏、秋季采收，晒干。

| 功能主治 | 清热解毒，生肌收敛，活血通络。用于臁疮，烫火伤，劳伤，跌打损伤，黄疸。

虎耳草科 Saxifragaceae 金腰属 *Chrysosplenium*

大叶金腰 *Chrysosplenium macrophyllum* Oliv.

| 药材名 | 虎皮草。

| 形态特征 | 多年生草本。茎高可达 20 cm，疏生锈色柔毛或近无毛。基生叶厚革质，倒卵形或长圆状倒卵形，长 3 ~ 20 cm，宽 2 ~ 10 cm，先端圆，基部渐狭，有不明显的波状圆齿或近全缘，叶上面疏被毛，叶下面无毛，新鲜时灰色而带红色，干后棕色，叶柄长 1 ~ 6 cm，被棕色长柔毛；茎生叶 1，小匙形。不育枝匍匐生长，长可达 45 cm，有多数互生的匙形小叶片。聚伞花序紧密，苞片叶状，卵形或狭卵

形；花白色或淡黄色；萼片直立，卵形，长 2 ~ 3 mm；雄蕊 8，长 4 ~ 6 mm；子房近上位，花柱 2，长约 5 mm。蒴果半上位，水平叉开；种子小，圆卵形，被微细突起。花期 4 月，果期 6 月。

| 生境分布 | 生于海拔 950 ~ 1 800 m 的林下或阴湿沟边。分布于湖北来凤、利川、鹤峰、建始、兴山、神农架、竹溪、保康、罗田，以及宜昌。

| 资源情况 | 野生资源较少。药材来源于野生。

| 采收加工 | **全草**：春、夏季采收，晒干或鲜用。

| 功能主治 | 清热，平肝，解毒。用于小儿惊风，臁疮，烫伤。

虎耳草科 Saxifragaceae 金腰属 *Chrysosplenium*

毛金腰 *Chrysosplenium pilosum* Maxim.

| **药 材 名** | 毛金腰。

| **形态特征** | 多年生小草本，高 4 ～ 15 cm。茎肉质，有柔毛。叶对生，有柄；

叶片近扇形，长 3 ～ 10 mm，宽 4 ～ 14 mm，边缘有浅圆齿，疏生短伏毛。不育枝上部密生锈色柔毛，先端叶稍密集；叶片卵形或宽椭圆形，长 1 ～ 4.5 cm，宽 1 ～ 3.5 cm，两面均有稀疏短毛，基部楔形，边缘有数个钝圆齿。聚伞花序顶生，苞片叶状；花黄色，直径约 4 mm；萼片 4，圆卵形；无花瓣；雄蕊 8，较萼片稍短；子房上位，1 室。蒴果 2 裂，不等长；种子卵形，暗红色，长约 0.6 mm，有条状排列的小突起。花期 5 月，果期 6 ～ 7 月。

| **生境分布** | 生于海拔 2 300 ～ 2 400 m 的林下阴湿处或沟边。分布于湖北兴山、神农架。

| **资源情况** | 野生资源较少。药材来源于野生。

| **功能主治** | 清热解毒。用于中耳炎。

虎耳草科 Saxifragaceae 金腰属 *Chrysosplenium*

中华金腰 *Chrysosplenium sinicum* Maxim.

| 药材名 | 中华金腰。

| 形态特征 | 多年生草本，高（3 ~ ）10 ~ 20（ ~ 33）cm。不育枝发达，出自茎基部叶腋，无毛。叶通常对生；叶片近圆形至阔卵形，长 6 ~ 10.5 mm，宽 7.5 ~ 11.5 mm，先端钝圆，边缘具 12 ~ 16 钝齿，基部宽楔形，无毛；叶柄长 6 ~ 10 mm；近叶腋部有时具褐色乳头状突起。聚伞花序长 2.2 ~ 3.8 cm，具 4 ~ 10 花；花序分枝无毛；苞叶阔卵形、卵形至近狭卵形，长 4 ~ 18 mm，宽 9 ~ 10 mm，边缘具 5 ~ 16 钝齿，基部宽楔形至偏斜形，无毛，柄长 1 ~ 7 mm，近苞腋部具褐色乳头状突起；花梗无毛；花黄绿色；萼片花期时直立，阔卵形至近阔椭圆形，长 0.8 ~ 2.1 mm，宽 1 ~ 2.4 mm，先端钝；

雄蕊 8，长约 1 mm；子房半下位，花柱长约 0.4 mm；无花盘。蒴果长 7 ~ 10 mm，2 果瓣明显不等大，叉开，喙长 0.3 ~ 1.2 mm；种子黑褐色，椭圆球形至阔卵球形，长 0.6 ~ 0.9 mm，被微乳头状突起，有光泽。花果期 4 ~ 8 月。

| **生境分布** | 生于海拔 500 ~ 3 100 m 的河边湿地或山地树林中。湖北有分布。

| **资源情况** | 野生资源较少。药材主要来源于野生。

| **采收加工** | **全草**：8 ~ 9 月采收，洗净，晒干或鲜用。

| **功能主治** | 清热解毒，退黄。用于黄疸，淋证，膀胱结石，胆道结石，疔疮。

虎耳草科 Saxifragaceae 赤壁木属 *Decumaria*

赤壁木 *Decumaria sinensis* Oliv.

|药材名| 赤壁木。

|形态特征| 攀缘灌木，长 2 ~ 5 m。小枝圆柱形，灰棕色，嫩枝疏被长柔毛，老枝无毛，节稍肿胀。叶薄革质，倒卵形、椭圆形或倒披针状椭圆形，长 3.5 ~ 7 cm，宽 2 ~ 3.5 cm，先端钝或急尖，基部楔形，全缘或上部具疏离锯齿或波状，两面近无毛；叶柄长 1 ~ 2 cm。伞房状圆锥花序长 3 ~ 4 cm，宽 4 ~ 5 cm；花序梗长 1 ~ 3 cm，疏被长柔毛；花白色，芳香；花梗长 5 ~ 10 mm，果期时更长，疏被长柔毛；萼筒陀螺形，高约 2 mm，无毛，裂片卵形或卵状三角形，长约 1 mm；花瓣长圆状椭圆形，长 3 ~ 4 mm；雄蕊 20 ~ 30，花丝纤细，长 3 ~ 4 mm，花药卵形或近球形；花柱粗

短，长不及 1 mm，柱头扁盘状，7 ~ 9 裂。蒴果钟状或陀螺状，长约 6 mm，直径约 5 mm，先端截形，具宿存花柱和柱头，暗褐色，有隆起的脉纹或棱条 10 ~ 12；种子细小，两端尖，长约 3 mm，有白翅。花期 4 ~ 5 月，果期 7 ~ 8 月。

| 生境分布 | 生于海拔 600 ~ 800 m 的沟边林下或阴湿石壁上。分布于湖北建始、神农架、兴山、长阳、房县。

| 资源情况 | 野生资源较少。

| 采收加工 | **全株：**夏、秋季采收，切段，晒干。

| 功能主治 | 祛风湿，强筋骨。

虎耳草科 Saxifragaceae 叉叶蓝属 *Deinanthe*

叉叶蓝 *Deinanthe caerulea* Stapf

| 药 材 名 | 叉叶蓝。

| 形态特征 | 多年生草本，高 30 ~ 50 cm。地下茎粗壮，具节和须根；地上茎单生，于近基部节上有对生或近对生的膜质苞片。叶膜质，大，通常 4 叶聚生于茎顶部，近轮生，阔椭圆形、卵形或倒卵形，长 10 ~ 25 cm，宽 6 ~ 16 cm，先端具尾状尖头，不分裂或 2 裂，裂片较大，长 5 ~ 6 cm，基部钝圆形或狭楔形，边缘具粗的锐尖齿，上面被疏糙伏毛，下面除脉上被少许毛外，其余部分几无毛；侧脉 7 ~ 9 对，上部微弯，在两面近平坦，小脉稀疏网状，在下面明显；叶柄长 2 ~ 4 cm，近无毛，上面具浅凹槽。伞房状聚伞花序顶生；总花梗长 9 ~ 15 cm，无毛；苞片数枚，披针形，长 1.5 ~ 2.5 cm，

边缘具小齿。不育花花梗纤细，长达 3 cm；萼片 3 ~ 4，蓝色，圆形或卵圆形，近等大，直径约 14 mm。孕性花常下垂，花梗粗壮，长 5 ~ 15 mm；花萼和花冠蓝色或稍带红色；萼筒宽陀螺状，长约 4 mm，萼齿 5，大，卵圆形，长 5 ~ 8 mm，先端略尖或骤尖；花瓣 6 ~ 8，卵圆形或扁圆形，宽 10 ~ 14 mm，内凹；雄蕊极多数，花丝和花药浅蓝色，花药长圆形，长约 1 mm；子房半下位，花柱合生，圆柱状，长 5 ~ 6 mm，先端 5 裂。蒴果扁球形，直径约 10 mm，先端突出部分宽圆锥状；种子未成熟，褐色。花期 6 ~ 7 月。

| 生境分布 | 生于海拔 500 ~ 1 600 m 的山谷沟边或林下阴湿草丛中。分布于湖北西部的秭归、兴山、神农架、房县、南漳、保康，以及宜昌等。

| 资源情况 | 野生资源稀少。

| 功能主治 | 活血散瘀，止痛。

虎耳草科 Saxifragaceae 溲疏属 *Deutzia*

大花溲疏 *Deutzia grandiflora* Bunge

| 药 材 名 | 大花溲疏。

| 形态特征 | 灌木，高 1 ~ 2 m。小枝灰褐色，有星状毛。叶卵形或卵状披针形，长 2 ~ 5 cm，宽 1 ~ 2 cm，先端急尖或短渐尖，基部宽楔形或圆形，边缘有不整齐的小齿，上面深绿色，疏被 4 ~ 6 分枝的星状毛，下面灰白色，密被 6 ~ 9 分枝的星状绒毛；叶柄长 2 ~ 3 mm。聚伞花序有 1 ~ 3 花，生于侧枝先端；花白色；萼齿条状披针形；花瓣长圆形或狭倒卵形，长 1 ~ 1.5 cm；雄蕊花丝上部均具 2 齿；子房下位，花柱 3。蒴果半球形，直径约 5 mm。花期 4 ~ 5 月，果期 7 ~ 8 月。

| 生境分布 | 生于海拔 800 ~ 1 600 m 的山坡灌丛中。分布于湖北神农架、丹江口、保康。

| 资源情况 | 野生资源较少。

| 功能主治 | **果实：**清热利尿，补肾截疟，解毒，接骨。用于感冒发热，疥疮等。

虎耳草科 Saxifragaceae 溲疏属 *Deutzia*

粉背溲疏 *Deutzia hypoglauca* Rehd.

| 药 材 名 | 粉背溲疏。

| 形态特征 | 灌木，高 1 ~ 2 m。小枝紫红色，无毛，老枝栗褐色，皮易脱落。叶近膜质，卵状长圆形至长圆状披针形，长 5 ~ 9 cm，宽 2 ~ 2.5 cm，先端渐尖，基部宽楔形或圆形，边缘有细齿，叶上面黄绿色，疏被 3 ~ 5 分枝的星状毛，下面无毛，灰绿色带白霜；叶柄长 2 ~ 4 mm，基部稍带红色。伞房花序具多花，直径 3 ~ 6 cm，花白色，花梗无毛或上部疏被星状毛；萼筒外被星状毛，萼片 5，宽三角形；花瓣 5，倒卵形，长 6 ~ 8 mm，外面疏被星状毛；外轮花丝有 2 齿，内轮花丝顶部不分裂或稍分裂，花药着生于内侧中部稍上处；子房下位，花柱 3。蒴果半球形，直径 4 ~ 5 mm，有星状毛和宿存、反折的萼

裂片。花期 5 ~ 6 月，果期 7 ~ 8 月。

| 生境分布 | 生于海拔 1 400 ~ 2 400 m 的山坡灌丛中。分布于湖北神农架。

| 资源情况 | 野生资源较少。

| 功能主治 | **枝、叶**：清热利尿，除烦。

虎耳草科 Saxifragaceae 溲疏属 *Deutzia*

宁波溲疏 *Deutzia ningpoensis* Rehd.

| 药 材 名 | 宁波溲疏。

| 形态特征 | 灌木，高 2 m。幼枝棕褐色，疏被星状毛，老枝灰棕色。叶近纸质，卵状长圆形或披针形，长 3 ~ 8.5 cm，宽 1 ~ 3 cm，先端渐尖，基部圆形或宽楔形，有疏生而不显著的细牙齿或几全缘，上面绿色，疏被 4 ~ 6 分枝的星状毛，下面灰白色，密被 12 ~ 14 分枝的星状毛；叶柄长 1 ~ 2 mm，被星状毛。圆锥花序长 5 ~ 12 cm，宽 2.5 ~ 6 cm，疏被星状毛，花梗长 1 ~ 3 mm；花萼疏生星状毛，萼齿三角形，长为花瓣的 1/3；花瓣长方倒卵形，白色，长 5 ~ 7 mm，宽约 3 mm，外面被星状毛；花丝上部有 2 齿；子房下位，花柱 3 ~ 4。蒴果近球形，宽 3 ~ 4.5 mm，密被星状毛。花期 5 ~ 6 月，果期

8 ~ 9 月。

| 生境分布 | 生于海拔 500 ~ 1 000 m 的山坡灌木林中。分布于湖北神农架、五峰、房县、罗田、通山、黄梅。

| 资源情况 | 野生资源较少。

| 采收加工 | **叶、根：**夏、秋季采收，晒干或鲜用。

| 功能主治 | 清热利尿。用于感冒发热，小便不利，疟疾，疥疮，骨折。

虎耳草科 Saxifragaceae 溲疏属 *Deutzia*

长江溲疏 *Deutzia schneideriana* Rehd.

| 药 材 名 | 长江溲疏。

| 形态特征 | 灌木，高 1 ~ 2 m。老枝灰褐色，无毛，表皮呈薄片状脱落；花枝长 8 ~ 12 cm，具 4 ~ 6 叶，紫褐色，疏被星状毛。叶纸质，卵形、倒卵形或椭圆状卵形，长 3.5 ~ 7 cm，宽 1.5 ~ 3 cm，先端急尖或急渐尖，基部圆形或阔楔形，边缘具细锯齿，上面疏被 5 ~ 6 辐线星状毛，下面灰白色，密被 12 ~ 15 辐线星状毛，毛被不连续覆盖，叶脉上常具中央长辐线，侧脉每边 4 ~ 6；叶柄长 3 ~ 4 mm，疏被星状毛。聚伞状圆锥花序长 3 ~ 15 cm，直径 3 ~ 4 cm，被星状毛；花蕾长圆形；花冠直径 1.8 ~ 2.2 cm；花梗长 3 ~ 8 mm；萼筒浅杯状，高约 3 mm，直径约 4 mm，密被灰绿色星状毛，裂片三角形，长、

宽均约 1 mm；花瓣白色，长圆形，长 10 ~ 12 mm，宽 4 ~ 5 mm，先端急尖，基部渐狭，外面被星状毛，花蕾时向内呈镊合状排列；外轮雄蕊长 8 ~ 10 mm，内轮雄蕊较短，花丝先端具 2 钝齿或内轮的先端急尖，齿长不达花药，花药长圆形，具短柄，从花丝齿间伸出，内轮的花药有时从花丝内侧近中部伸出；花柱 3，纤细，较雄蕊稍长。蒴果半球形，直径 5 ~ 7 mm，灰黑色，被星状毛。花期 5 ~ 6 月，果期 8 ~ 10 月。

| 生境分布 | 生于海拔 600 ~ 2 000 m 的灌丛中。湖北有分布。

| 资源情况 | 野生资源稀少。

| 功能主治 | 解毒。用于疮痈。

虎耳草科 Saxifragaceae 溲疏属 *Deutzia*

四川溲疏 *Deutzia setchuenensis* Franch.

|药 材 名|

四川溲疏。

|形态特征|

灌木，高 2 ~ 4m。树皮灰褐色，小枝红褐色，幼时被星状毛。叶卵形至卵状披针形，长 3 ~ 6 cm，宽 1.5 ~ 3 cm，先端急尖或渐尖，基部圆形或宽楔形，边缘有细锯齿，上面深绿色；疏被 4 ~ 6 分枝的星状毛，下面淡绿色，稍密被 8 ~ 14 分枝的星状毛，但表皮仍露出；叶柄长 3 ~ 5 mm。圆锥花序长 8 ~ 15 cm，被星状毛；花白色；花萼外面密被锈色星状毛，萼齿三角形；花瓣长圆形，长 5 ~ 7 mm，宽 2 ~ 3 mm，被星状毛；雄蕊花丝上部有 2 长齿；子房下位，花柱通常 3。蒴果近球形，直径 3 ~ 4 mm。花期 5 ~ 6 月，果期 7 ~ 8 月。

|生境分布|

生于海拔 300 ~ 1 000 m 的山坡路旁灌丛中。分布于湖北通山、罗田、保康等。

|资源情况|

野生资源较少。

| 采收加工 | **枝叶、果实：**夏、秋季采集，切段，晒干或鲜用。

| 功能主治 | 清热除烦，利尿消积。用于外感暑热，身热烦渴，热淋涩痛，疳积，风湿痹痛，湿热疮毒，毒蛇咬伤。

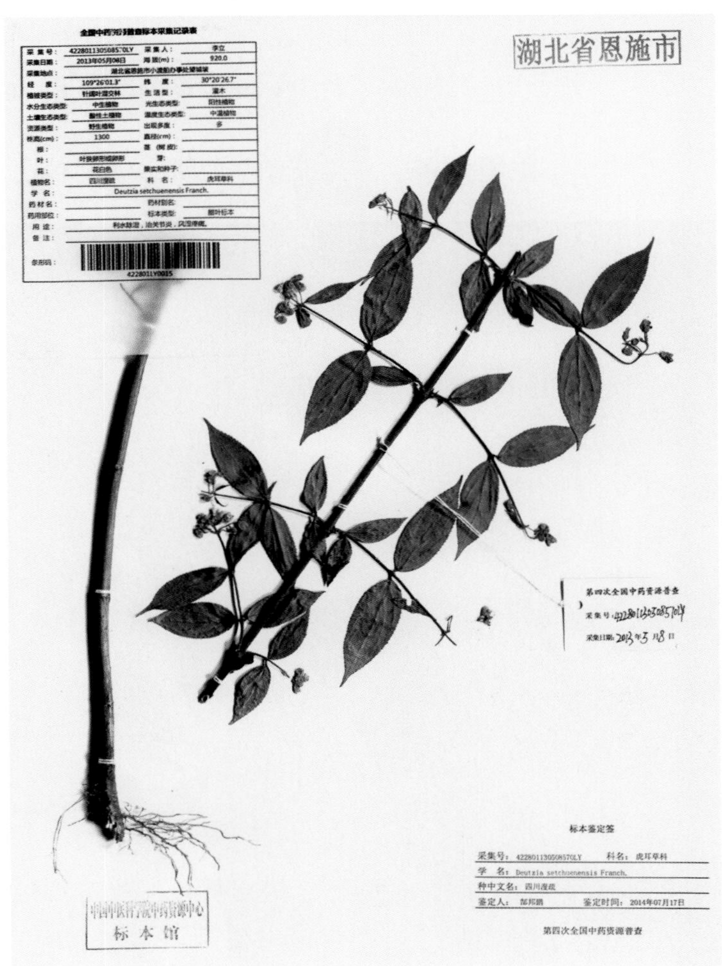

虎耳草科 Saxifragaceae 常山属 *Dichroa*

常山 *Dichroa febrifuga* Lour.

| 药 材 名 | 常山。

| 形态特征 | 灌木，高 1 ~ 2 m。主根木质化，断面黄色。小枝带肉质，圆柱形或稍有 4 钝棱，无毛或近无毛。叶狭椭圆形、倒卵状椭圆形至披针形，长 6 ~ 25 cm，宽 2 ~ 10 cm，先端渐尖，基部楔形，边缘有小齿或锯齿，叶无毛或下面疏被柔毛，侧脉 4 ~ 5 对，稍弯曲。伞房状圆锥花序顶生或生于上部叶腋；花蓝色或紫色；萼筒倒圆锥形，裂片三角形；花瓣长方状椭圆形，稍肉质；雄蕊 10 ~ 20；花柱 4 ~ 6，棒状。浆果几完全下位，蓝色，直径约 5 mm；种子多数，长约 1 mm，有网纹。花期 6 ~ 7 月，果期 9 月。

| 生境分布 | 生于海拔 1 000 m 以下的山地沟边阴处。分布于湖北来凤、恩施、

鹤峰、利川、建始、巴东、神农架、兴山。湖北有栽培。

| 资源情况 | 野生资源较少。

| 采收加工 | **块茎：** 栽培 4 年以上采收。秋后齐地割去茎秆，挖取块茎，除去残余茎秆和杂质，砍成长 7 ～ 10 cm 的短节，晒干或炕干后用火燎去须根，撞去灰渣。

| 功能主治 | 止咳化痰，抗疟疾，消积食。用于疟疾，痰饮。

虎耳草科 Saxifragaceae 绣球属 *Hydrangea*

冠盖绣球 *Hydrangea anomala* D. Don

| 药 材 名 |

藤常山、冠盖绣球叶。

| 形态特征 |

攀缘藤本，长 2 ~ 4 m 或更长。小枝粗壮，淡灰褐色，无毛。树皮薄而疏松，老后呈片状剥落。叶纸质，椭圆形、长卵形或卵圆形，长 6 ~ 17 cm，宽 3 ~ 10 cm，先端渐尖，基部楔形、近圆形或浅心形，边缘有密而小的锯齿，上面绿色，下面浅绿色，干后呈黄褐色，两面无毛或仅中脉、侧脉上被少许淡褐色短柔毛；叶柄长 2 ~ 8 cm，无毛或被疏长柔毛。聚伞花序伞房状；不育花萼片 4，阔倒卵形或近圆形；孕性花多数，密集，萼筒钟状，基部略尖，无毛，萼齿阔卵形或三角形，先端钝；花瓣连合成一冠盖状花冠，先端圆或略尖，花后整个冠盖立即脱落；子房下位，花柱 2，稀 3。蒴果；种子淡褐色，椭圆形或长圆形，扁平，周边具薄翅。花期 5 ~ 6 月，果期 9 ~ 10 月。

| 生境分布 |

生于海拔 500 ~ 2 000 m 的山谷溪边、山腰石旁、密林或疏林中。湖北有分布。

| 采收加工 | **藤常山：** 夏、秋季采挖，洗净，切片，晒干。

冠盖绣球叶： 夏、秋季采收，晒干。

| 功能主治 | **藤常山：** 祛痰，截疟，解毒，散瘀。用于久疟痞块，消渴，痢疾，泄泻。

冠盖绣球叶： 清热，截疟。用于疟疾，胸腹胀满，消渴，疥癣。

虎耳草科 Saxifragaceae 绣球属 *Hydrangea*

马桑绣球 *Hydrangea aspera* D. Don

| 药 材 名 |

马桑绣球。

| 形态特征 |

灌木或小乔木，高 2 ~ 3 m，有时达 10 m；枝圆柱状，略具 4 钝棱，密被黄白色短糙伏毛和颗粒状鳞秕，树皮褐色。叶纸质，长卵形、卵状披针形或长椭圆形，长 11 ~ 25 cm，宽 3.5 ~ 8 cm，先端长渐尖，基部阔楔形或圆形，边缘具短尖头的不规则锯形小齿，上面被疏糙伏毛，下面密被黄褐色颗粒状腺体（在高倍放大镜下可见）和灰白色、直或稍弯曲且彼此略交结的绒毛状短柔毛，脉上的毛稍粗长，直而贴伏；侧脉 7 ~ 10 对，微弯并沿边缘延伸，彼此从小横脉联结，在下面凸起；叶柄长 1.5 ~ 4 cm，密被糙伏毛。伞房状聚伞花序直径 15 ~ 25 cm，先端弯拱，分枝疏散，粗长，最下 1 对分枝长 10 ~ 14 cm，与第 2 对分枝间隔 4 ~ 6 cm，密被褐黄灰色短粗毛；不育花萼片 4，阔卵形、圆形或倒卵圆形，长 1.5 ~ 2.6 cm，宽 1.5 ~ 2.5 cm，边缘具锐尖粗齿，极少全缘，绿白色；孕性花萼筒钟状，长约 1.5 mm，萼齿阔三角形，先端尖，长不及 1 mm；花瓣长卵形，长 2 ~ 2.5 mm，先端急尖，基

部平截；雄蕊不等长，长的长约 4.5 mm，短的稍短于花瓣，花药近圆形，长约 0.5 mm；子房下位，花柱多数 3，少有 2，结果时长约 2 mm，外弯，柱头略增大。蒴果坛状，不连花柱长、宽均 3 ~ 3.5 mm，先端平截，基部略尖，具棱；种子褐色，阔椭圆形或近圆形，长 0.4 ~ 0.5 mm，稍扁，具凸起的纵脉纹，两端各具 0.15 ~ 0.2 mm 的翅，先端的翅宽扁，钝三角形或卵状披针形，基部的收狭成 1 柄状物。花期 8 ~ 9 月，果期 10 ~ 11 月。

| **生境分布** | 生于山谷密林或山坡灌丛中。湖北有分布。

| **资源情况** | 野生资源较少。

| **功能主治** | 消食积，清热解毒。

虎耳草科 Saxifragaceae 绣球属 *Hydrangea*

中国绣球 *Hydrangea chinensis* Maxim.

| 药 材 名 | 华八仙花根。

| 形态特征 | 落叶灌木。小枝、叶柄及花序初时常有伏毛，后变无毛。叶对生；叶柄长 5 ~ 12 cm；叶片纸质，狭椭圆形至长圆形，长 7 ~ 16 cm，宽 2.5 ~ 4.5 cm，近全缘或上部有稀疏小锯齿，无毛或稍有微毛。伞形花序式的聚伞花序着生于顶生叶腋间，无总花梗，有数对小分枝；不育花缺或存在，存在时则具 4 ~ 5 萼瓣；萼瓣近等大或不等大，卵形至近圆形，最大者长 1.5 ~ 2.5 cm，沿脉有疏短毛；孕性花白色；花萼无毛。常 5 裂；花瓣 5，离生；雄蕊 10；花柱 3 ~ 4，子房大半部上位，花柱 3 ~ 4。蒴果卵球形，长约 4 mm，先端孔裂，有 3 ~ 4 宿存花柱。种子无翅，具细条纹。花期 6 ~ 7 月，果期 9 ~ 10 月。

| 生境分布 | 生于海拔 360 ~ 2 000 m 的山谷溪边疏林、密林、山坡、山顶灌丛或草丛中。湖北有分布。

| 资源情况 | 野生资源较少。

| 采收加工 | **根**：秋季采挖，切段，晒干。

| 功能主治 | 活血止痛，截疟，清热利尿。用于跌打损伤，骨折，疟疾，头痛，麻疹，小便淋痛。

虎耳草科 Saxifragaceae 绣球属 *Hydrangea*

西南绣球 *Hydrangea davidii* Franch.

| 药 材 名 | 西南绣球。

| 形态特征 | 落叶灌木，高达 2 m。小枝幼时有细毛，较老时呈淡褐色。叶对生，薄纸质；叶柄长 1 ~ 2.5 cm，被柔毛；叶片椭圆状披针形至长圆状披针形，长 8 ~ 15 cm，先端长渐尖，基部楔形，边缘具齿状锯齿，上面黄绿色，近无毛，下面沿叶脉有细毛。伞房花序，疏松，直径 12 ~ 25 cm，有时成圆锥状，通常无总花梗，着生于顶生叶腋间，有数对稍疏离的分枝，被柔毛，花序基部有 1 ~ 2 对叶；花二型，不育花直径 2.5 ~ 4 cm，萼片 3 ~ 4，卵圆形，全缘，长 1 ~ 1.5 cm；孕性花带蓝色，花萼 4 ~ 5 裂，裂片披针形；花瓣 5，分离开张；雄蕊 10；子房半下位，花柱 3 ~ 4。蒴果近球形，直径约 2.5 mm，

在中部处有托萼片，先端孔裂，有 3 宿存花柱；种子无翅。花期 6 ～ 7 月，果期 8 ～ 9 月。

| 生境分布 | 生于海拔 1 400 ～ 2 400 m 的山谷密林、山坡路旁疏林或林缘。湖北有分布。

| 资源情况 | 野生资源较少。

| 采收加工 | **根、叶：** 夏、秋季采收，切片，晒干。

| 功能主治 | 截疟。用于疟疾。

虎耳草科 Saxifragaceae 绣球属 *Hydrangea*

白背绣球 *Hydrangea hypoglauca* Rehd.

| 药 材 名 | 白背绣球。

| 形态特征 | 灌木，高达 7 m。枝光滑，树皮紫褐色，薄片状脱落。叶卵形或卵状长圆形，长 7 ~ 11 cm，宽 3 ~ 6 cm，先端渐尖，基部圆形或宽楔形，边缘有锐利小锯齿，上面深绿色，无毛或脉上有稀疏粗伏毛，下面粉白色，脉上密生柔毛；叶柄长 2 ~ 3 cm，稍被粗伏毛。伞房花序，花序梗被毛；放射状花直径 2 ~ 3 cm，萼片 3 ~ 4，淡黄色，宽卵形，先端短尖，全缘；孕性花白色；萼裂片三角状卵形；花瓣长圆状卵形；雄蕊长短不等，子房半上位，花柱 3 ~ 4，直立。蒴果约 1/2 突出萼筒；种子纺锤形，两端有翅。花期 6 ~ 7 月，果期 8 月。

| **生境分布** | 生于海拔 1 600 ～ 2 000 m 的山林中。分布于湖北宣恩、恩施、巴东、神农架、兴山。

| **资源情况** | 野生资源较少。

| **功能主治** | **果实**：除风痰，截疟。

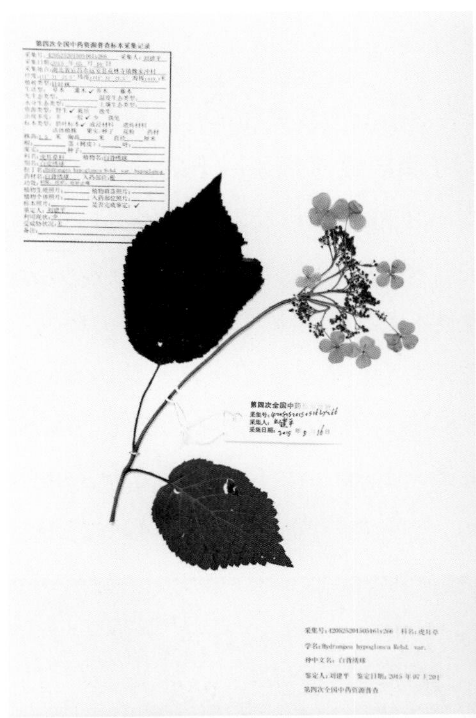

虎耳草科 Saxifragaceae 绣球属 *Hydrangea*

莼兰绣球 *Hydrangea longipes* Franch.

| 药 材 名 | 莼兰绣球。

| 形态特征 | 灌木，高 1 ~ 3 m；小枝圆柱形，淡黄色，被黄色短柔毛，老后树皮不剥落。叶膜质或薄纸质，干后常呈淡绿色，阔卵形、阔倒卵形、长卵形或长倒卵形，长 8 ~ 20 cm，宽 3.5 ~ 12 cm，先端急尖或渐尖，具阔短尖头，基部平截、微心形或阔楔形，两侧稍不等长，边缘具不整齐的粗锯齿，上面疏被糙伏毛，下面被稀疏、短而近贴伏的细柔毛，脉上的毛较密；侧脉 6 ~ 8 对，微弯，在下面凸起，3 级脉明显，横出，在下面凸起，小脉稀疏网状，网眼不明显；叶柄长 3 ~ 15 cm，被短疏柔毛。伞房状聚伞花序顶生，直径 12 ~ 20 cm，先端平截或稍拱，分枝较短，通常密集，紧靠，彼此

间隔短，长 0.5 ~ 2 cm，极少超过 2 cm，密被扁平、透明、披针状短粗毛；不育花白色，萼片 4，倒卵形、阔倒卵形或近圆形，近等大，长 1.3 ~ 2.2 cm，宽 1 ~ 2.2 cm，先端圆，具小突尖或有时微凹，基部渐狭，具短爪，全缘或具数小齿；孕性花白色，萼筒杯状，萼齿三角形，长约 0.5 mm；花瓣长卵形，先端急尖，早落；雄蕊 10，细小，不等长，短的略短于花瓣，长的长达 5 mm，花药阔长圆形或近圆形；子房下位，花柱 2，结果时长 1 ~ 1.5 mm，向外反。蒴果杯状，不连花柱长 2 ~ 2.5 mm，宽 2.5 ~ 3.5 mm，先端平截；种子淡棕色，倒长卵形或狭椭圆形，偶有近圆形，扁平，具凸起的纵脉纹，两端具长 0.1 ~ 0.2 mm 的短翅，先端的翅稍长，扁平，卵状三角形或狭三角形。花期 7 ~ 8 月，果期 9 ~ 10 月。

| 生境分布 | 生于海拔 1 300 ~ 2 800 m 的山沟疏林、密林下或较湿润的山坡灌丛中。湖北有分布。

| 资源情况 | 野生资源较少。

| 功能主治 | **叶**：止血。

虎耳草科 Saxifragaceae 绣球属 *Hydrangea*

绣球 *Hydrangea macrophylla* (Thunb.) Ser.

| 药 材 名 | 绣球。

| 形态特征 | 灌木，高可达 1 m。小枝粗壮，有大型的叶迹和显著的皮孔。叶肉质，倒卵形、宽卵形至椭圆形，长 8 ~ 20 cm，宽 3.5 ~ 9 cm，先端短渐尖，基部宽楔形，边缘有三角状钝锯齿，上面绿色，有光泽，下面淡绿色，无毛或微具细毛，叶柄粗大，长 1 ~ 4 cm。伞房状花序顶生，有总梗，疏生短柔毛；放射状花大，直径可达 5.5 cm；萼片 4，宽倒卵形，全缘或有疏齿；孕性花小，蓝色或淡红色，少数白色；花瓣卵状长圆形；花柱 3 ~ 4。蒴果卵圆形，约 1/3 突出萼筒，宿存花柱长 1 ~ 3 mm。花期 6 ~ 7 月，果期 9 月。

| 生境分布 | 生于海拔 1 500 ~ 2 700 m 的山坡林下、沟边阴湿处。分布于湖北鹤

峰、兴山、罗田等。

| **资源情况** | 野生资源较少。

| **采收加工** | **根、叶、花：**春、夏季采收。

| **功能主治** | 清热，抗疟。

虎耳草科 Saxifragaceae 绣球属 *Hydrangea*

蜡莲绣球 *Hydrangea strigosa* Rehd.

| **药材名** | 土常山。

| **形态特征** | 灌木，高 1 ~ 3 m。小枝密生粗伏毛，树皮灰褐色，呈薄片状脱落。叶长圆状卵形、披针形或椭圆状披针形，长 7 ~ 25 cm 或更长，宽 2 ~ 6 cm，先端渐尖、基部楔形或圆形，边缘有细锯齿，上面有稀疏粗伏毛，下面全部或仅脉上密被带灰色的粗伏毛；叶柄长 1 ~ 3.5 cm，密被粗伏毛。伞房状聚伞花序顶生，直径 10 ~ 15 cm，花序轴和花梗均有毛，放射状花白色或带紫色，直径 2 ~ 3.5 cm；萼片宽卵圆形，全缘或有锯齿；孕性花白色，萼筒略有毛，萼裂片三角形；花瓣扩展、连合成冠盖，花柱 2，子房下位。蒴果半球形，先端平截，直径约 3 mm，除宿存花柱外，全部藏于萼筒内；

种子宽椭圆形，两端有短翅。花期 8 ~ 9 月，果期 10 月。

| **生境分布** | 生于海拔 500 ~ 1 500 m 的林下、沟边、山坡等处。分布于湖北来凤、咸丰、宣恩、利川、建始、鹤峰、五峰、巴东、神农架、秭归、丹江口、崇阳。

| **采收加工** | **根**：立冬至翌年立春，采挖，除去茎叶、细根，洗净，鲜用，或擦去栓皮，切段，晒干。

叶：立夏前后，采摘嫩枝叶，揉搓使其出汁，晒干。

| **功能主治** | **根**：截疟，消食，清热解毒，祛痰散结。用于疟疾，食积腹胀，咽喉肿痛，皮肤癣癞，疮疖肿毒，瘿瘤。

虎耳草科 Saxifragaceae 绣球属 *Hydrangea*

柔毛绣球 *Hydrangea villosa* Rehd.

| 药 材 名 |

柔毛绣球。

| 形态特征 |

灌木，高达 7 m。枝光滑，树皮紫褐色，薄片状脱落。叶卵形或卵状长圆形，长 7 ~ 11 cm，宽 3 ~ 6 cm，先端渐尖，基部圆形或宽楔形，边缘有锐利小锯齿，上面深绿色，无毛或脉上有稀疏粗伏毛，下面粉白色，脉上密生柔毛；叶柄长 2 ~ 3 cm，稍被粗伏毛。伞房花序，花序梗被毛；放射状花直径 2 ~ 3 cm，萼片 3 ~ 4，淡黄色，宽卵形，先端短尖，全缘；孕性花白色；萼裂片三角状卵形；花瓣长圆状卵形；雄蕊长短不等，子房半上位，花柱 3 ~ 4，直立。蒴果约 1/2 突出萼筒；种子纺锤形，两端有翅。花期 6 ~ 7 月，果期 8 月。

| 生境分布 |

生于海拔 1 600 ~ 2 000 m 的山林中。分布于湖北宣恩、恩施、巴东、神农架、兴山。

| 资源情况 |

野生资源较少。

| **采收加工** | **全草：**全年均可采收，鲜用或晒干。

| **功能主治** | 止血，解毒，祛风除湿。用于外伤出血，疝气，乳痈，烫火伤，风湿痛，带下。

虎耳草科 Saxifragaceae 鼠刺属 *Itea*

鼠刺 *Itea chinensis* Hook. et Arn.

| 药 材 名 | 鼠刺。

| 形态特征 | 灌木或小乔木，高 4 ~ 10 m，稀更高；幼枝黄绿色，无毛；老枝棕褐色，具纵棱条。叶薄革质，倒卵形或卵状椭圆形，长 5 ~ 12（~ 15）cm，宽 3 ~ 6 cm，先端锐尖，基部楔形，边缘上部具不明显圆齿状小锯齿，近全缘或呈波状，上面深绿色，下面淡绿色；中脉下陷，在下面明显凸起，侧脉 4 ~ 5 对，弧状上弯，在近缘处相连接，两面无毛；叶柄长 1 ~ 2 cm，无毛，上面有浅沟槽。腋生总状花序，通常短于叶，长 3 ~ 7（~ 9）cm，单生，稀 2 ~ 3 束生，直立；花序轴及花梗被短柔毛；花多数，2 ~ 3 花簇生，稀单生；花梗细，长约 2 mm，被短毛；苞片线状钻形，长 1 ~ 2 mm；萼筒

浅杯状，被疏柔毛，萼片三角状披针形，长1.5 mm，被微毛；花瓣白色，披针形，长2.5 ~ 3 mm，花时直立，先端稍内弯，无毛；雄蕊与花瓣近等长或稍长于花瓣，花丝有微毛；子房上位，被密长柔毛，柱头头状。蓇果长圆状披针形，长6 ~ 9 mm，被微毛，具纵条纹。花期3 ~ 5月，果期5 ~ 12月。

| **生境分布** | 生于海拔140 ~ 2 400 m的山地、山谷、疏林、路边及溪边。湖北有分布。

| **采收加工** | **根**：夏、秋季采挖，洗净，切段，晒干。

| **功能主治** | 活血消肿，止痛。用于风湿痹痛，跌打肿痛。

虎耳草科 Saxifragaceae 鼠刺属 *Itea*

冬青叶鼠刺 *Itea ilicifolia* Oliv.

| 药 材 名 | 冬青叶鼠刺。

| 形态特征 | 灌木，高 2 ~ 4 m；小枝无毛。叶厚革质，阔椭圆形至椭圆状长圆形，稀近圆形，长 5 ~ 9.5 cm，宽 3 ~ 6 cm，先端锐尖或尖刺状，基部圆形或楔形，边缘具较疏而坚硬的刺状锯齿，干时常反卷，上面深绿色，有光泽，下面淡绿色，两面无毛，或下面仅脉腋具簇毛；侧脉 5 ~ 6 对，斜上，中脉及侧脉在下面明显凸起，网脉不明显；叶柄长 5 ~ 10 mm，无毛。顶生总状花序，下垂，长达 25 ~ 30 cm；花序轴被短柔毛；苞片钻形，长约 1 mm；花多数，通常 3 花簇生；花梗短，长约 1.5 mm，无毛；萼筒浅钟状，萼片三角状披针形，长约 1 mm；花瓣黄绿色，线状披针形，长 2.5 mm，先端具硬小尖，

花开放后直立；雄蕊短于花瓣，长约为花瓣的 1/2，花丝无毛，长约 1.5 mm，花药长圆形；子房半下位，心皮 2，紧贴，花柱单生，柱头头状。蒴果卵状披针形，长约 5 mm，下垂，无毛。花期 5 ~ 6 月，果期 7 ~ 11 月。

| 生境分布 | 生于海拔 1 500 ~ 1 650 m 的山坡、灌丛或林下、山谷、河岸和路旁。分布于湖北巴东、兴山、秭归、建始、宣恩。

| 功能主治 | 清热止咳，滋补肝肾。用于虚劳咳嗽，咽喉干痛，目赤。

虎耳草科 Saxifragaceae 梅花草属 *Parnassia*

突隔梅花草 *Parnassia delavayi* Franch.

| 药 材 名 | 白侧耳。

| 形态特征 | 多年生草本，根茎球形，高 10 ～ 45 cm。基生叶肾形或心形，长 2.5 ～ 6 cm，宽 4 ～ 7 cm，全缘，先端有突尖，基部心形，叶柄长达 16 cm；茎生叶 1，与基生叶相似，无柄，抱茎。花白色，单生于茎顶；萼片 5，卵形或宽倒卵形；花瓣 5，匙形至倒披针形，长达 2.5 cm，全缘，有时下部有疏睫毛状细裂；雄蕊 5，有伸长突出的药隔，退化雄蕊 3 裂；子房上位，心皮 3，合生，花柱稍长于子房，柱头 3 裂。蒴果椭圆形，直径约 5 mm。花期 7 ～ 9 月。

| 生境分布 | 生于海拔 1 500 m 的沟边疏林中或林下湿地。分布于湖北恩施、神农架、兴山。

| **资源情况** | 野生资源较少。

| **采收加工** | **全草或根：**夏季采收，洗净，晒干或鲜用。

| **功能主治** | 补虚益气，利水除湿，调经凉血。

虎耳草科 Saxifragaceae 梅花草属 *Parnassia*

白耳菜 *Parnassia foliosa* Hook. f. et Thoms.

| 药材名 |

白耳菜。

| 形态特征 |

多年生草本，高 15 ~ 30 cm，直立，较粗壮。根茎块状或稍伸长，具多数细长丝状或须状根。基生叶 3 ~ 6，丛生，具长柄；叶片肾形，长 1.5 ~ 4（~ 5）cm，宽 2.4 ~ 6（~ 7）cm，先端圆，常有钝头，基部心形，全缘，上面深绿色或带紫绿色，有 7 ~ 9 不明显、稍下陷的脉，下面淡绿色，叶脉明显凸起成弧形；叶柄长 5 ~ 8 cm，两侧有窄翼，边缘有褐色流苏状毛；托叶膜质。茎 1 ~ 4，通常具 4 ~ 8 茎生叶，茎生叶有时从基部向先端大小几相等，有时则由基部向先端逐渐变小，通常比基生叶小，肾形，稀卵状心形，先端带急尖头，基部心形，薄而全缘，上面深绿色，下面淡绿色，脉弧形凸起。花单生于茎顶，直径 2 ~ 3 cm；萼片卵形至长圆形，长约 7 mm，宽约 5 mm，先端圆钝，全缘，常有 1 圈窄而膜质的边，有并行脉，老时常有小褐点，花后反折；花瓣白色，卵形至三角状卵形，长约 8 mm，不包括流苏状毛，先端形状不一，基部楔形，渐窄成长约 1 mm 的爪，边缘除爪和楔形基部外被长流苏状毛，缘毛丝状，先端钝，有明显的紫色脉纹和紫色小斑点；雄蕊 5，花丝扁平，长约 6.5 mm，向基部逐渐加宽，花药长椭圆形，长约 2.5 mm，侧生，退化雄蕊 5，长 4 ~ 5 mm，下部 1/3 扁，为主干，上部 2/3 成 3 分枝，通常中间主枝较长，每枝先端具球形腺体；子房卵圆形，有紫色小点，先端骤然收缩成短花柱，花柱长约 2 mm，柱头 3 裂，裂片短，花后反折。蒴果先端扁球形，成熟时开裂成 3 瓣，沿腹缝线着生多数种子；种子褐色，有光泽。花期 8 ~ 9 月，果期 9 月开始。

｜生境分布｜ 生于海拔 1 100 ~ 2 000 m 的山坡、水沟边或路边潮湿处。湖北有分布。

｜采收加工｜ **全草：**夏季采收，洗净，晒干或鲜用。

｜功能主治｜ 清热润肺，解毒消肿。用于肺结核，喉炎，腮腺炎，淋巴结炎，热毒疮肿，跌打损伤。

虎耳草科 Saxifragaceae 梅花草属 *Parnassia*

梅花草 *Parnassia palustris* L.

|药 材 名| 梅花草。

|形态特征| 多年生草本，高达 30 ~ 50 cm。全株无毛。根茎短，近球形。基生叶丛生；叶柄长 2.5 ~ 6 cm；叶片卵圆形至心形，长 1 ~ 3 cm，宽 1.5 ~ 3.5 cm，先端钝圆或锐尖，基部心形，全缘，花茎中部生 1 无柄叶片，基部抱茎，与基生叶同形。花单生于先端，白色至浅黄色，直径 2 ~ 3.5 cm，形似梅花；萼片 5，椭圆形，长约 5 mm；花瓣 5，平展，卵状圆形，长约 1 cm；先端圆，雄蕊 5，与花瓣互生；假雄蕊 5，上半部 11 ~ 22 丝裂，裂片先端有头状腺体；心皮 4，合生，子房上位，卵形；花柱极短，先端 4 裂。蒴果，上部 4 裂；种子多数。花期 7 ~ 8 月，果期 8 ~ 9 月。

| 生境分布 | 生于海拔 1 600 ～ 2 600 m 的大山地土坎上和沟边阴湿处。湖北有分布。

| 资源情况 | 野生资源较少。

| 采收加工 | **全草：**夏季开花时采收，洗净，晾干。

| 功能主治 | 清热凉血，解毒消肿，止咳化痰。用于黄疸性肝炎，细菌性痢疾，咽喉肿痛，脉管炎，疮痈肿毒，百日咳，咳嗽痰多。

虎耳草科 Saxifragaceae 梅花草属 *Parnassia*

鸡肫梅花草 *Parnassia wightiana* Wall. ex Wight & Arn.

| 药 材 名 | 鸡肫草。

| 形态特征 | 多年生草本，高 10 ~ 30 cm，根茎粗短，须根多。基生叶丛生，肾形至宽心形，长 4 ~ 6 cm，宽 4 ~ 7 cm，先端圆或微尖，基部心形，全缘；叶柄长 10 ~ 20 cm；花茎上部有 1 无柄叶。花白色或淡黄色，单生于茎顶，直径 1.5 ~ 3.5 cm，萼片 5。倒卵形，长 4 ~ 7 mm；花瓣 5，倒卵状长圆形，长 8 ~ 15 mm，下部 2/3 的花瓣边缘有流苏状毛，雄蕊无突出的药隔，退化雄蕊 5 深裂；子房上位，心皮 3，合生，花柱先端 3 裂。蒴果扁球形。花期 9 月。

| 生境分布 | 生于山坡林下或沟边湿润处。分布于湖北利川、神农架、兴山。

| 资源情况 | 野生资源较少。

| 采收加工 | **全草**：8 ~ 9 月采收，洗净，晒干或鲜用。

| 功能主治 | 清肺止咳，止血，利湿。用于肺热咳嗽，咯血，吐血，肾结石，胆结石，带下，湿热疮毒。

虎耳草科 Saxifragaceae 扯根菜属 *Penthorum*

扯根菜 *Penthorum chinense* Pursh.

| 药 材 名 |

水泽兰。

| 形态特征 |

多年生草本，高 30 ~ 90 cm。茎紫红色，无毛，不分枝或少有分枝。叶狭披针形至披针形，长 5 ~ 10 cm，宽 1 ~ 1.5 cm，先端渐尖，基部楔形，边缘有细锯齿，两面均无毛；无柄或近无柄。花序顶生，聚伞状，分枝多，花枝一侧着生无梗或近无梗的花。花序梗疏生短腺毛；萼片三角形，黄绿色，长约 2 mm；花瓣缺；雄蕊 10，比萼片长；心皮 5，下部合生；花柱 5，极短。蒴果红紫色，直径约 6 mm。花期 8 ~ 9 月，果期 10 月。

| 生境分布 |

生于海拔 400 ~ 1 400 m 的山脚下水沟边及山坡树林下。分布于湖北神农架、秭归、长阳、房县、丹江口，以及宜昌。

| 资源情况 |

野生资源较少。

| 采收加工 |

全草：夏季采收，扎把，晒干。

| 功能主治 | 利水除湿，活血散瘀，止血，解毒。用于水肿，小便不利，黄疸，带下，痢疾，闭经，跌打损伤，尿血，崩漏，疮痈肿毒，毒蛇咬伤。

虎耳草科 Saxifragaceae 山梅花属 *Philadelphus*

山梅花 *Philadelphus incanus* Koehne

| 药 材 名 | 山梅花。

| 形态特征 | 灌木，高 1.5 ~ 3.5 m。一年生枝被柔毛，后脱落，二年生枝灰棕色。叶卵形至狭卵形，长 4 ~ 8 cm，宽 2 ~ 4 cm，先端渐尖，基部宽楔形或圆形，边缘具疏齿，叶上面疏被短伏毛，下面稍密被长伏毛。总状花序有 7 ~ 11 花，花梗被毛，花直径 2.5 ~ 3 cm；花萼密被毛，萼片卵形，长 4 ~ 5 mm；花瓣卵形或近圆形，白色，长达 1.5 cm；花柱无毛，柱头棍棒状。蒴果倒卵形，长 7 ~ 9 mm，直径 4 ~ 7 mm。花期 5 ~ 7 月，果期 9 月。

| 生境分布 | 生于海拔 600 ~ 2 400 m 的山沟林下或灌丛中。分布于湖北巴东、秭归、神农架、兴山、房县、丹江口、竹溪。

| 资源情况 | 野生资源较少。

| 功能主治 | 清热利湿。用于膀胱炎，黄疸性肝炎。

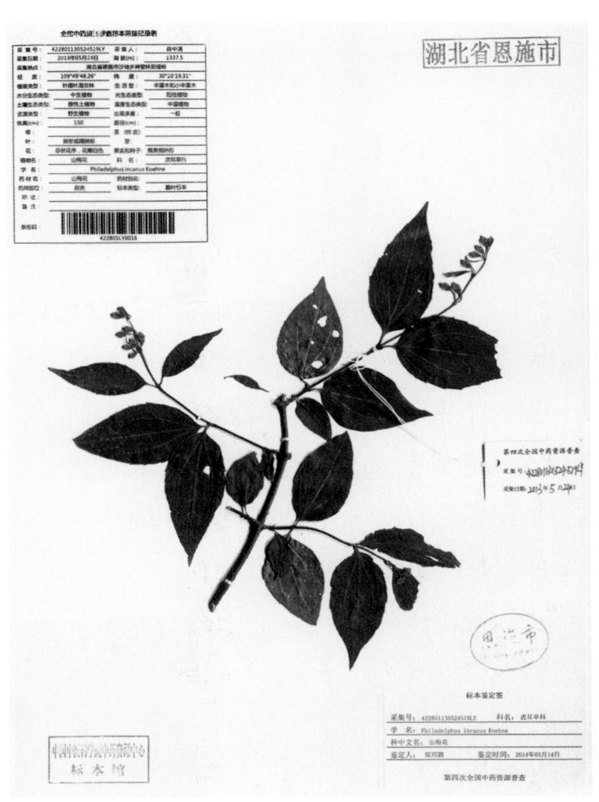

虎耳草科 Saxifragaceae 山梅花属 *Philadelphus*

太平花 *Philadelphus pekinensis* Rupr.

| 药 材 名 | 太平花。

| 形态特征 | 灌木，高达 2 m。幼枝无毛，常带紫色。叶卵形或狭卵形，长 3 ~ 8 cm，宽 1.5 ~ 4 cm，先端长渐尖，基部宽楔形或圆形，边缘疏生细锯齿，两面无毛，仅下面叶腋处被丛毛，基部有三出脉。总状花序有 5 ~ 9 花，花序轴和花梗都无毛；花乳白色，稍有芳香，直径 2.5 ~ 3 cm，萼淡黄绿色，萼片三角形，萼筒无毛，花瓣卵形，先端圆；花柱长与雄蕊相等。蒴果倒卵形，长约 1 cm，直径约 5 mm。花期 5 ~ 6 月，果期 9 ~ 10 月。

| **生境分布** | 生于海拔 700 ~ 900 m 的山坡杂木林中或灌丛中。湖北有分布。

| **资源情况** | 野生资源较少，栽培资源较丰富。

| **功能主治** | 解热镇痛，截疟。用于疟疾，胃痛，腰痛，挫伤。

虎耳草科 Saxifragaceae 山梅花属 *Philadelphus*

绢毛山梅花 *Philadelphus sericanthus* Koehne

| 药 材 名 | 白花杆根皮。

| 形态特征 | 灌木，高 1 ~ 4 m。一年枝近无毛，二年枝灰褐色至赤褐色。叶椭圆状卵形至披针状卵形，长 4 ~ 11 cm，宽 1.5 ~ 3 cm，先端渐尖，基部宽楔形，边缘有浅锯齿，上面疏被伏毛或近无毛，下面沿各脉疏被短伏毛，脉腋处常有丛毛。总状花序有 5 ~ 15 花；花直径 2.5 ~ 3 cm，花梗长 6 ~ 12 mm，被毛，萼被毛，萼片卵形，长 6 ~ 7 mm；花瓣倒卵形，白色，长约 1.3 cm，外面基部疏被毛；花柱无毛。蒴果倒卵形，长 7 mm，宽 5 mm。花期 6 ~ 7 月，果期 7 ~ 8 月。

| 生境分布 | 生于海拔 600 ~ 2 500 m 的灌丛中。分布于湖北宣恩、利川、鹤峰、巴东、神农架、通山、崇阳。

| 资源情况 | 野生资源较少。

| 采收加工 | **根皮：**夏、秋季采收，洗净，晒干或鲜用。

| 功能主治 | 活血，止痛，截疟。用于扭挫伤，腰胁疼痛，胃痛，头痛，疟疾。

虎耳草科 Saxifragaceae 茶藨子属 *Ribes*

冰川茶藨子 *Ribes glaciale* Wall.

| 药 材 名 | 冰川茶藨子。

| 形态特征 | 落叶灌木，高 2 ~ 3（5）m；小枝深褐灰色或棕灰色，皮长条状剥落，嫩枝红褐色，无毛或微具短柔毛，无刺；芽长圆形，长 4 ~ 7 mm，先端急尖，鳞片数枚，草质，褐红色，外面无毛。叶长卵圆形，稀近圆形，长 3 ~ 5 cm，宽 2 ~ 4 cm，基部圆形或近截形，上面无毛或疏生腺毛，下面无毛或沿叶脉微具短柔毛，掌状 3 ~ 5 裂，顶生裂片三角状长卵圆形，先端长渐尖，比侧生裂片长 2 ~ 3 倍，侧生裂片卵圆形，先端急尖，边缘具粗大单锯齿，有时混生少数重锯齿；叶柄长 1 ~ 2 cm，浅红色，无毛，稀疏生腺毛。花单性，雌雄异株，组成直立总状花序；雄花序长 2 ~ 5 cm，具花 10 ~ 30；雌花序短，

长 1 ~ 3 cm，具花 4 ~ 10；花序轴和花梗具短柔毛和短腺毛；花梗长 2 ~ 4 mm；苞片卵状披针形或长圆状披针形，长 3 ~ 5 mm，宽 1 ~ 1.5 mm，先端急尖或微钝，边缘有短腺毛，具单脉；花萼近辐状，褐红色，外面无毛；萼筒浅杯形，长 1 ~ 2 mm，宽大于长；萼片卵圆形或舌形，长 1 ~ 2.5 mm，宽 0.7 ~ 1.3 mm，先端圆钝或微尖，直立；花瓣近扇形或楔状匙形，短于萼片，先端圆钝；雄蕊稍长于花瓣或几与花瓣近等长，花丝红色，花药圆形，紫红色或紫褐色；雌花的雄蕊退化，长约 0.4 mm，花药无花粉；子房倒卵状长圆形，无柔毛，稀微具腺毛，雄花的子房退化；花柱先端 2 裂。果实近球形或倒卵状球形，直径 5 ~ 7 mm，红色，无毛。花期 4 ~ 6 月，果期 7 ~ 9 月。

| **生境分布** | 生于海拔 900 ~ 3 000 m 的山坡、山谷丛林及林缘或岩石上。分布于湖北西部。

| **采收加工** | **叶**：春、夏季可采收，洗净，晒干。

| **功能主治** | 用于烫火伤，漆疮，胃痛。

虎耳草科 Saxifragaceae 茶藨子属 *Ribes*

宝兴茶藨子 *Ribes moupinense* Franch.

| 药 材 名 | 宝兴茶藨子。

| 形态特征 | 落叶灌木，高 2 ~ 3（5）m。小枝暗紫褐色，皮稍呈长条状纵裂或不裂，嫩枝棕褐色，无毛，无刺；芽卵圆形或长圆形，长 4 ~ 5 mm，宽 2 ~ 3 mm，先端稍钝，具数枚棕褐色鳞片，外面无毛。叶卵圆形或宽三角状卵圆形，长 5 ~ 9 cm，宽几与长相似，基部心形，稀近截形，上面无柔毛或疏生粗腺毛，下面沿叶脉或脉腋间具短柔毛或混生少许腺毛，常 3 ~ 5 裂，裂片三角状长卵圆形或长三角形，顶生裂片长于侧生裂片，先端长渐尖，侧生裂片先端短渐尖或急尖，边缘具不规则的尖锐单锯齿和重锯齿；叶柄长 5 ~ 10 cm，沿槽微具柔毛，或近基部有少数腺毛。花两性，开花时直径 4 ~ 6 mm；

总状花序长 5 ~ 10（12）cm，下垂，具 9 ~ 25 疏松排列的花；花序轴具短柔毛；花梗极短或几无，稀稍长；苞片宽卵圆形或近圆形，长 1.5 ~ 2 mm，宽几与长相似，全缘或稍具小齿，无毛或边缘微具睫毛，位于花序下部的苞片较狭长，长卵圆形或披针状卵圆形，长可达 4 mm，先端微尖；花萼绿色而有红色晕，外面无毛；萼筒钟形，长 2.5 ~ 4 mm，宽稍大于长；萼片卵圆形或舌形，长 2 ~ 3.5 mm，宽 1.5 ~ 2.2 mm，先端圆钝，不内弯，边缘无睫毛，直立；花瓣倒三角状扇形，长 1 ~ 1.8 mm，宽短于长，下部无突出体；雄蕊几与花瓣等长，着生在与花瓣同一水平线上，花丝丝形，花药圆形；子房无毛；花柱短于雄蕊，先端 2 裂。果实球形，几无梗，直径 5 ~ 7 mm，黑色，无毛。花期 5 ~ 6 月，果期 7 ~ 8 月。

| **生境分布** | 生于海拔 1 400 ~ 3 100 m 的山坡路边杂木林下、岩石坡地及山谷林下。分布于湖北巴东、兴山。

| **采收加工** | **根**：全年均可采挖，洗净，切段，晒干。

| **功能主治** | 祛风湿，止痛。

虎耳草科 Saxifragaceae 鬼灯檠属 *Rodgersia*

七叶鬼灯檠 *Rodgersia aesculifolia* Batal.

| 药材名 | 索骨丹。

| 形态特征 | 多年生草本，高 0.8 ~ 1.2 m。根茎圆柱形，横生，直径 3 ~ 4 cm，内部微紫红色。茎具棱，近无毛。掌状复叶具长柄，柄长 15 ~ 40 cm，基部扩大成鞘状，具长柔毛，腋部和近小叶处毛较多；小叶片 5 ~ 7，草质，倒卵形至倒披针形，长 7.5 ~ 30 cm，宽 2.7 ~ 12 cm，先端短渐尖，基部楔形，边缘具重锯齿，腹面沿脉疏生近无柄之腺毛，背面沿脉具长柔毛，基部无柄。多歧聚伞花序圆锥状，长约 26 cm，花序轴和花梗均被白色膜片状毛，并混有少量腺毛；花梗长 0.5 ~ 1 mm；萼片（5 ~ ）6，开展，近三角形，长 1.5 ~ 2 mm，宽约 1.8 mm，先端短渐尖，腹面无毛或具极少（1 ~ 3）近无柄的

腺毛，背面和边缘具柔毛和短腺毛，具羽状脉和弧曲脉，脉于先端不汇合、半汇合至汇合；雄蕊长 1.2 ~ 2.6 mm；子房近上位，长约 1 mm，花柱 2，长 0.8 ~ 1 mm。蒴果卵形，具喙；种子多数，褐色，纺锤形，微扁，长 1.8 ~ 2 mm。花果期 5 ~ 10 月。

| 生境分布 | 生于海拔 1 100 ~ 3 100 m 的林下、灌丛、草甸和石隙。分布于湖北西部。

| 采收加工 | **根茎：**秋季采挖，除去茎叶及须根，洗净，切片，晒干。

| 功能主治 | 清热化湿，止血生肌。

虎耳草科 Saxifragaceae 鬼灯檠属 *Rodgersia*

鬼灯檠 *Rodgersia podophylla* A. Gray

| 药材名 | 鬼灯檠。

| 形态特征 | 多年生草本，高 0.6 ~ 1 m。根茎粗壮，横走。茎无毛。基生叶少数，具长柄，为掌状复叶，小叶片 5（~ 7），近倒卵形，长 15 ~ 35 cm，宽 10 ~ 25 cm，先端 3（~ 5）浅裂，裂片先端渐尖，边缘有粗锯齿，腹面无毛，背面沿脉疏生柔毛，叶柄长 15 ~ 30 cm，疏生柔毛，基部扩大成鞘状，边缘具长睫毛；茎生叶互生，较小。圆锥花序顶生，长 15 ~ 30 cm，多花；花梗和花序轴均密被鳞片状毛（有时具腺头）；萼片 5 ~ 7，白色，近卵形，长约 2.1 mm，宽约 1.1 mm，先端渐尖，腹面无毛，边缘和背面疏生腺毛，具羽状脉，脉于先端不汇合；花瓣不存在；雄蕊通常 10，长约 4 mm；心皮 2，

下部合生，子房近上位，卵球形，长约 1.5 mm，花柱长约 1.3 mm。蒴果；种子多数。花期 6 ~ 7 月。

| 生境分布 | 生于海拔 1 200 ~ 2 600 m 的山坡林下水沟边阴湿处。分布于湖北鹤峰、恩施、巴东、神农架、兴山、长阳、丹江口、保康，以及宜昌。

| 采收加工 | **根茎：**秋季采挖，除去茎叶及须根，洗净、切片，晒干。

| 功能主治 | 清热解毒，散瘀止血。用于五劳七伤。

虎耳草科 Saxifragaceae 鬼灯檠属 *Rodgersia*

西南鬼灯檠 *Rodgersia sambucifolia* Hemsl.

| 药 材 名 | 岩陀。

| 形态特征 | 多年生草本，高 0.8 ~ 1.2 m。茎无毛。羽状复叶；叶柄长 3.4 ~ 28 cm，仅基部与小叶着生处具褐色长柔毛；小叶片 3 ~ 9（~ 10），基生叶和下部茎生叶通常具顶生小叶片 3，具侧生小叶片 6 ~ 7，侧生小叶片通常对生，稀互生，倒卵形、长圆形至披针形，长

5.6 ~ 20 cm，宽（1.7 ~ ）2.5 ~ 9 cm，先端短渐尖，基部楔形，边缘有重锯齿，腹面被糙伏毛，背面沿脉生柔毛。聚伞花序圆锥状，长 13 ~ 38 cm；花序分枝长 5.3 ~ 12 cm；花序轴与花梗密被膜片状毛；花梗长 2 ~ 3 mm；萼片 5，近卵形，长约 2 mm，宽 1.5 ~ 1.8 mm，腹面无毛，背面疏生黄褐色膜片状毛，先端短渐尖；花瓣不存在；雄蕊长约 3 mm；心皮 2，长约 3 mm，下部合生；子房半下位，花柱 2。花果期 5 ~ 10 月。

| 生境分布 | 生于海拔 1 800 ~ 3 100 m 的林下、灌丛、草甸或石隙。分布于湖北西部。

| 采收加工 | 全年均可采收，洗净，切段，晒干。

| 功能主治 | 活血调经，祛风湿。用于肺热咳喘，痢疾，痛经，月经不调。

虎耳草科 Saxifragaceae 虎耳草属 *Saxifraga*

异叶虎耳草 *Saxifraga diversifolia* Wall. ex Ser.

| 药 材 名 | 山羊参。

| 形态特征 | 多年生草本，高 16 ~ 43 cm。茎中下部被褐色卷曲长柔毛或无毛，上部被短腺毛，腺头黑褐色。基生叶具长柄，叶片卵状心形至狭卵形，长 1.5 ~ 5 cm，宽 1.2 ~ 2.6 cm，先端急尖，基部心形，腹面无毛或基部疏生褐色柔毛，背面和边缘具褐色柔毛，有时具腺头，叶柄长 3 ~ 9.2 cm，背面和边缘具褐色长柔毛；茎生叶 8 ~ 12，下部叶片较大，向上渐变小，近心形、卵状心形至狭卵形，长 1 ~ 6.3 cm，宽 0.35 ~ 4 cm，先端急尖或钝，基部心形或稍心形，上部叶片多少抱茎，最上部叶片两面无毛，边缘具短腺毛，腺头黑褐色，其他叶片腹面无毛或近无毛，背面和边缘具褐色柔毛，有时具腺头；

下部叶叶柄较长，向上渐变短至近无，长 0.5 ~ 4 cm，具褐色卷曲长柔毛。聚伞花序通常伞房状，长 3 ~ 14 cm，具 5 ~ 17 花；花梗长 0.6 ~ 1.2 cm，被短腺毛，腺头黑褐色；萼片在花期反曲，阔卵形、卵形至狭卵形，长 3 ~ 4.2 mm，宽 1.3 ~ 3.5 mm，先端钝或急尖，稀啮蚀状，腹面通常无毛，背面被短腺毛，腺头黑褐色，边缘膜质且具腺睫毛，3 ~ 5 脉于先端不汇合至半汇合；花瓣黄色，椭圆形、倒卵形、卵形至狭卵形，稀长圆形，长 5 ~ 8 mm，宽 2 ~ 5.1 mm，先端钝圆，基部狭缩成长 0.5 ~ 1.3 mm 的爪，具（3 ~ ）5 ~ 7（ ~ 9）脉，无痂体；雄蕊长 4 ~ 5.6 mm，花丝钻形；子房近上位，卵球形，长 3 ~ 4.2 mm，花柱长 1 ~ 1.6 mm。花果期 8 ~ 10 月。

| **生境分布** | 生于海拔 2 800 ~ 3 100 m 的林下、林缘、灌丛、高山草甸和石隙。分布于湖北西部。

| **采收加工** | 8 ~ 9 月采收，洗净，晒干或鲜用。

| **功能主治** | 清热解毒，凉血消肿。

虎耳草科 Saxifragaceae 虎耳草属 *Saxifraga*

齿瓣虎耳草 *Saxifraga fortune* Hook. f.

| 药 材 名 | 华中虎耳草。

| 形态特征 | 多年生草本，高 24 ~ 40 cm。叶均基生，具长柄；叶片肾形至近心形，长 3.3 ~ 16 cm，宽 3.8 ~ 20 cm，先端钝或急尖，基部心形，7 ~ 11 浅裂，浅裂片近阔卵形，边缘有不规则牙齿并具腺睫毛，腹面无毛，背面被长腺毛，腺头红褐色，具掌状达缘脉序；叶柄长 5 ~ 18.5 cm，被长腺毛。花葶被红褐色卷曲长腺毛；多歧聚伞花序圆锥状，长 11.5 ~ 32 cm，具多花（35 花）；花序分枝细弱，长 6 ~ 6.5 cm，被腺毛；花梗长 5 ~ 16 mm，被腺毛；苞片狭三角形，长 7 ~ 8 mm，宽 2 ~ 2.8 mm，腹面无毛，背面和边缘具多细胞长腺毛；萼片在花期开展至反曲，近卵形，长 1 ~ 3.5 mm，宽 0.9 ~

1.5 mm，先端钝或急尖，腹面无毛，背面和边缘具腺毛，3 脉于先端汇合；花瓣 5，白色至淡红色，其中 3 花瓣较短，卵形，长 1.3 ～ 4.1 mm，宽 0.9 ～ 1.7 mm，先端稍渐尖或渐尖，基部圆形且具长 0.2 ～ 0.3 mm 的爪，边缘通常具腺睫毛，具 3 脉，1 花瓣较长，狭卵形，长 7.2 ～ 17.3 mm，宽 2 ～ 3.5 mm，先端渐尖，边缘通常具腺睫毛，基部具长 0.2 ～ 0.6 mm 的爪，具 3 ～ 7 脉，另 1 花瓣最长，狭卵形，长 12 ～ 23.5 mm，宽 2.8 ～ 6.5 mm，先端渐尖或稍渐尖，基部渐狭成长 0.6 ～ 1.5 mm 的爪，边缘通常具腺睫毛和锯齿，具 3 ～ 8（～ 14）脉；雄蕊长 4 ～ 5 mm，花丝棒状；2 心皮中下部合生，长 3.2 ～ 4 mm；子房卵球形，花柱 2，稍叉开。蒴果弯垂，长约 6.7 mm，2 果瓣叉开。花期 6 ～ 7 月。

| 生境分布 | 生于海拔 2 200 ～ 2 900 m 的林下或石隙。分布于湖北西部。

| 采收加工 | 全年均可采收，但以开花后采收为好，除去杂质，切段。

| 功能主治 | 解毒。用于中耳炎。

虎耳草科 Saxifragaceae 虎耳草属 *Saxifraga*

红毛虎耳草 *Saxifraga rufescens* Balf. f.

| 药 材 名 | 红毛虎耳草。

| 形态特征 | 多年生草本，高 16 ～ 40 cm。根茎较长。叶均基生；叶片肾形、圆肾形至心形，长 2.4 ～ 10 cm，宽 3.2 ～ 12 cm，先端钝，基部心形，9 ～ 11 浅裂，裂片阔卵形，具牙齿，有时再次 3 浅裂，两面和边缘均被腺毛；叶柄长 3.7 ～ 15.5 cm，被红褐色长腺毛。花葶密被红褐色长腺毛；多歧聚伞花序圆锥状，长 6 ～ 18 cm，具 10 ～ 31 花；花序分枝纤细，长 2.2 ～ 9 cm，具 2 ～ 4 花，被腺毛；花梗长 0.6 ～ 3.5 cm，被腺毛；苞片线形，长 2.3 ～ 6 mm，宽 0.5 ～ 1.1 mm，边缘具长腺毛；萼片花期时开展至反曲，卵形至狭卵形，长 1.3 ～ 4 mm，宽 0.5 ～ 1.8 mm，先端钝或短渐尖，腹面无

毛，背面和边缘具腺毛，3 脉于先端汇合；花瓣 5，白色至粉红色，通常 4 花瓣较短，披针形至狭披针形，长 4 ～ 4.5 mm，宽 1 ～ 2.3 mm，先端稍渐尖，边缘多少具腺睫毛，基部具长 0.3 ～ 0.6 mm 的爪，具 3（～ 7）脉，为弧曲脉序，1 花瓣最长，披针形至线形，长 9.6 ～ 18.8 mm，宽 1.3 ～ 4.6 mm，先端钝或渐尖，边缘多少具腺睫毛，基部具长 0.8 ～ 1 mm 的爪，脉 3 ～ 9，通常为弧曲脉序；雄蕊长 4.5 ～ 5.5 mm，花丝棒状；子房上位，卵球形，长 1.3 ～ 2.5 mm，花柱长 1.6 ～ 3 mm。蒴果弯垂，长 4 ～ 4.5 mm。

| 生境分布 | 生于海拔 1 000 ～ 3 100 m 的林下、林缘、灌丛、高山草甸及岩壁石隙。分布于湖北西部。

| 采收加工 | **全草**：8 ～ 9 月采收，洗净，晒干或鲜用。

| 功能主治 | 清热解毒。用于疮肿，烫伤，蛇虫咬伤。

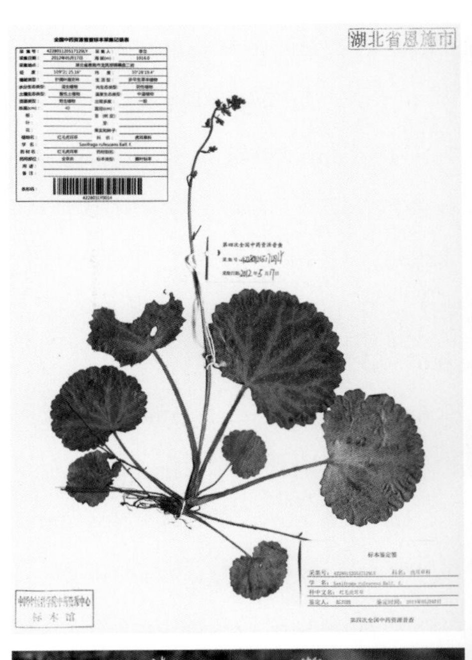

虎耳草科 Saxifragaceae 虎耳草属 *Saxifraga*

扇叶虎耳草 *Saxifraga rufescens* Balf. f. var. *flabellifolia* C. Y. Wu et J. T. Pan

| 药 材 名 |

扇叶虎耳草。

| 形态特征 |

多年生草本，高 16 ~ 40 cm。根茎较长。叶均基生，叶片肾形、圆肾形至心形，长 2.4 ~ 10 cm，宽 3.2 ~ 12 cm，先端钝，基部心形，9 ~ 11 浅裂，裂片阔卵形，具牙齿，有时再次 3 浅裂，两面和边缘均被腺毛；叶柄长 3.7 ~ 15.5 cm，被红褐色长腺毛。花葶密被红褐色长腺毛。多歧聚伞花序圆锥状，长 6 ~ 18 cm，具 10 ~ 31 花；花序分枝纤细，长 2.2 ~ 9 cm，具 2 ~ 4 花，被腺毛；花梗长 0.6 ~ 3.5 cm，被腺毛；苞片线形，长 2.3 ~ 6 mm，宽 0.5 ~ 1.1 mm，边缘具长腺毛；萼片在花期开展至反曲，卵形至狭卵形，长 1.3 ~ 4 mm，宽 0.5 ~ 1.8 mm，先端钝或短渐尖，腹面无毛，背面和边缘具腺毛，3 脉于先端汇合；花瓣 5，白色至粉红色，通常 4 花瓣较短，披针形至狭披针形，长 4 ~ 4.5 mm，宽 1 ~ 2.3 mm，先端稍渐尖，边缘多少具腺睫毛，基部具长 0.3 ~ 0.6 mm 的爪，3 ~ 7 脉，为弧曲脉序，1 花瓣较长，披针形至线形，长 9.6 ~ 18.8 mm，宽 1.3 ~ 4.6 mm，先端钝或渐尖，边缘多少具腺睫毛，基部具长 0.8 ~ 1 mm 的爪，3 ~ 9 脉，通常为弧曲脉序；雄蕊长 4.5 ~ 5.5 mm，花丝棒状；子房上位，卵球形，长 1.3 ~ 2.5 mm，花柱长 1.6 ~ 3 mm。蒴果弯垂，长 4 ~ 4.5 mm。

| 生境分布 | 生于海拔 625 ~ 2 100 m 的林下、沟边湿地或石隙。分布于湖北西部。

| 采收加工 | 8 ~ 9 月采收，洗净，晒干或鲜用。

| 功能主治 | 用于中耳炎。

虎耳草科 Saxifragaceae 虎耳草属 *Saxifraga*

球茎虎耳草 *Saxifraga sibirica* L.

| 药材名 | 球茎虎耳草。

| 形态特征 | 多年生草本，高 6.5 ~ 25 cm，具鳞茎。茎密被腺柔毛。基生叶具长柄，叶片肾形，长 0.7 ~ 1.8 cm，宽 1 ~ 2.7 cm，7 ~ 9 浅裂，裂片卵形、阔卵形至扁圆形，两面和边缘均具腺柔毛，叶柄长 1.2 ~ 4.5 cm，基部扩大，被腺柔毛；茎生叶肾形、阔卵形至扁圆形，长 0.45 ~ 1.5 cm，宽 0.5 ~ 2 cm，基部肾形、截形至楔形，5 ~ 9 浅裂，两面和边缘均具腺毛，叶柄长 1 ~ 9 mm。聚伞花序伞房状，长 2.3 ~ 17 cm，具 2 ~ 13 花，稀单花；花梗纤细，长 1.5 ~ 4 cm，被腺柔毛；萼片直立，披针形至长圆形，长 3 ~ 4 mm，宽 0.6 ~ 1.8 mm，先端急尖或钝，腹面无毛，背面和边缘具腺柔毛，3 ~ 5

脉于先端不汇合、半汇合至汇合（同时交错存在）；花瓣白色，倒卵形至狭倒卵形，长 6 ~ 14.5 mm，宽 1.5 ~ 4.7 mm，基部渐狭成爪，3 ~ 8 脉，无痂体；雄蕊长 2.5 ~ 5.5 mm，花丝钻形；2 心皮中下部合生，长 2.6 ~ 4.9 mm；子房卵球形，长 1.8 ~ 3 mm，花柱 2，长 0.8 ~ 2 mm。柱头小。花果期 5 ~ 11 月。

| 生境分布 | 生于海拔 770 ~ 3 100 m 的林下、灌丛、高山草甸和石隙。分布于湖北西部。

| 采收加工 | 8 ~ 9 月采收，洗净，晒干或鲜用。

| 功能主治 | 用于疮痈肿毒，小儿发热，咳嗽气喘，湿疹，皮肤过敏，烫火伤，冻疮溃烂等。

虎耳草科 Saxifragaceae 虎耳草属 *Saxifraga*

虎耳草 *Saxifraga stolonifera* Curt.

| **药 材 名** | 虎耳草。

| **形态特征** | 多年生草本，高 8 ～ 45 cm。鞭匐枝细长，密被卷曲长腺毛，具鳞片状叶。茎被长腺毛，具 1 ～ 4 苞片状叶。基生叶具长柄，叶片近心形、肾形至扁圆形，长 1.5 ～ 7.5 cm，宽 2 ～ 12 cm，先端钝或急尖，基部近截形、圆形至心形，（5 ～）7 ～ 11 浅裂（有时不明显），裂片边缘具不规则牙齿和腺睫毛，腹面绿色，被腺毛，背面通常红紫色，被腺毛，有斑点，具掌状达缘脉序，叶柄长 1.5 ～ 21 cm，被长腺毛；茎生叶披针形，长约 6 mm，宽约 2 mm。聚伞花序，长 7.3 ～ 26 cm，具 7 ～ 61 花；花序分枝长 2.5 ～ 8 cm，被腺毛，具 2 ～ 5 花；花梗长 0.5 ～ 1.6 cm，细弱，被腺毛；花两侧对称；萼片

花期时开展至反曲，卵形，长 1.5 ~ 3.5 mm，宽 1 ~ 1.8 mm，先端急尖，边缘具腺睫毛，腹面无毛，背面被褐色腺毛，3 脉于先端汇合成 1 疣点；花瓣白色，中上部具紫红色斑点，基部具黄色斑点，花瓣 5，其中 3 花瓣较短，卵形，长 2 ~ 4.4 mm，宽 1.3 ~ 2 mm，先端急尖，基部具长 0.1 ~ 0.6 mm 的爪，羽状脉序，2 级脉（2 ~ ）3 ~ 6，另 2 花瓣较长，披针形至长圆形，长 6.2 ~ 14.5 mm，宽 2 ~ 4 mm，先端急尖，基部具长 0.2 ~ 0.8 mm 的爪，羽状脉序，2 级脉 5 ~ 10（ ~ 11）；雄蕊长 4 ~ 5.2 mm，花丝棒状；花盘半环状，围绕于子房一侧，边缘具瘤突；2 心皮下部合生，长 3.8 ~ 6 mm；子房卵球形，花柱 2，叉开。花果期 4 ~ 11 月。

| 生境分布 | 生于海拔 400 ~ 3 100 m 的林下、灌丛、草甸和阴湿岩隙。分布于湖北各地。

| 采收加工 | **全草**：全年均可采收，但以开花后采收为好，除去杂质，切段。

| 功能主治 | 祛风，清热，凉血解毒。用于风疹，湿疹，中耳炎，丹毒，咳嗽吐血，肺痈，崩漏，痔疾。

虎耳草科 Saxifragaceae 钻地风属 *Schizophragma*

钻地风 *Schizophragma integrifolium* Oliv.

| 药材名 | 钻地风。

| 形态特征 | 木质藤本或藤状灌木；小枝褐色，无毛，具细条纹。叶纸质，椭圆形、长椭圆形或阔卵形，长 8 ~ 20 cm，宽 3.5 ~ 12.5 cm，先端渐尖或急尖，具狭长或阔短尖头，基部阔楔形或圆形至浅心形，全缘或上部或多或少具仅有硬尖头的小齿，上面无毛，下面有时沿脉被疏短柔毛，后渐变近无毛，脉腋间常具髯毛；侧脉 7 ~ 9 对，弯拱或下部稍直，在下面凸起，小脉网状，较密，在下面微凸；叶柄长 2 ~ 9 cm，无毛。伞房状聚伞花序密被褐色、紧贴的短柔毛，结果时毛渐稀少；不育花萼片单生或偶 2 ~ 3 萼片聚生于花梗上，卵状披针形、披针形或阔椭圆形，结果时长 3 ~ 7 cm，宽 2 ~ 5 cm，黄

白色；孕性花萼筒陀螺状，长 1.5 ~ 2 mm，宽 1 ~ 1.5 mm，基部略尖，萼齿三角形，长约 0.5 mm；花瓣长卵形，长 2 ~ 3 mm，先端钝；雄蕊近等长，盛开时长 4.5 ~ 6 mm，花药近圆形，长约 0.5 mm；子房近下位，花柱和柱头长约 1 mm。蒴果钟状或陀螺状，较小，长 6.5 ~ 8 mm，宽 3.5 ~ 4.5 mm，基部稍宽，阔楔形，先端突出部分短圆锥形，长约 1.5 mm；种子褐色，连翅纺锤形或近纺锤形，扁，长 3 ~ 4 mm，宽 0.6 ~ 0.9 mm，两端的翅近相等，长 1 ~ 1.5 mm。花期 6 ~ 7 月，果期 10 ~ 11 月。

| 生境分布 | 生于海拔 200 ~ 2 000 m 的山谷、山坡密林或疏林中、岩石或乔木上。湖北有分布。

| 采收加工 | **根、藤茎：**全年均可采收，去净泥土，切片，晒干。

| 功能主治 | 舒筋活络，祛风活血。用于风湿痹痛，四肢关节酸痛。

虎耳草科 Saxifragaceae 黄水枝属 *Tiarella*

黄水枝 *Tiarella polyphylla* D. Don

| 药 材 名 |

黄水枝。

| 形态特征 |

多年生草本，高 20 ～ 45 cm。根茎横走，深褐色，直径 3 ～ 6 mm。茎不分枝，密被腺毛。基生叶具长柄，叶片心形，长 2 ～ 8 cm，宽 2.5 ～ 10 cm，先端急尖，基部心形，掌状 3 ～ 5 浅裂，边缘具不规则浅齿，两面密被腺毛，叶柄长 2 ～ 12 cm，基部扩大成鞘状，密被腺毛；托叶褐色；茎生叶通常 2 ～ 3，与基生叶同形，叶柄较短。总状花序长 8 ～ 25 cm，密被腺毛；花梗长达 1 cm，被腺毛；萼片花期时直立，卵形，长约 1.5 mm，宽约 0.8 mm，先端稍渐尖，腹面无毛，背面和边缘具短腺毛，具 3 至多脉；无花瓣；雄蕊长约 2.5 mm，花丝钻形；心皮 2，不等大，下部合生，子房近上位，花柱 2。蒴果长 7 ～ 12 mm；种子黑褐色，椭圆球形，长约 1 mm。花果期 4 ～ 11 月。

| 生境分布 |

生于海拔 980 ～ 3 100 m 的林下、灌丛和阴湿处。分布于湖北各地。

| 采收加工 | 全草：4 ~ 10 月采收，洗净，晒干或鲜用。

| 功能主治 | 清热解毒，活血祛瘀，消肿止痛。用于痈疖肿毒，跌打损伤，咳嗽气喘等。

海桐花科 Pittosporaceae 海桐花属 *Pittosporum*

短萼海桐 *Pittosporum brevicalyx* (Oliv.) Gagnep.

| 药 材 名 | 短萼海桐。

| 形态特征 | 常绿灌木或小乔木，高 2 ~ 10 m。枝条通常近轮生，嫩枝略被毛，后脱落。叶簇生于枝先端；叶柄长 1 ~ 1.5 cm，有时更长；叶片薄革质，披针形、倒披针形或倒卵状披针形，稀倒卵形，长 4 ~ 14 cm，宽 2 ~ 5 cm，先端急短尖或渐尖，基部狭楔形，叶面干后发亮，下面初时有毛，后变秃净，全缘；侧脉 9 ~ 11 对。伞房花序 3 ~ 5 枝，生于枝顶叶腋内，长 3 ~ 4 cm，被微毛；花序梗长 1 ~ 1.5 cm；花淡黄色，极芳香；花梗长 1cm；苞片狭披针形，长 4 ~ 6 mm，有微毛；萼片分离，或基部稍合生，膜质，卵状披针形，有微毛或无毛，长 1 ~ 3 mm；花瓣分离，长 6 ~ 8 mm；雄蕊有时与花瓣近等长，

有时仅长 2 ~ 3 mm；子房密被绢状柔毛，花柱短而无毛。蒴果扁球形，直径 8 ~ 10 mm，2 瓣裂，果瓣薄；种子长约 3 mm。花期 4 ~ 5 月，果期 6 ~ 11 月。

| **生境分布** | 生于海拔 700 ~ 2 300（~ 2 500）m 的落叶阔叶林中。湖北有分布。

| **采收加工** | 全年均可采收，鲜用或晒干。

| **功能主治** | 祛风活血，消肿止痛，解毒。用于小儿惊风，腰痛，跌打损伤，疥疮肿毒，毒蛇咬伤。

海桐花科 Pittosporaceae 海桐花属 *Pittosporum*

皱叶海桐 *Pittosporum crispulum* Gagnep.

| 药 材 名 | 野桂花。

| 形态特征 | 常绿灌木，高 1 ~ 3 m。嫩枝无毛，干后红褐色，二年生枝条无皮孔。叶簇生于枝顶，叶柄长 1 ~ 1.5 cm；叶片薄革质，长圆形或长圆状倒披针形，长 8 ~ 18 cm，宽 3 ~ 5 cm，先端渐尖，基部楔形，上面深绿色，干后暗绿色，略有光泽，下面浅绿色，无毛；侧脉 13 ~ 20 对，在上面可见，在下面稍凸起，网脉在下面明显，边缘略折皱或呈微波状。伞形花序 2 ~ 4 束簇生于枝顶叶腋，花较大，每束有花 2 ~ 5，花梗长 1 ~ 2 cm，无毛；萼片三角状卵形，长 3 mm，基部略连合，无毛，边缘有睫毛；花瓣长 1.5 cm，宽 2 ~ 2.5 mm；雄蕊长 1 cm；雌蕊长 8 ~ 10 mm，子房被毛，子房壁厚

0.5 mm；侧膜胎座 3 ～ 5，每胎座有胚珠 10 ～ 15，排成 4 列，花柱比子房稍短。蒴果椭圆形或梨形，长 2.5 ～ 3 cm，有长 2 ～ 4 mm 的子房柄，外面被毛，3 ～ 5 片开裂，果片木质，厚 2.5 mm；果柄长 15 ～ 20 mm；种子 39 ～ 45，长 2.5 ～ 3 mm，排成 2 ～ 4 列，种柄长 1 ～ 1.5 mm。花期 4 ～ 6 月，果期 9 ～ 12 月。

| 生境分布 | 生于海拔 1 900 ～ 3 000 m 的石灰岩山坡、灌丛中。分布于湖北西部。

| 采收加工 | **根皮、树皮：**春、秋季采剥，切段，晒干。全年均可采剥，但以秋、冬季为佳，除去杂质，切段。

| 功能主治 | 祛风止痛，收敛止血，清热解毒。用于风湿痹痛，腰腿痛，跌打肿痛，崩漏，便血，外伤出血，肺热咳嗽，痢疾，黄疸，无名肿毒等。

海桐花科 Pittosporaceae 海桐花属 *Pittosporum*

光叶海桐 *Pittosporum glabratum* Lindl.

| 药材名 | 广枝仁、光叶海桐叶、光叶海桐根。

| 形态特征 | 常绿灌木，高 2 ~ 3 m。上部枝条有时轮生，全株无毛。单叶互生，叶柄长 5 ~ 10 mm，叶片薄革质，倒卵状长椭圆形或倒披针形，长 6 ~ 10 cm，宽 1 ~ 3.5 cm，先端短尖或渐尖，基部呈楔形，上面绿色，下面浅绿色，边缘略呈波状；中脉凸出明显。伞形花序，1 ~ 4 枝生于小枝先端，通常具花 6 ~ 13，花黄色，直径约 7 mm；花梗长 10 ~ 15 mm，光滑；花萼基部连合，5 裂，裂片广卵形，长 2 mm，光滑，边缘有毛；花瓣 5，分离，倒披针形，基部连合，长 8 ~ 10 mm；雄蕊 5，与花瓣互生，长 4 ~ 7 mm；子房长卵形，无毛，花柱长 3 mm，柱头略增大。蒴果卵形或椭圆形，长 2 ~ 2.5 cm，

3 瓣裂，每瓣有种子约 6，果皮薄，革质；种子大，近圆形，长 5 ~ 6 mm，红色。花期 4 月，果期 9 月。

| 生境分布 | 生于林间阴湿地、山坡、溪边。湖北有分布。

| 采收加工 | **广枝仁：** 秋季采摘果实，晒干，击破果壳，取出种仁，再晒干。

光叶海桐叶： 全年均可采收，鲜用或晒干。

光叶海桐根： 全年或秋季采集，挖取根部或剥取根皮，除去泥土，切段。

| 功能主治 | **广枝仁：** 清热利咽，止泻。用于虚热心烦，口渴，咽痛，泄泻，痢疾。

光叶海桐叶： 消肿解毒，止血。用于毒蛇咬伤，痈肿疮疔，烫火伤，外伤出血。

光叶海桐根： 祛风除湿，活血通络，止咳涩精。用于风湿痹痛，腰腿疼痛，跌打骨折，头晕失眠，虚劳咳喘，遗精。

海桐花科 Pittosporaceae 海桐花属 *Pittosporum*

狭叶海桐 *Pittosporum glabratum* Lindl. var. *neriifolium* Rehd. et Wils.

| 药 材 名 | 金刚摆口。

| 形态特征 | 常绿灌木，高 0.8 ~ 2 m，全株无毛。小枝褐色，皮孔明显。叶散生或聚生于枝顶，革质，呈假轮生状；叶柄长 3 ~ 10 mm；叶片狭披针形至狭倒披针形，长 10 ~ 15 cm，宽 0.6 ~ 2 cm，先端渐尖，基部渐狭，全缘，无毛。叶柄长 5 ~ 10 mm，叶脉不明显，中脉在上面微凹，在下面隆起。花序伞形或单生，假顶生，于枝端有花数朵，花梗纤细，长 6 ~ 10 mm，花淡黄色，有芳香，杂性异株；萼片 5，三角形，长 1 ~ 3 mm，有睫毛；花瓣 5，长约 1 cm，雄蕊 5，雌蕊无毛，短雄蕊花大，长 8 ~ 10 mm，单生，长雄蕊花常伞形，花梗长 3 ~ 10 mm，花瓣长 7 ~ 10 mm。蒴果梨形或椭圆状球形，

长 1.6 ～ 2.3 mm，成熟时裂为 3，黄绿色，果皮革质，果柄长 2 ～ 3 cm，裂片里面橙黄色；种子大，圆，长 7 mm，宽 5 mm，粉红色或红色。花期 4 ～ 5 月，果期 8 ～ 9 月。

| 生境分布 | 生于海拔 600 ～ 1 750 m 的山谷沟边或林下灌丛中。分布于湖北来凤、宣恩、鹤峰、恩施、利川、建始、巴东、五峰、神农架、兴山等。

| 采收加工 | **全株或果实：**秋季采收，晒干。

| 功能主治 | 清热利湿。用于湿热黄疸，子宫脱出。

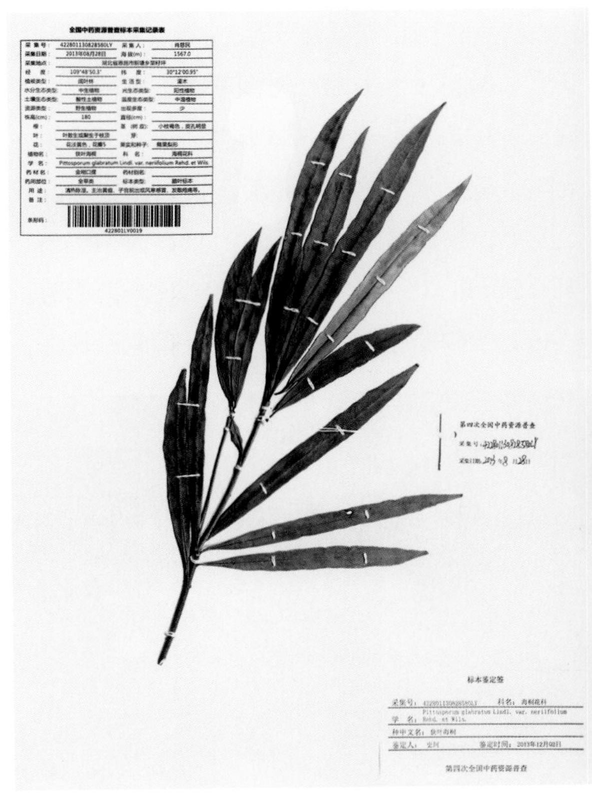

海桐花科 Pittosporaceae 海桐花属 *Pittosporum*

异叶海桐 *Pittosporum heterophyllum* Franch.

| 药材名 | 异叶海桐。

| 形态特征 | 灌木高 2.5 m，嫩枝无毛，灰褐色，老枝无皮孔。叶簇生于枝顶，薄革质，二年生，线形、狭窄披针形或倒披针形，长 4 ~ 8 cm，宽 1 ~ 1.5 cm，有时更狭窄，先端略尖，尖头钝，基部楔形，上面绿色，发亮，下面淡绿色，无毛；侧脉 5 ~ 6 对，与网脉在上下两面均不明显；边缘平展；叶柄长 3 ~ 4 mm。花 1 ~ 5 簇生于枝顶，伞形；花梗长 7 ~ 15 mm，无毛，苞片早落；萼片卵形，长 2 ~ 2.5 mm，基部稍合生，先端钝，无毛，或有睫毛；花瓣长 8 mm，合生，披针形，先端圆；雄蕊长 4 ~ 5 mm，花药长 1.5 mm；雌蕊比雄蕊稍短，子房被毛，花柱长 1.5 mm；侧膜胎座 2，胚珠 5 ~ 8。蒴果近球形，

稍压扁，直径 6 mm，2 裂开，果片薄，木质，有种子 5 ～ 8；种子长 2.5 mm，干后黑色，种柄极短；宿存花柱长 2 mm。

| 生境分布 | 生于海拔 1 900 ～ 3 000 m 的山地。湖北有分布。

| 采收加工 | **根皮、树皮：**春、秋季采剥，切段，晒干。

| 功能主治 | 祛风止痛，收敛止血，清热解毒。用于风湿痹痛，腰腿痛，跌打肿痛，崩漏，便血，外伤出血，肺热咳嗽，痢疾，黄疸，无名肿毒。

海桐花科 Pittosporaceae 海桐花属 *Pittosporum*

海金子 *Pittosporum illicioides* Makino

| 药 材 名 | 山栀茶、崖花海桐叶、海金子。

| 形态特征 | 常绿灌木或小乔木，高达 1 ~ 6 m，全株光滑无毛。小枝近轮生，单叶互生，有时几轮集生于枝顶，3 ~ 8 叶片簇生成假轮生状；叶柄长 5 ~ 10 mm，叶片薄革质，倒卵形至倒披针形，长 5 ~ 10 cm，宽 1.7 ~ 3.5 cm，先端短尖或渐尖，基部楔形，上面深绿色，下面浅绿色，均光滑无毛，边缘略呈波状；侧脉 6 ~ 8 对，在上面不明显，在下面凸起，网脉明显。花淡黄色，3 ~ 12 集成伞房花序，生于小枝先端，有时为杂性异株，花梗长 1 ~ 3 cm；苞片早落；萼片 5，卵形，长 2 ~ 3 mm，基部连合；花瓣 5，基部连合，裂片长匙形，长 8 ~ 10 mm；雄蕊 5，与花瓣近等长，有时长为花瓣的 1/2，

花药 2 室，纵裂；雄蕊由 3 心皮组成，长雄蕊花子房不育，短雄蕊花花药不育，子房上位，密生短毛，花柱单一，柱头不分裂。蒴果球状倒卵形或近椭圆状球形，常 2 ～ 5 着生，绿色或黑色，3 棱，直径可达 1.5 cm，长 7 ～ 10 mm，柱头宿存，成熟时裂为 3，果柄长 1.5 ～ 4 cm，果瓣木质或革质，外果皮薄，黄绿色，内有种子数颗；种子外被暗红色假种皮，具种子 15，长 2 ～ 4 mm。花期 4 ～ 5 月，果期 7 ～ 10 月。

| 生境分布 | 生于海拔 1 500 m 以下的山地、沟边、林下灌丛中或石灰岩地区水沟边林下。分布于湖北来凤、巴东、兴山、房县、通城、通山、崇阳、英山、罗田、神农架等。

| 采收加工 | **山栀茶：**全年均可采收，除去泥土，切片，晒干；或剥取皮部，切段，晒干或鲜用。

崖花海桐叶：夏季采摘枝叶，晒干。鲜用，随时可采。

海金子：11 月采收果实，晒干后击破果壳，筛取种子；或将采集的成熟果实加入糠壳共踩，装于箩筐内，放于流水中冲洗，除去糠壳，捞取种子，晒干。

| 功能主治 | **山栀茶：**活络止痛，宁心益肾，解毒。用于风湿痹痛，骨折，胃痛，失眠，遗精，毒蛇咬伤。

崖花海桐叶：消肿解毒，止血。用于疮疖肿毒，皮肤湿痒，毒蛇咬伤，外伤出血。

海金子：清热利咽，涩肠固精。用于咽痛，肠炎，带下，滑精。

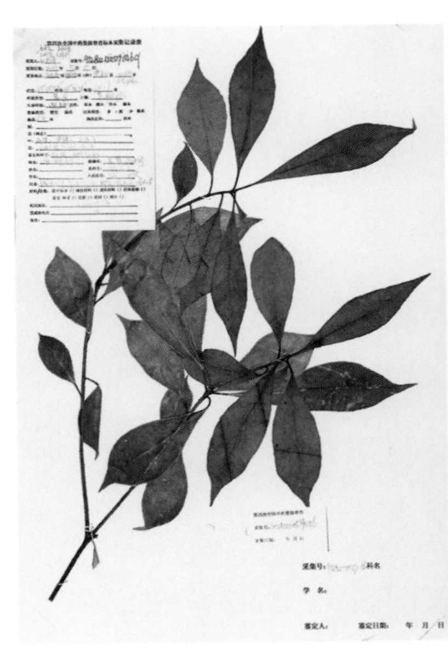

海桐花科 Pittosporaceae 海桐花属 *Pittosporum*

长果海桐 *Pittosporum pauciflorum* Hook. et Arn. var. *oblongum* Chang et Yan

| 药 材 名 | 长果海桐。

| 形态特征 | 小灌木，高 2 m。叶倒卵状披针形，长 3 ~ 8 cm，宽 1 ~ 2.5 cm，先端长渐尖，基部狭楔形，上面主脉及侧脉下陷；全缘，微向内卷；叶柄短，长 5 mm 以下。蒴果淡黄色，单生于小枝先端，长椭圆形，长 15 ~ 20 mm，直径 8 ~ 10 mm，子房柄长约 7 mm，先端花柱宿存，留 1 尾状物，长约 5 mm，果柄细长，长 1 cm 左右；种子圆形，淡红色，5 ~ 8，长 5 ~ 7 mm，种柄每胎座 2 ~ 3，着生于中部。

果期 9 ~ 10 月。

| **生境分布** | 生于海拔 2 000 m 的河旁和林中。湖北有分布。

| **功能主治** | 祛湿利水，清热解毒。

海桐花科 Pittosporaceae 海桐花属 *Pittosporum*

柄果海桐 *Pittosporum podocarpum* Gagnep.

| 药 材 名 | 寡鸡蛋树皮、寡鸡蛋树根、寡鸡蛋树叶、寡鸡蛋树子。

| 形态特征 | 常绿灌木，高 1 ~ 3 m。嫩枝无毛，老枝有皮孔。叶多集生于小枝先端；叶柄长 5 ~ 15 mm；叶片薄革质，倒披针形或长椭圆形，长 6 ~ 14 cm，宽 2 ~ 4 cm，先端长渐尖或渐尖，基部收窄，楔形，常向下延，上面绿色，发亮，下面无毛，全缘而平展；侧脉 6 ~ 8 对。顶生伞形花序，无总花序梗；花淡黄色，2 至数朵；花梗长 10 ~ 30 mm；苞片细小，早落；萼片卵形，长 3 mm；花瓣倒披针形，长 15 ~ 17 mm；花丝丝状，长约 7 mm，花药黄色，长约 2 mm；雄蕊长达 1 cm；子房长卵形，密被淡褐色柔毛，花柱长 3 ~ 4 mm，无毛。蒴果绿黄色，长椭圆形，长 2 ~ 3 cm，直径 1 ~ 1.5 cm，2 ~ 3

裂；种子大，红色，圆形，长 5 ～ 7 mm；宿存花柱长 4 ～ 5 mm。花期 4 ～ 5 月，果期 5 ～ 12 月。

| **生境分布** | 生于海拔 800 ～ 3 000 m 的溪边、林下或灌丛中。湖北多地均有分布。

| **采收加工** | **寡鸡蛋树皮：**全年或秋季采剥，切片，晒干，或碾粉，鲜用，随采随用。

| **功能主治** | **寡鸡蛋树皮：**收敛止血，消肿止痛，解毒。用于吐血，鼻衄，崩漏，便血，外伤出血，风湿痹痛，腰腿疼痛，跌打损伤，无名肿毒，毒蛇咬伤。

寡鸡蛋树根：补肺肾，祛风湿，活血通经。用于虚劳咳喘，遗精早泄，失眠，头晕，高血压，风湿关节痛，小儿瘫痪。

寡鸡蛋树叶：消肿解毒。用于毒蛇咬伤，疮疖肿毒。

寡鸡蛋树子：清热，生津，止痢。用于虚热心烦，口渴咽痛，泄泻，痢疾。

海桐花科 Pittosporaceae 海桐花属 *Pittosporum*

海桐 *Pittosporum tobira* (Thunb.) Ait.

| **药 材 名** | 海桐。

| **形态特征** | 常绿灌木，高 2 ~ 3 m。叶互生，薄革质，倒卵形，长 4 ~ 10 cm，宽 2 ~ 3 cm，先端钝圆，基部楔形，边稍反卷，全缘，无毛；叶柄长达 9 cm。伞形花序顶生，花白色，后变黄色，花梗长 2 cm。蒴果球形，长 1 ~ 1.3 cm，3 瓣裂，黄色，种子橘红色。花期 4 ~ 5 月，果期 6 ~ 7 月。

| **生境分布** | 生于海拔 500 ~ 2 000 m 的山谷、沟边、山坡林中、山麓杂木林下、林缘或灌丛中。分布于湖北宜昌及巴东等。

| **资源情况** | 野生资源较少。药材主要来源于野生。

| 采收加工 | 叶：8 ~ 9 月采摘，晒干。

| 功能主治 | 收敛止泻，清热除烦。用于腹泻，痢疾，咽痛，心烦不眠。

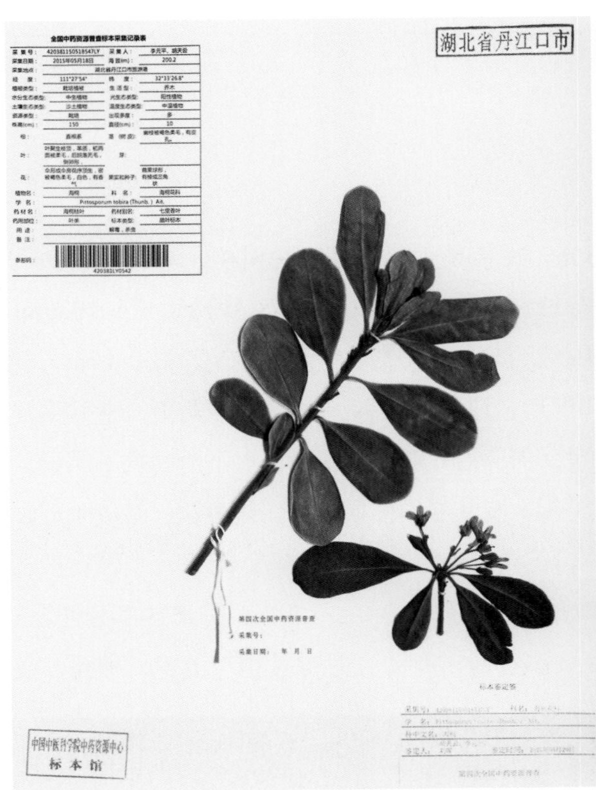

海桐花科 Pittosporaceae 海桐花属 *Pittosporum*

棱果海桐 *Pittosporum trigonocarpum* Lévl.

| 药 材 名 | 山枝仁。

| 形态特征 | 常绿灌木，高 1 ~ 3 m，嫩枝无毛，嫩芽有短柔毛，老枝灰色，有皮孔。叶 3 ~ 5，常聚生于枝顶，假轮生，革质；叶柄长 5 ~ 10 mm，叶片狭倒卵形或长圆状倒披针形，长 6 ~ 15 cm，宽 2 ~ 4 cm，先端渐尖或锐尖，基部楔形，边缘平展，上面绿色，发亮，干后褐绿色，下面浅绿色，无毛，侧脉约 6 对，与网脉在上下两面均不明显。花两性，伞房花序，3 ~ 5 枝聚生于枝顶叶腋，花多数，组成伞形，花序基部有鳞状苞片，花梗长 1 ~ 2 cm，纤细，无毛，小苞片披针形，外缘被睫毛；花瓣分离或部分连合，长 1.2 cm，分离或部分连合；雄蕊 5，长约 8 mm，雌蕊与雄蕊等长；子房被锈色柔毛，梗短，长

不过 2 mm，宿存花柱比子房长，约 3 mm，侧膜胎座 3，胚珠 9 ～ 15。蒴果常单生，椭圆状卵形，干后三角形或圆形，长 2 ～ 2.5 cm，有毛；果柄长 1 ～ 2 cm，疏被柔毛，3 果片裂开，果片薄，革质，表面粗糙，每片有种子 3 ～ 5，种子红色，长 5 ～ 6 cm，种柄长 2 mm，压扁，散生于纵长的胎座上。花期 4 ～ 5 月，果期 8 ～ 9 月。

| 生境分布 | 生于海拔 500 ～ 2 000 m 的山谷、沟边、山坡林中、山麓杂木林下、林缘或灌丛中。分布于湖北宜昌及巴东等。

| 采收加工 | **种子：**8 ～ 9 月采摘成熟果实，除去果壳，取出种子，晒干。

| 功能主治 | 收敛止泻，清热除烦。用于腹泻，痢疾，咽痛，心烦不眠。

海桐花科 Pittosporaceae 海桐花属 *Pittosporum*

崖花子 *Pittosporum truncatum* Pritz.

| 药材名 | 崖花子。

| 形态特征 | 常绿灌木或小乔木，高 1 ~ 3 m，小枝圆柱形，近轮生，嫩枝有灰色毛，不久变秃净。叶簇生于枝顶，硬革质，倒卵形或菱形，长 3 ~ 9 cm，宽 1.5 ~ 4 cm，中部以上最宽；先端宽而有 1 短急尖，有时有浅裂，中部以下急剧收窄而下延，基部狭楔形；上面深绿色，发亮，下面初时有白色毛，不久变秃净，全缘；侧脉 7 ~ 9 对，在上面明显，在下面稍凸起，网脉在上面不明显，在下面能见；叶柄长 5 ~ 8 mm。花单生或数朵成伞形，生于枝顶叶腋内，多花，花梗纤细，无毛，或略有白色绒毛，长 8 ~ 15 mm；萼片 5，卵形，长 1.5 ~ 3 mm，有纤毛；花瓣 5，倒披针形，无毛，长 6 ~ 10 mm；

雄蕊 5，长 6 mm；子房卵圆形，密生短柔毛，侧膜胎座 2，胚珠 16 ~ 18。蒴果短椭圆形，长 6 ~ 10 mm，宽 7 mm，2 果片裂开，果片薄，内侧有小横格，果柄长 1 ~ 2 cm；种子 16 ~ 18，卵形，长约 3 mm，暗红色，种柄扁而细，长 1.5 mm。花期 5 月，果期 9 ~ 10 月。

| **生境分布** | 生于海拔 650 ~ 1 200 m 的山坡林下、山谷林中、灌丛中或石崖上。分布于湖北来凤、宣恩、利川、五峰、巴东、神农架、兴山、丹江口等。

| **采收加工** | **种子：**秋、冬季采收果实，除去果壳，取种子，晒干。

| **功能主治** | 清热，生津，利咽，止泻。用于口渴，咽痛，泻痢。

海桐花科 Pittosporaceae 海桐花属 *Pittosporum*

木果海桐 *Pittosporum xylocarpum* Hu et Wang

| 药 材 名 | 山枝茶。

| 形态特征 | 灌木或小乔木，高 1 ~ 3 m，嫩枝纤细，无毛，老枝有皮孔。叶聚生于枝顶，二年生，薄革质，叶倒披针形或宽倒披针形，长 5 ~ 15 cm，宽 2 ~ 5 cm，先端渐尖或急尖，基部渐狭，全缘，稍反卷，无毛，侧脉 11 ~ 15 对，在上面可见，在下面凸起，网脉不明显，叶柄长 5 ~ 15 mm。伞形花序假顶生，无毛，为 1 轮幼叶包被，有长约 5 mm 的花序梗，花梗长短不一，长 4 ~ 12 mm，纤细，苞片细小，长 2 mm，膜质，早落，花黄色，有香气；萼片卵形，大小不等，基部略相连，长 1.5 ~ 2 mm，略有睫毛；花瓣狭披针形，长 9 ~ 12 mm，下部 2/3 紧贴或连生成管状；雄蕊长约 8 mm，花药长

2 mm，子房长卵形，长 5 mm，有短的子房柄，被白棕色绢毛，花柱长 3 mm；侧膜胎座 2 ~ 3，每个胎座有胚珠 2 ~ 5。蒴果卵圆形，长 15 ~ 20 mm，2 ~ 3 裂开，果片木质，厚 1.5 ~ 2 mm，内侧有横格；种子小，多数，长 3 ~ 4 mm，暗红色，干后变黑色，不整齐。

| **生境分布** | 生于海拔 500 ~ 1 400 m 的山坡林中。分布于湖北鹤峰、利川、神农架、兴山等。

| **采收加工** | **全株或果实**：秋季采收，晒干。

| **功能主治** | 清热利湿。用于湿热黄疸，子宫脱出。

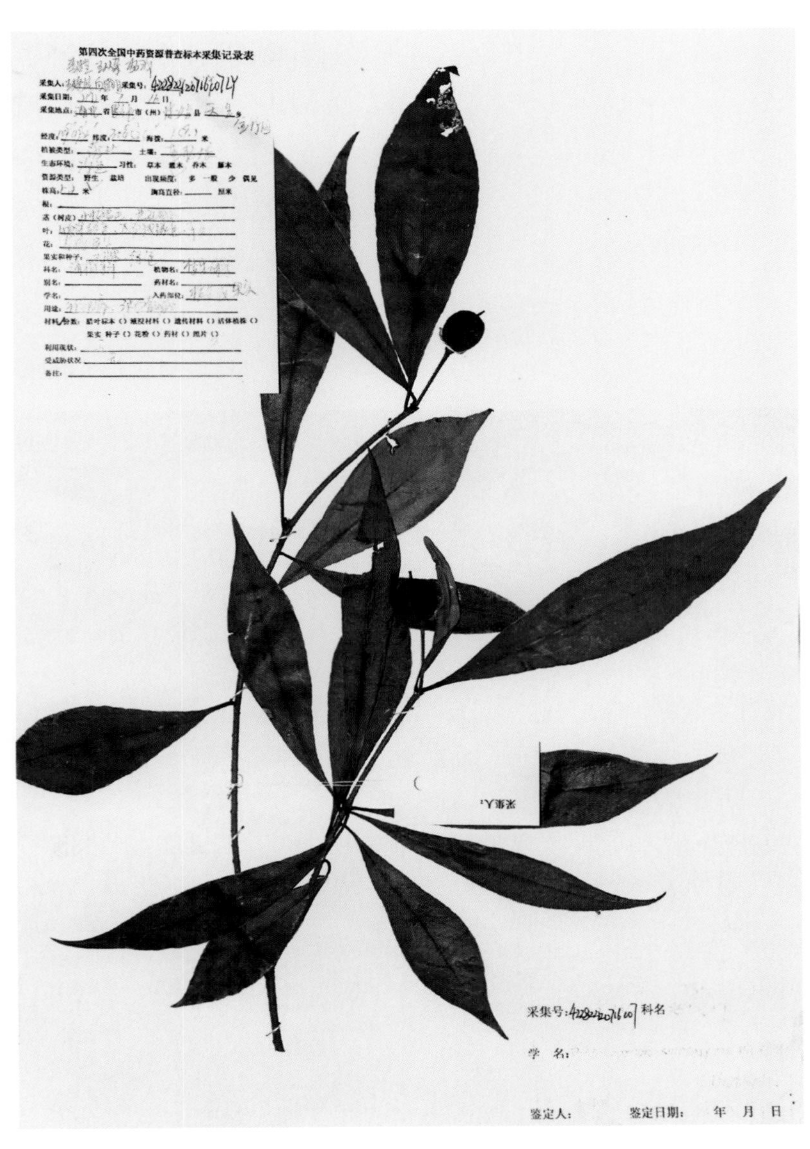

金缕梅科 Hamamelidaceae 蜡瓣花属 *Corylopsis*

蜡瓣花 *Corylopsis sinensis* Hemsl.

| 药 材 名 | 蜡瓣花。

| 形态特征 | 落叶灌木或小乔木，高 2 ～ 5 m。嫩枝有柔毛，老枝秃净，有皮孔。叶互生；叶柄长 1 ～ 1.5 cm，密生柔毛；托叶窄长形，长约 2 cm，略有毛；叶薄革质，卵形或倒卵状椭圆形，长 5 ～ 12 cm，宽 4 ～ 7 cm，先端短尖或略钝，基部心形或斜心形，边缘有锐锯齿，上面绿色，下面灰绿色，具星状毛，或仅脉上有毛，侧脉 7 ～ 9 对，最下 1 对侧脉靠近基部，第 2 次分支侧脉不强烈，叶脉直达齿尖，齿尖刺毛状。总状花序长 3 ～ 4 cm，花序梗被毛，长约 1.5 cm，花序轴长 1.5 ～ 2.5 cm，有长绒毛，有 10 ～ 18 花，下垂，花先叶开放，淡黄色，有香气；花两性，花瓣卵圆形，各花基部有 1 卵圆形苞片，

长约 5 mm，外有柔毛，内有长丝毛；萼筒具星状毛，萼齿 5，卵形，先端略钝，无毛；花瓣 5，匙形或卵圆形，长 5 ~ 6 mm，宽约 4 mm；雄蕊 5，长 5 ~ 6 mm，比花瓣略短，不突出花外；退化雄蕊 2 裂，先端尖，与萼齿等长或略超出；子房半下位，具星状毛，2 室，花柱 2，长 6 ~ 7 mm，基部有毛。果序长 4 ~ 6 cm；蒴果卵圆形，直径 7 ~ 8 mm，被褐色柔毛，成熟时开裂为 4 瓣；种子 2，长椭圆形，长 5 mm，黑色有光泽。花期 4 ~ 5 月，果期 8 ~ 9 月。

| 生境分布 | 生于海拔 600 ~ 1 100 m 的湿润肥沃的山坡阔叶林、灌丛中、山地常绿树中。分布于湖北宣恩、咸丰、利川、建始、五峰、神农架、兴山、通城、崇阳、通山、英山、罗田，以及宜昌。

| 采收加工 | **根或根皮：**夏季采挖，刮去粗皮，洗净，晒干。

| 功能主治 | 疏风和胃，宁心安神。用于外感风邪，头痛，恶心呕吐，心悸，烦躁不安。

金缕梅科 Hamamelidaceae 蜡瓣花属 *Corylopsis*

秃蜡瓣花 *Corylopsis sinensis* Hemsl. var. *calvescens* Rehd. et Wils.

| 药 材 名 | 连核梅。

| 形态特征 | 嫩枝及芽体无毛，有鳞垢，老枝秃净，干后暗褐色；芽体裸露无鳞状苞片，被鳞垢。叶革质，椭圆形或倒卵状椭圆形，长 3 ~ 7 cm，宽 1.5 ~ 3.5 cm，先端钝或略尖，基部阔楔形，上面深绿色，发亮，下面初时有鳞垢，以后变秃净；侧脉 5 ~ 6 对，在上面不明显，在下面稍凸起，网脉在上下两面均不明显，边缘无锯齿；叶柄长 5 ~ 10 mm，略有鳞垢。托叶细小，早落。总状花序长约 2 cm，花序轴无毛，总苞片 2 ~ 3，卵形，有鳞垢；苞片披针形，长 3 mm，花雌、雄同在 1 花序上，雌花位于花序的先端；萼筒短，萼齿大小不相等，被鳞垢；雄蕊 5 ~ 6，花丝长约 2 mm，花药长 3.5 mm，

红色；子房有星状绒毛，花柱长 6 ~ 7 mm。蒴果卵圆形，长 1 ~ 1.3 cm，先端尖，外面有褐色星状绒毛，上半部 2 果片裂开，每片 2 浅裂，不具宿存萼筒，果柄短，长不及 2 mm；种子卵圆形，长 4 ~ 5 mm，深褐色，发亮，种脐白色。

| 生境分布 | 生于海拔 100 ~ 300 m 的丘陵地带。分布于湖北中部。

| 采收加工 | 全年均可采挖，洗净，切段，晒干。

| 功能主治 | 用于水肿，手脚浮肿，风湿关节痛，跌打损伤。

金缕梅科 Hamamelidaceae 蚊母树属 *Distylium*

小叶蚊母树 *Distylium buxifolium* (Hance) Merr.

| 药 材 名 | 小叶蚊母树。

| 形态特征 | 常绿灌木，高 1 ~ 2 m。幼枝无毛或略有毛，纤细，节间长 1 ~ 2.5 cm；老枝无毛，有皮孔，干后灰褐色；芽体有褐色柔毛。叶薄革质，矩圆状倒披针形或倒披针形，长 3 ~ 6 cm，宽 1 ~ 1.5 cm，先端急尖，基部狭楔形下延；上面绿色，干后暗晦无光泽，下面秃净无毛，干后稍带褐色；全缘或每侧近先端处有 1 齿，两面无毛；侧脉 4 ~ 6 对，在上面不明显，在下面略凸起，网脉在两面均不显著；叶柄极短，长 1 ~ 2 mm，无毛；托叶短小，早落。雌花或两性花的穗状花序腋生，长 1 ~ 3 cm；花序轴有毛；苞片线状披针形，长 2 ~ 3 mm；萼筒极短，萼齿披针形，长 2 mm；雄蕊未见；子房

被星状毛，花柱长 5 ~ 6 mm。蒴果卵圆形，长 7 ~ 8 mm，有褐色星状绒毛，先端尖锐，宿存花柱长 1 ~ 2 mm；种子褐色，长 4 ~ 5 mm，发亮。

| 生境分布 | 生于海拔 500 m 的河边灌丛中、山谷、山谷溪边低洼地、山坡、河滩、溪边、石边、石上。分布于湖北来凤、鹤峰。

| 采收加工 | 全年均可采收，洗净，晒干。

| 功能主治 | 益气，止血。用于气虚劳伤乏力，创伤出血。

金缕梅科 Hamamelidaceae 蚊母树属 *Distylium*

中华蚊母树 *Distylium chinense* (Franch. ex Hemsl.) Diels

| 药 材 名 | 中华蚊母树。

| 形态特征 | 常绿灌木，高约 1 m；嫩枝粗壮，节间长 2 ~ 4 mm，被褐色柔毛，老枝暗褐色，秃净无毛；芽体裸露、有柔毛。叶革质，矩圆形，长 2 ~ 4 cm，宽约 1 cm，先端略尖，基部阔楔形，上面绿色，稍发亮，下面秃净无毛；侧脉 5 对，在上面不明显，在下面隐约可见，网脉在上下两面均不明显；边缘在靠近先端处有 2 ~ 3 小锯齿；叶柄长 2 mm，略有柔毛；托叶披针形，早落。雄花穗状花序长 1 ~ 1.5 cm，花无柄；萼筒极短，萼齿卵形或披针形，长 1.5 mm；雄蕊 2 ~ 7，长 4 ~ 7 mm，花丝纤细，花药卵圆形。蒴果卵圆形，长 7 ~ 8 mm，外面有褐色星状柔毛，宿存花柱长 1 ~ 2 mm，干后 4 果片裂开；种

子长 3 ～ 4 mm，褐色，有光泽。

｜生境分布｜ 生于河溪旁。城市园林中栽培较多。湖北有分布。

｜功能主治｜ 活血散瘀，利水消肿，祛风活络。用于水肿，手足浮肿，风湿关节痛，跌打损伤。

金缕梅科 Hamamelidaceae 蚊母树属 *Distylium*

蚊母树 *Distylium racemosum* Sieb. et Zucc.

| 药 材 名 | 蚊母根。

| 形态特征 | 常绿灌木或中乔木，嫩枝有鳞垢，老枝秃净，干后暗褐色；芽体裸露无鳞状苞片，被鳞垢。叶革质，椭圆形或倒卵状椭圆形，长 3 ~ 7 cm，宽 1.5 ~ 3.5 cm，先端钝或略尖，基部阔楔形，上面深绿色，发亮，下面初时有鳞垢，以后变秃净，侧脉 5 ~ 6 对，在上面不明显，在下面稍凸起，网脉在上下两面均不明显，边缘无锯齿；叶柄长 5 ~ 10 mm，略有鳞垢；托叶细小，早落。总状花序长约 2 cm；花序轴无毛；总苞片 2 ~ 3，卵形，有鳞垢；苞片披针形，长 3 mm，花雌雄同在 1 花序上，雌花位于花序的先端；萼筒短，萼齿大小不相等，被鳞垢；雄蕊 5 ~ 6，花丝长约 2 mm，花药长 3.5 mm，

红色；子房有星状绒毛，花柱长 6 ~ 7 mm。蒴果卵圆形，长 1 ~ 1.3 cm，先端尖，外面有褐色星状绒毛，上半部 2 裂开，每片 2 浅裂，不具宿存萼筒，果柄短，长不及 2 mm。种子卵圆形，长 4 ~ 5 mm，深褐色，发亮，种脐白色。

| 生境分布 | 生于海拔 100 ~ 300 m 的亚热带常绿林中、丘陵地带。分布于湖北中部。

| 采收加工 | **根：**全年均可采挖，洗净，切段，晒干。

| 功能主治 | 用于水肿，手脚浮肿，风湿骨节疼痛，跌打损伤。

金缕梅科 Hamamelidaceae 牛鼻栓属 *Fortunearia*

牛鼻栓 *Fortunearia sinensis* Rehd. et Wils

| 药 材 名 | 牛鼻栓。

| 形态特征 | 落叶小乔木或灌木，高 2 ~ 5 m。嫩枝被星状灰褐色柔毛，后近无毛，老枝灰棕色，有稀疏皮孔。单叶互生，叶柄长 4 ~ 10 mm；托叶早落，叶片膜质，倒卵形或倒卵状椭圆形，长 5 ~ 16 cm，宽 3 ~ 9 cm，先端短渐尖，基部圆形或钝，稍偏斜，边缘具波状锯齿；叶脉深入齿端小尖头，叶上面绿色，初被束毛，沿主脉和下面有星状毛，侧脉 6 ~ 10 对；叶柄长 4 ~ 8 mm。总状花序直立，长 4 ~ 6 cm，总梗长 1 ~ 1.5 cm，被毛，花梗短；花杂性，两性花和雄花同长于 1 植株上；雄花序呈短葇荑状，有发育不全的雌蕊；两性花的花序长 3 ~ 6 cm；苞片及小苞片披针形，有星状毛；萼筒陀螺状，长

1 mm，无毛，萼齿 5，卵形，长 1.5 mm，先端有毛；花瓣 5，钻形，较萼片稍短；雄蕊 5，花药卵形，长约 1 mm；子房半下位，2 室，花柱 2，向外卷曲。蒴果木质，卵圆形，长 1.5 cm，褐色，有白色皮孔，沿室间 2 开裂，每片 2 浅裂；种子卵圆形，长约 1 cm，暗棕色，有光泽。花期 4 ~ 5 月，果期 7 ~ 8 月。

| 生境分布 | 生于海拔 450 ~ 1 500 m 的林下。分布于湖北神农架、房县、英山。

| 采收加工 | **枝叶**：春、夏季采摘，晒干。

根：全年均可采挖，洗净，晒干。

| 功能主治 | 益气，止血。用于气虚劳伤乏力，创伤出血。

金缕梅科 Hamamelidaceae 金缕梅属 *Hamamelis*

金缕梅 *Hamamelis mollis* Oliv.

| 药 材 名 | 金缕梅。

| 形态特征 | 落叶灌木或小乔木，高达 8 ～ 10 m；小枝幼时有星状绒毛，老枝秃净，芽体长卵形，有灰黄色绒毛。叶互生；叶柄长 6 ～ 10 mm，被柔毛；托叶早落；叶片纸质或薄革质，宽倒卵圆形，长 6 ～ 12 cm，宽 3 ～ 7.5 cm，先端短急尖，基部心形，不等侧心形，边缘有波状齿，上面稍粗糙，淡绿色，有稀疏短毛，不发亮，下面密生灰色星状绒毛，侧脉 7 ～ 9 对，最下面 1 对侧脉有明显的第 2 次侧脉，在上面显著，在下面凸起。头状或短穗状花序腋生，具数朵花，无花梗，苞片卵形，花序梗短，长不到 5 mm；花两性，萼筒短，与子房合生，萼齿 4，卵形，长 3 mm，宿存，均被星状绒毛，里面紫红色；花瓣 4，黄白

色，带状，长约 1.5 ~ 2 cm；雄蕊 4，花丝长 2 mm，花药与花丝几等长，与退化雄蕊互生，退化雄蕊 4，先端平截；子房近上位，有绒毛，2 室，花柱 2，长 1 ~ 1.5 mm，分离。蒴果卵圆形，长 1.2 cm，宽 1 cm，密被黄褐色星状绒毛，萼筒长约为蒴果的 1/3；种子椭圆形，长约 8 mm，黑色，发亮。花期 4 ~ 5 月，果期 10 月。

| 生境分布 | 生于海拔 600 ~ 1 600 m 的山坡杂木林、灌丛中或溪谷边及阔叶林缘。分布于湖北鹤峰、长阳、英山、罗田。

| 采收加工 | **根：**秋季采挖，洗净，晒干。

| 功能主治 | 益气。用于劳伤乏力。

金缕梅科 Hamamelidaceae 枫香树属 *Liquidambar*

缺萼枫香树 *Liquidambar acalycina* Chang

| 药 材 名 | 肝心柴。

| 形态特征 | 落叶大乔木，高达 30 m。树皮黑褐色。小枝无毛，有皮孔，干后黑褐色。叶阔卵形，掌状 3 裂，长 8 ~ 13 cm，宽 8 ~ 15 cm，中央裂片较长，先端尾状渐尖，基部心形，两侧裂片三角状卵形，细裂片稍平展，上下两面均无毛，上面绿色，暗晦无光泽，或幼嫩时基部有柔毛，下面脉上有柔毛，常带灰白色；掌状脉 3 ~ 5，在上面显著，在下面凸起，网脉在上下两面均明显；边缘有具腺的锯齿，齿间有腺状突；叶柄长 4 ~ 8 cm，无毛；托叶线形，长 3 ~ 8 mm，着生于叶柄基部，有褐色绒毛，早落。雄性短穗状花序多个，排成总状花序，花序梗长约 3 cm，花丝长 1.5 mm，花药卵圆形；雌花头

状花序单生于短枝的叶腋内，有雌花 15 ～ 26，花柱长 5 ～ 7 mm，花序总梗长 3 cm，略被短柔毛，萼齿无或极短，为鳞片状，长约 1 mm，被褐色短柔毛，先端卷曲。头状果序直径 2.5 cm，干后变黑褐色，疏松易碎，宿存花柱粗而钝，稍弯曲，无萼齿；种子多数，褐色，有棱。果期 7 月。

｜生境分布｜ 生于海拔 600 ～ 1 100 m 的山坡林中、山地和常绿树中。分布于湖北宣恩。

｜采收加工｜ **茎**：全年均可采收，洗净，切段，晒干。

｜功能主治｜ 祛风除湿，通络活血。

金缕梅科 Hamamelidaceae 枫香树属 *Liquidambar*

枫香树 *Liquidambar formosana* Hance

| **药 材 名** | 枫香树。

| **形态特征** | 落叶乔木，高达 30 m，胸径最大可达 1 m，树皮灰褐色，方块状剥落；小枝干后灰色，被柔毛，略有皮孔；芽体卵形，长约 1 cm，略被微毛，鳞状苞片敷有树脂，干后棕黑色，有光泽。叶薄革质，阔卵形，掌状 3 裂，中央裂片较长，先端尾状渐尖；两侧裂片平展；基部心形；上面绿色，干后灰绿色，不发亮；下面有短柔毛，或变秃净仅在脉腋间有毛；掌状脉 3 ~ 5，在上下两面均显著，网脉明显可见；边缘有锯齿，齿尖有腺状突；叶柄长达 11 cm，常有短柔毛；托叶线形，游离，或略与叶柄连生，长 1 ~ 1.4 cm，红褐色，被毛，早落。雄性短穗状花序常多个排成总状，雄蕊多数，花丝不等长，花药比

花丝略短；雌性头状花序有花 24 ~ 43，花序梗长 3 ~ 6 cm，偶有皮孔，无腺体；萼齿 4 ~ 7，针形，长 4 ~ 8 mm，子房下半部藏在头状花序轴内，上半部游离，有柔毛，花柱长 6 ~ 10 mm，先端常卷曲。头状圆球形果序，木质，直径 3 ~ 4 cm；蒴果下半部藏于花序轴内，有宿存花柱及针刺状萼齿；种子多数，褐色，多角形或有窄翅。

| 生境分布 | 生于海拔 1 000 m 以下的灌丛中、向阳山坡、路边、灌木林、丘陵地及郊野溪沟边。湖北有分布。

| 采收加工 | **果、叶：**秋、冬季采收果实，夏季采摘叶。

| 功能主治 | **叶：**用于腹泻，痢疾，胃痛；外用于毒蜂蜇伤，湿疹。

果实：用于乳汁不通，月经不调，风湿性关节痛，腰腿痛，小便不利，荨麻疹。

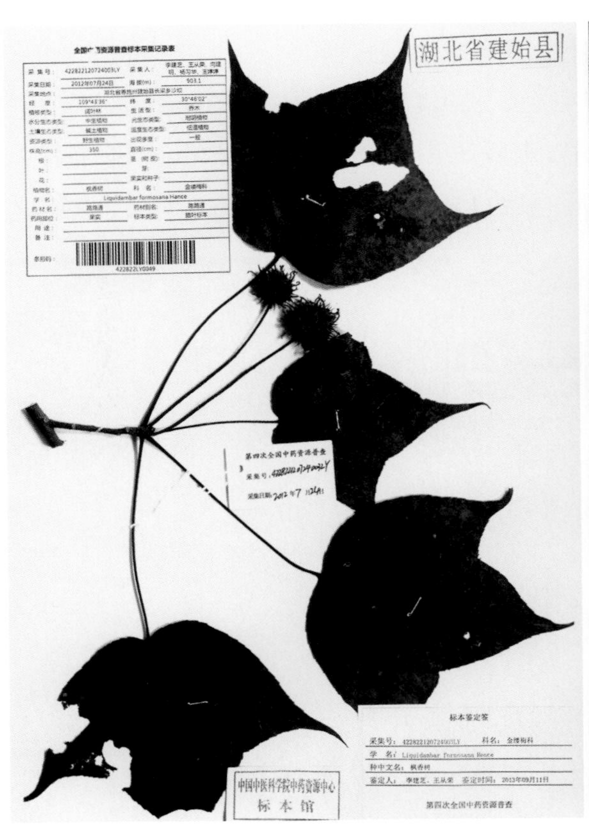

金缕梅科 Hamamelidaceae 檵木属 *Loropetalum*

檵木 *Loropetalum chinense* (R. Br.) Oliv.

| 药 材 名 | 檵花、檵木根、檵木叶。

| 形态特征 | 常绿灌木或小乔木，高达 1 ～ 8 m；树皮深灰色，嫩枝、新叶、花序、花萼背面和蒴果均被黄色星状毛，老枝灰棕色，近无毛。叶互生，叶柄长 2 ～ 5 mm，托叶早落；叶片革质，卵圆形或卵圆状椭圆形，长 1.5 ～ 6 cm，宽 0.8 ～ 2 cm，先端具短尖头，基部钝，不对称圆形，全缘，叶下面有白霜，沿叶脉有毛，边缘有纤毛。花 6 ～ 8 簇生于小枝端，无柄，乳白色；花萼短，4 裂，卵形，长 2 ～ 3 mm，被毛；花瓣 4，条形，淡黄白色，长 1.8 ～ 2.5 cm，宽 2 mm；雄蕊 4，花丝极短，花药裂瓣内卷，药隔伸出成刺状；子房半下位，2 室，花柱 2，极短。木质，蒴果球形，长约 1 cm，褐色，先端 2 裂；种子 2，长卵形，

长 4 ~ 5 mm。花期 4 ~ 5 月，果期 10 月。

| **生境分布** | 生于海拔 1 000 m 以下的灌丛中、向阳山坡、路边、灌木林、丘陵地及郊野溪沟边。分布于湖北来凤、巴东及兴山、南漳、崇阳、英山、罗田等。

| **采收加工** | **檵花：**清明前后采收，阴干，贮干燥处。

檵木根：全年均可采挖，洗净，切块，晒干或鲜用。

檵木叶：全年均可采摘，晒干，置干燥处，防蛀。

| **功能主治** | **檵花：**清热止咳，收敛止血。用于肺热咳嗽，咯血，鼻衄，便血，痢疾，泄泻，崩漏。

檵木根：止血，活血，收敛固涩。用于咯血，吐血，便血，外伤出血，崩漏，产后恶露不尽，风湿关节疼痛，跌打损伤，泄泻，痢疾，带下，脱肛。

檵木叶：收敛止血，清热解毒。用于咯血，吐血，便血，崩漏，产后恶露不净，紫癜，暑热泻痢，跌打损伤，创伤出血，肝热目赤，喉痛。

金缕梅科 Hamamelidaceae 檵木属 *Loropetalum*

红花檵木 *Loropetalum chinense* Oliver var. *rubrum* Yieh

| 药 材 名 | 红继木。

| 形态特征 | 常绿灌木或小乔木，树皮暗灰色或浅灰褐色，多分枝，小枝红褐色，密被星状毛。叶革质，互生，卵圆形或椭圆形，长 2 ~ 5 cm，宽 1.5 ~ 2.5 cm，先端尖锐，基部钝、圆而偏斜，不对称，上面略有粗毛或秃净，干后暗绿色，无光泽，下面被星毛，稍带灰白色；侧脉约 5 对，在上面明显，在下面凸起，全缘，暗红色；叶柄长 2 ~ 5 mm，有星毛；托叶膜质，三角状披针形，长 3 ~ 4 mm，宽 1.5 ~ 2 mm，早落。花 3 ~ 8 簇生于小枝先端，头状花序，有短花梗，紫红色，比新叶先开放，或与嫩叶同时开放，花序梗长约 1 cm，被毛；苞片线形，长 3 mm；萼筒杯状，被星毛，萼齿卵形，长约 2 mm，

花后脱落；花瓣 4，紫红色，带状，长 1 ~ 2 cm，先端圆或钝；雄蕊 4，花丝极短，长约 1 mm；胚珠 1，垂生于心皮内上角。蒴果褐色，近卵形。花期 4 ~ 5 月，花期长，30 ~ 40 天，果期 8 月。

| 生境分布 | 生于海拔 1 000 m 以下的灌丛中、向阳山坡、路边、灌木林、丘陵地及郊野溪沟边。分布于湖北东部。

| 采收加工 | 全年均可采挖，洗净，切块，晒干或鲜用。

| 功能主治 | 止痛，止血，消炎。用于风湿痹痛，跌打损伤。

金缕梅科 Hamamelidaceae 水丝梨属 *Sycopsis*

水丝梨 *Sycopsis sinensis* Oliv.

| 药 材 名 | 肝心柴。

| 形态特征 | 常绿乔木，高达 14 m。小枝灰褐色，老枝暗褐色，秃净无毛，顶芽裸露。叶革质，长卵形或披针形，长 5 ~ 13 cm，宽 2.5 ~ 5 cm，先端渐尖，基部楔形或钝，全缘；上面深绿色，发亮，秃净无毛，下面榄绿色，略有稀疏星状柔毛，通常嫩叶两面有星状柔毛，兼有鳞垢，老叶秃净无毛；侧脉 6 ~ 7 对，在上面干后轻微下陷，在下面稍隆起；全缘或中部以上有几个小锯齿，叶柄长 8 ~ 18 mm，密被星状鳞片。花穗状花序密集，近似头状，总梗短，被苞片，长 1.5 cm，有花 8 ~ 10，花序梗长 4 mm，苞片红褐色，卵圆形，长 6 ~ 8 mm，有星毛；萼筒极短，萼齿细小，萼片 3，卵形，1 mm；雄蕊 10 ~ 11，

花丝长 1 ~ 1.2 cm，纤细无毛，花药长 2 mm，无毛，先端尖锐，红色；退化雄蕊有丝毛，花柱长 3 ~ 5 mm，反卷；雌花或两性花 6 ~ 14，排成短穗状花序；萼筒壶形，长 2 mm，有丝毛，子房上位，有毛，花柱长 3 ~ 5 mm，被毛。蒴果球形，长 8 ~ 10 mm，有长丝毛，宿存萼筒长 4 mm，被褐色鳞垢，不规则裂开，宿存花柱短，长 1 ~ 2 mm；种子褐色，长约 6 mm。花期 4 月。

| **生境分布** | 生于海拔 800 ~ 1 600 m 的山坡林中，以及常绿林、灌丛中。分布于湖北建始、长阳、巴东、神农架、兴山。

| **采收加工** | **根：**全年均可采挖，洗净，切段，晒干。

| **功能主治** | 用于水肿，手脚浮肿，风湿骨节疼痛，跌打损伤。

杜仲科 Eucommiaceae 杜仲属 *Eucommia*

杜仲 *Eucommia ulmoides* Oliv.

| 药 材 名 | 杜仲。

| 形态特征 | 落叶乔木，高达 20 m。小枝光滑，黄褐色或色较淡，具片状髓，皮、枝及叶均含胶质。单叶互生，椭圆形或卵形，长 7 ~ 15 cm，宽 3.5 ~ 6.5 cm，先端渐尖，基部广楔形，边缘有锯齿，幼叶上面疏被柔毛，下面毛较密，老叶上面光滑，下面叶脉处疏被毛；叶柄长 1 ~ 2 cm。花单性，雌雄异株，与叶同时开放或先叶开放，生于一年生枝基部苞片的腋内，有花梗，无花被；雄花有雄蕊 6 ~ 10；雌花有一裸露而延长的子房，子房 1 室，先端有 2 叉状花柱。翅果卵状长椭圆形，扁，先端下凹，内有 1 种子。花期 4 ~ 5 月，果期 9 月。

| **生境分布** | 生于海拔 300 ~ 500 m 的低山、谷地或低坡的疏林中。湖北有分布。

| **采收加工** | 每年 4 ~ 6 月采剥，趁鲜刮去粗皮，将树皮内表面相对层层叠放，“发汗”至内皮呈紫褐色，晒干。

| **功能主治** | 补肝肾，强筋骨，安胎。用于腰脊酸疼，足膝痿弱，小便余沥，阴下湿痒，胎漏，胎动不安，高血压。

蔷薇科 Rosaceae 龙芽草属 *Agrimonia*

龙芽草 *Agrimonia pilosa* Ldb.

| 药 材 名 | 仙鹤草。

| 形态特征 | 多年生草本。根多呈块茎状，周围长出若干侧根，根茎短，基部常有 1 至数个地下芽。茎高 30 ~ 120 cm，被疏柔毛及短柔毛，稀下

部被稀疏长硬毛。叶为间断奇数羽状复叶，通常有小叶 3 ～ 4 对，稀 2 对，向上减少至 3 小叶，叶柄被稀疏柔毛或短柔毛；小叶片无柄或有短柄，倒卵形、倒卵状椭圆形或倒卵状披针形，长 1.5 ～ 5 cm，宽 1 ～ 2.5 cm，先端急尖至圆钝，稀渐尖，基部楔形至宽楔形，边缘有急尖到圆钝锯齿，上面被疏柔毛，稀脱落几无毛，下面通常脉上伏生疏柔毛，稀脱落几无毛，有显著腺点；托叶草质，绿色，镰形，稀卵形，先端急尖或渐尖，边缘有尖锐锯齿或裂片，稀全缘，茎下部托叶有时卵状披针形，常全缘。花序穗状总状顶生，分枝或不分枝；花序轴被柔毛；花梗长 1 ～ 5 mm，被柔毛；苞片通常 3 深裂，裂片带形，小苞片对生，卵形，全缘或边缘分裂；花直径 6 ～ 9 mm；萼片 5，三角状卵形；花瓣黄色，长圆形；雄蕊 5 ～ 15；花柱 2，丝状，柱头头状。果实倒卵状圆锥形，外面有 10 肋，被疏柔毛，先端有数层钩刺，幼时直立，成熟时靠合，连钩刺长 7 ～ 8 mm，最宽处直径 3 ～ 4 mm。花果期 5 ～ 12 月。

生境分布	生于海拔 100 ~ 3 100 m 的溪边、路旁、草地、灌丛、林缘及疏林下。湖北有分布。
采收加工	**地上部分：**夏、秋季，在枝叶茂盛未开花时，割取全草，除净泥土，晒干。
功能主治	收敛止血，截疟，止痢，解毒，补虚。用于咯血，吐血，崩漏下血，疟疾，血痢，痈肿疮毒，阴痒带下，脱力劳伤。

蔷薇科 Rosaceae 唐棣属 *Amelanchier*

唐棣 *Amelanchier sinica* (C. K. Schneid.) Chun

| 药 材 名 |

扶移木皮。

| 形态特征 |

小乔木，高 3 ~ 5 m，稀达 15 m。枝条稀疏；小枝细长，圆柱形，无毛或近无毛，紫褐色或黑褐色，疏生长圆形皮孔；冬芽长圆锥形，先端渐尖，具浅褐色鳞片，鳞片边缘有柔毛。叶片卵形或长椭圆形，长 4 ~ 7 cm，宽 2.5 ~ 3.5 cm，先端急尖，基部圆形，稀近心形或宽楔形，通常在中部以上有细锐锯齿，基部全缘，幼时下面沿中脉和侧脉被绒毛或柔毛，老时脱落无毛；叶柄长 1 ~ 2.1 cm，偶有散生柔毛；托叶披针形，早落。总状花序，多花，长 4 ~ 5 cm，直径 3 ~ 5 cm；总花梗和花梗无毛或最初有毛，后毛脱落；花梗细，长 8 ~ 28 mm；苞片膜质，线状披针形，长约 8 mm，早落；花直径 3 ~ 4.5 cm；萼筒杯状，外被柔毛，毛逐渐脱落；萼片披针形或三角状披针形，长约 5 mm，先端渐尖，全缘，与萼筒近等长或较之稍长，外面近无毛或散生柔毛，内面有柔毛；花瓣细长，长圆状披针形或椭圆状披针形，长约 1.5 cm，宽约 5 mm，白色；雄蕊 20，长 2 ~ 4 mm，远比花瓣短；花柱 5，基部密被黄白色绒毛，柱头头状，比雄蕊稍短。果实近球形或扁圆形，直径约 1 cm，蓝黑色；萼片宿存，反折。花期 5 月，果期 9 ~ 10 月。

| **生境分布** | 生于海拔 1 000 ~ 2 000 m 的山坡、灌丛中。湖北各地均有分布。

| **采收加工** | **树皮：**全年均可采剥，切片，晒干。

| **功能主治** | 祛风活血，止痛止带。用于脚气疼痹，腕损瘀血，痛不可忍。

蔷薇科 Rosaceae 桃属 *Amygdalus*

粘核毛桃变种 *Amygdalus persica* L. var. *scleropersica* (Rchb.) T. T. Yu et L. T. Lu

| 药 材 名 | 桃胶。

| 形态特征 | 乔木，高 3 ~ 8 m；树冠宽广而平展；树皮暗红褐色，老时粗糙呈鳞片状；小枝细长，无毛，有光泽，绿色，向阳处转变成红色，具大量小皮孔；冬芽圆锥形，先端钝，外被短柔毛，常 2 ~ 3 簇生，中间为叶芽，两侧为花芽。叶片长圆状披针形、椭圆状披针形或倒卵状披针形，长 7 ~ 15 cm，宽 2 ~ 3.5 cm，先端渐尖，基部宽楔形，上面无毛，下面在脉腋间具少数短柔毛或无毛，叶边具

细锯齿或粗锯齿，齿端具腺体或无腺体；叶柄粗壮，长 1 ~ 2 cm，常具 1 至数枚腺体，有时无腺体。花单生，先于叶开放，直径 2.5 ~ 3.5 cm；花梗极短或几无梗；萼筒钟形，被短柔毛，稀几无毛，绿色而具红色斑点；萼片卵形至长圆形，先端圆钝，外面被短柔毛；花瓣长圆状椭圆形至宽倒卵形，粉红色，罕为白色；雄蕊 20 ~ 30，花药绯红色；花柱几与雄蕊等长或稍短；子房被短柔毛。果实形状和大小均有变异，卵形、宽椭圆形或扁圆形，直径（3 ~ ）5 ~ 7（ ~ 12）cm，长几与宽相等，色泽变化由淡绿白色至橙黄色，常在向阳面具红晕，外面密被短柔毛，稀无毛，腹缝明显，果柄短而深入果洼；果肉白色、浅绿白色、黄色、橙黄色或红色，多汁有香味，甜或酸甜；核大，离核或粘核，椭圆形或近圆形，两侧扁平，先端渐尖，表面具纵、横沟纹和孔穴；种仁味苦，稀味甜。花期 3 ~ 4 月，果实成熟期因品种而异，通常为 8 ~ 9 月。

| 生境分布 | 湖北有栽培。

| 采收加工 | **树干上分泌的胶质：**夏季用刀切割树皮，待树脂溢出后收集，水浸，洗去杂质，晒干。

| 功能主治 | 和血，通淋，止痢。用于血瘕，石淋，痢疾，腹痛，糖尿病，乳糜尿。

蔷薇科 Rosaceae 桃属 *Amygdalus*

山桃 *Amygdalus davidiana* (Carrière) de Vos ex Henry

| 药 材 名 | 桃树根、桃叶、桃仁。

| 形态特征 | 乔木，高可达 10 m。树冠开展，树皮暗紫色，光滑；小枝细长，直立，幼时无毛，老时褐色。叶片卵状披针形，长 5 ~ 13 cm，宽 1.5 ~ 4 cm，先端渐尖，基部楔形，两面无毛，叶边具细锐锯齿；叶柄长 1 ~ 2 cm，无毛，常具腺体。花单生，先于叶开放，直径 2 ~ 3 cm；花梗极短或几无；花萼无毛；萼筒钟形；萼片卵形至卵状长圆形，紫色，先端圆钝；花瓣倒卵形或近圆形，长 10 ~ 15 mm，宽 8 ~ 12 mm，粉红色，先端圆钝，稀微凹；雄蕊多数，几与花瓣等长或稍短；子房被柔毛，花柱长于雄蕊或与之近等长。果实近球形，直径 2.5 ~ 3.5 cm，淡黄色，外面密被短柔毛，果柄短而深入果洼；果肉薄而干，不可食，

成熟时不开裂；果核球形或近球形，两侧不压扁，先端圆钝，基部截形，表面具纵、横沟纹和孔穴，与果肉分离。花期 3 ~ 4 月，果期 7 ~ 8 月。

| 生境分布 | 生于海拔 800 ~ 3 100 m 的山坡、山谷沟底或荒野疏林及灌丛内。湖北各地均有分布。

| 采收加工 | **桃树根：**全年均可挖取树根，洗净，切片，晒干；或剥取根皮，切碎，晒干。

桃叶：夏、秋季采收，鲜用或晒干。

桃仁：果实成熟时采摘果实，除去果肉及核壳，取出种子，晒干。

| 功能主治 | **桃树根：**清热利湿，活血止痛，消痈肿。用于黄疸，吐血，衄血，闭经，痈肿，痔疮，风湿痹痛，劳伤疼痛，腰痛，痧气腹痛。

桃叶：用于头风，头痛，风痹，疟疾，湿疹，疮疡，癣疮。

桃仁：破血行瘀，润燥滑肠。用于闭经，癥瘕，热病蓄血，风痹，疟疾，跌打损伤，瘀血肿痛，血燥便秘。

蔷薇科 Rosaceae 桃属 *Amygdalus*

桃 *Amygdalus persica* L.

| 药材名 | 桃树根、桃叶、桃仁。

| 形态特征 | 乔木，高 3 ~ 8 m。树冠宽广而平展；树皮暗红褐色，老时粗糙，呈鳞片状；小枝细长，无毛，有光泽，绿色，向阳处转变成红色，具大量小皮孔；冬芽圆锥形，先端钝，外被短柔毛，常 2 ~ 3 簇生，中间为叶芽，两侧为花芽。叶片长圆状披针形、椭圆状披针形或倒卵状披针形，长 7 ~ 15 cm，宽 2 ~ 3.5 cm，先端渐尖，基部宽楔形，上面无毛，下面在脉腋间具少数短柔毛或无毛，叶边具细锯齿或粗锯齿，齿端具腺体或无；叶柄粗壮，长 1 ~ 2 cm，常具 1 至数枚腺体，有时无腺体。花单生，先于叶开放，直径 2.5 ~ 3.5 cm；花梗极短或几无；萼筒钟形，被短柔毛，稀几无毛，绿色而具红色斑点；

萼片卵形至长圆形，先端圆钝，外被短柔毛；花瓣长圆状椭圆形至宽倒卵形，粉红色，稀为白色；雄蕊 20 ~ 30，花药绯红色；花柱几与雄蕊等长或较之稍短；子房被短柔毛。果实卵形、宽椭圆形或扁圆形，直径（3 ~ ）5 ~ 7（ ~ 12）cm，长几与宽相等，色泽淡绿白色至橙黄色，常在向阳面具红晕，外面密被短柔毛，稀无毛，腹缝明显，果柄短而深入果洼；果肉白色、浅绿白色、黄色、橙黄色或红色，多汁，有香味，味甜或酸甜；果核大，离核或粘核，椭圆形或近圆形，两侧扁平，先端渐尖，表面具纵、横沟纹和孔穴；种仁味苦，稀味甜。花期 3 ~ 4 月，果实成熟期因品种而异，通常为 8 ~ 9 月。

| 生境分布 | 湖北有栽培。

| 采收加工 | **桃树根：**全年均可挖取树根，洗净，切片，晒干；或剥取根皮，切碎，晒干。

桃叶：夏、秋季采收，鲜用或晒干。

桃仁：果实成熟时采摘果实，除去果肉及核壳，取出种子，晒干。

| 功能主治 | **桃树根：**清热利湿，活血止痛，消痈肿。用于黄疸，吐血，衄血，闭经，痈肿，痔疮，风湿痹痛，劳伤疼痛，腰痛，痧气腹痛。

桃叶：用于头风，头痛，风痹，疟疾，湿疹，疮疡，癣疮。

桃仁：破血行瘀，润燥滑肠。用于闭经，癥瘕，热病蓄血，风痹，疟疾，跌打损伤，瘀血肿痛，血燥便秘。

湖北省大悟县
全国中药资源普查标本采集记录表
采 集 号： 420922180805039LY 采 集 人： 曾凡奇、孙立敏、张炯、徐敦田
采集日期： 2018年08月05日 海 拔(m)： 335.8
采集地点： 大悟县宣化镇五岳山
经 度： 114°19′38.9″ 纬 度： 31°42′25.1″
植被类型：
生 活 型： 乔木
水分生态类型： 旱生植物 光生态类型： 阳性植物
土壤生态类型： 温度生态类型： 中温植物
资源类型： 野生植物 出现多度： 一般
株高(cm)： 直径(cm)：
根： 茎（树皮）：
叶： 芽：
花： 果实和种子：
植物名： 桃 科 名： 蔷薇科
学 名： Prunus persica (L.) Batsch
药 材 名： 桃仁 药材别名：
药用部位： 果实和种子类 标本类型： 腊叶标本
用 途： 桃树干上分泌的胶质，俗称桃胶，可用作粘接剂等，为一种聚糖类物质，水解能生成阿拉伯糖、半乳糖、木糖、鼠李糖、葡糖醛酸等，可食用，也供药用，有破血、和血、益气之效
备 注：
条形码：
420922LY0213
第四次全国中药资源普查
采集号 420922180805039LY
采集时期：2018年08月05日
标本鉴定签
采集号： 420922180805039LY 科名： 蔷薇科
学 名： Prunus persica (L.) Batsch
种中文名： 桃
鉴定人： 黎钟强 鉴定时间： 2018年08月15日
第四次全国中药资源普查
中国中医科学院中药资源中心
标 本 馆

蔷薇科 Rosaceae 桃属 *Amygdalus*

榆叶梅 *Amygdalus triloba* (Lindl.) Ricker

|药材名|

郁李仁。

|形态特征|

灌木，稀小乔木，高 2 ~ 3 m。枝条开展，具多数短小枝；小枝灰色，一年生枝灰褐色，无毛或幼时微被短柔毛；冬芽短小，长 2 ~ 3 mm。短枝上的叶常簇生，一年生枝上的叶互生；叶片宽椭圆形至倒卵形，长 2 ~ 6 cm，宽 1.5 ~ 3（~ 4）cm，先端短渐尖，常 3 裂，基部宽楔形，上面具疏柔毛或无毛，下面被短柔毛，叶边具粗锯齿或重锯齿；叶柄长 5 ~ 10 mm，被短柔毛。花 1 ~ 2，先于叶开放，直径 2 ~ 3 cm；花梗长 4 ~ 8 mm；萼筒宽钟形，长 3 ~ 5 mm，无毛或幼时微具毛；萼片卵形或卵状披针形，无毛，近先端疏生小锯齿；花瓣近圆形或宽倒卵形，长 6 ~ 10 mm，先端圆钝，有时微凹，粉红色；雄蕊 25 ~ 30，短于花瓣；子房密被短柔毛，花柱稍长于雄蕊。果实近球形，直径 1 ~ 1.8 cm，先端具短的小尖头，红色，外被短柔毛；果柄长 5 ~ 10 mm；果肉薄，成熟时开裂；果核近球形，具厚硬壳，直径 1 ~ 1.6 cm，两侧几不压扁，先端圆钝，表面具不整齐的网纹。花期 4 ~ 5 月，果期

5 ~ 7 月。

| **生境分布** | 生于低海拔至中海拔地区的坡地或沟旁，乔木林、灌木林林下或林缘。湖北有分布。

| **采收加工** | **种子：** 5 月中旬至 6 月初，果实呈鲜红色之后采收。

| **功能主治** | 润燥滑肠，下气利水。用于大肠气滞，燥涩不通，小便不利，大腹水肿，四肢浮肿，脚气。

蔷薇科 Rosaceae 杏属 *Armeniaca*

洪平杏 *Armeniaca hongpingensis* T. T. Yu et C. L. Li

| 药 材 名 | 杏仁。

| 形态特征 | 乔木，高达 10 m；树皮灰褐色，不规则浅裂；小枝浅褐色至红褐色，老时无毛。叶片椭圆形至椭圆状卵形，长 6 ~ 10 cm，宽 2.5 ~ 5 cm，先端长渐尖至尾尖，基部圆形，边缘密被小锐锯齿，上面疏生短柔毛，下面密被浅黄褐色长柔毛；叶柄长 1.5 ~ 2 cm，密被柔毛。果实近圆形，长 3.5 ~ 4 cm，宽约 3.5 cm，密被黄褐色柔毛；果柄长 7 ~ 10 mm；果肉成熟时可食；核椭圆形，两侧扁，先端急尖，基部近对称，表面具蜂窝状小孔穴，腹棱钝，腹面有纵沟。花期 3 ~ 4 月，果期 7 月。

| 生境分布 | 分布于海拔 1 800 m 的公路边、村旁。栽培于湖北洪平。

| 采收加工 | **种仁：**果实成熟后，击破果核，取出种子，晒干。

| 功能主治 | 降气，止咳平喘，润肠通便。用于咳嗽气喘，胸满痰多，肠燥便秘。

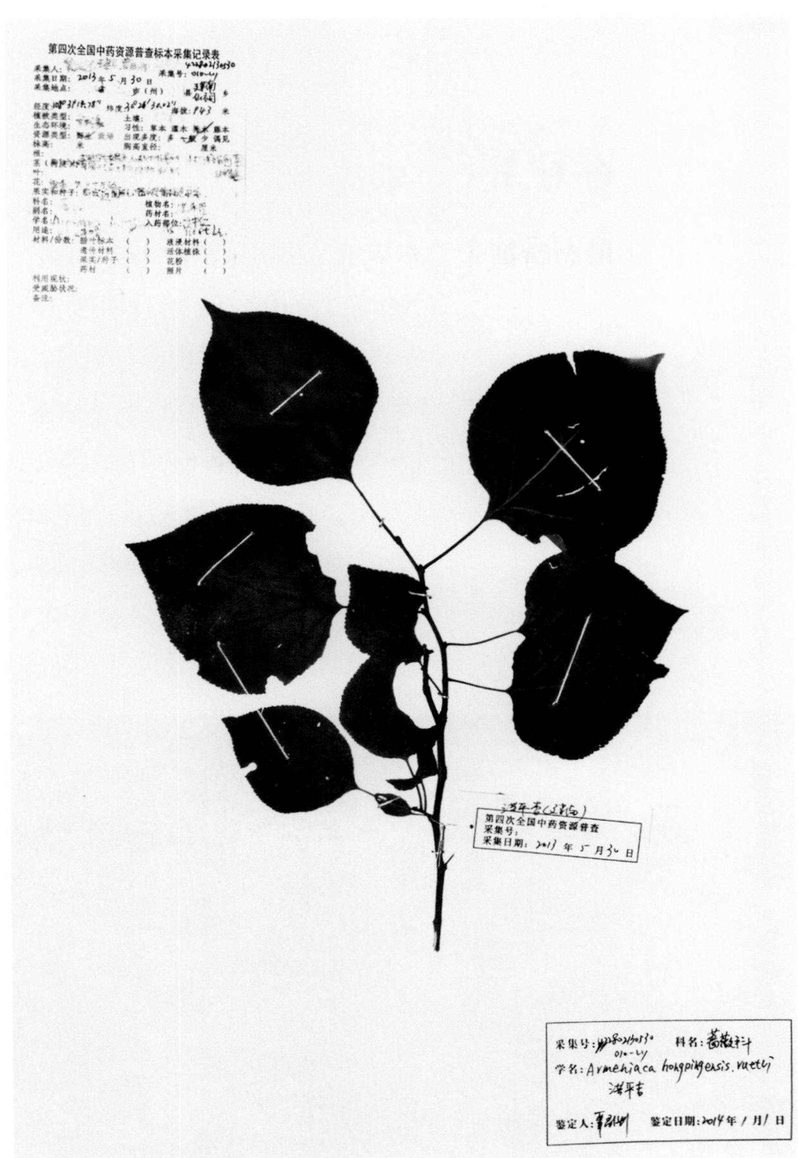

蔷薇科 Rosaceae 杏属 *Armeniaca*

梅 *Armeniaca mume* Sieb.

| **药材名** | 乌梅。

| **形态特征** | 小乔木，稀灌木，高 4 ～ 10 m。树皮浅灰色或带绿色，平滑；小枝绿色，光滑无毛。叶片卵形或椭圆形，长 4 ～ 8 cm，宽 2.5 ～ 5 cm，先端尾尖，基部宽楔形至圆形，叶边常具小锐锯齿，灰绿色，幼嫩时两面被短柔毛，后毛逐渐脱落，或仅下面脉腋具短柔毛；叶柄长 1 ～ 2 cm，幼时具毛，老时脱落，常有腺体。花单生或 2 花同生于 1 芽内，直径 2 ～ 2.5 cm，香味浓，先于叶开放；花梗短，长 1 ～ 3 mm，常无毛；花萼通常红褐色，但有些品种的花萼为绿色或绿紫色；萼筒宽钟形，无毛或被短柔毛；萼片卵形或近圆形，先端圆钝；花瓣倒卵形，白色至粉红色；雄蕊短或稍长于花瓣；子房密被柔毛，

花柱短或稍长于雄蕊。果实近球形，直径 2 ~ 3 cm，黄色或绿白色，被柔毛，味酸；果肉与核粘贴；果核椭圆形，先端圆形而有小突尖头，基部渐狭成楔形，两侧微扁，腹棱稍钝，腹面和背棱上均有明显纵沟，表面具蜂窝状孔穴。花期冬季至翌年春季，果期翌年 5 ~ 6 月。

| 生境分布 | 湖北有分布。

| 采收加工 | **果实**：5 ~ 6 月间，当果实呈黄白色或青黄色、尚未完全成熟时采摘。按大小分开，分别置于炕上，用无烟火烘焙，火力不宜过大，温度保持在 40 ℃左右。当烘焙至六成干时，轻轻翻动，使其干燥均匀。一般烘焙 2 ~ 3 昼夜，至果肉呈黄褐色，起皱皮，之后再闷 2 ~ 3 天，待变成黑色即成。

| 功能主治 | 敛肺止咳，涩肠止泻，止血，生津，安蛔。用于久咳不止，久泻久痢，尿血便血，崩漏，虚热烦渴，蛔厥腹痛，疮痈等。

蔷薇科 Rosaceae 杏属 *Armeniaca*

山杏 *Armeniaca sibirica* (L.) Lam.

| 药材名 |

山杏。

| 形态特征 |

灌木或小乔木，高 2 ~ 5 m。树皮暗灰色；小枝无毛，稀幼时疏生短柔毛，灰褐色或淡红褐色。叶片卵形或近圆形，长（3 ~ ）5 ~ 10 cm，宽（2.5 ~ ）4 ~ 7 cm，先端长渐尖至尾尖，基部圆形至近心形，叶边有细钝锯齿，两面无毛，稀下面脉腋具短柔毛；叶柄长 2 ~ 3.5 cm，无毛，有或无小腺体。花单生，直径 1.5 ~ 2 cm，先于叶开放；花瓣近圆形或倒卵形，白色或粉红色；雄蕊几与花瓣近等长；子房被短柔毛。果实扁球形，直径 1.5 ~ 2.5 cm，黄色或橘红色，有时具红晕，被短柔毛；果肉较薄而干燥，成熟时开裂，味酸、涩，不可食，成熟时沿腹缝线开裂；果核扁球形，易与果肉分离，两侧扁，先端圆形，基部一侧偏斜，不对称，表面较平滑，腹面宽而锐利；种仁味苦。花期 3 ~ 4 月，果期 6 ~ 7 月。

| 生境分布 |

生于海拔 700 ~ 2 000 m 的干燥向阳山坡上、丘陵草原或与落叶乔木、灌木混生。湖北有栽培。

| 采收加工 | **种仁：**6 月下旬至 7 月上旬果实成熟后采摘果实，取种仁，晾干。

| 功能主治 | 祛痰止咳，平喘，润肠，下气开痹。

蔷薇科 Rosaceae 假升麻属 *Aruncus*

假升麻 *Aruncus sylvester* Kostel.

| 药 材 名 |

升麻草。

| 形态特征 |

多年生草本，基部木质化，高达 1 ~ 3 m。茎圆柱形，无毛，带暗紫色。大型羽状复叶，通常二回，稀三回，总叶柄无毛；小叶片 3 ~ 9，菱状卵形、卵状披针形或长椭圆形，长 5 ~ 13 cm，宽 2 ~ 8 cm，先端渐尖，稀尾尖，基部宽楔形，稀圆形，边缘有不规则的尖锐重锯齿，近无毛或沿叶边具疏生柔毛；小叶柄长 4 ~ 10 mm 或近无柄；不具托叶。大型穗状圆锥花序，长 10 ~ 40 cm，直径 7 ~ 17 cm，外面被柔毛与稀疏星状毛，逐渐脱落，果期较少；花梗长约 2 mm；苞片线状披针形，微被柔毛；花直径 2 ~ 4 mm；萼筒杯状，微具毛；萼片三角形，先端急尖，全缘，近无毛；花瓣倒卵形，先端圆钝，白色；雄花具雄蕊 20，着生在萼筒边缘，花丝比花瓣长约 1 倍，有退化雌蕊；花盘盘状，边缘有 10 圆形突起；雌花心皮 3 ~ 4，稀 5 ~ 8，花柱顶生，微倾斜于背部，雄蕊短于花瓣。蓇葖果并立，无毛，果柄下垂；萼片宿存，开展，稀直立。花期 6 月，果期 8 ~ 9 月。

| 生境分布 | 生于海拔 1 800 ～ 3 100 m 的山沟、山坡杂木林下。分布于湖北丹江口，以及武汉、宜昌等。

| 采收加工 | **根**：秋季采挖，洗净，晒干。

| 功能主治 | 补虚，止痛。用于虚劳乏力，跌打劳伤，筋骨疼痛。

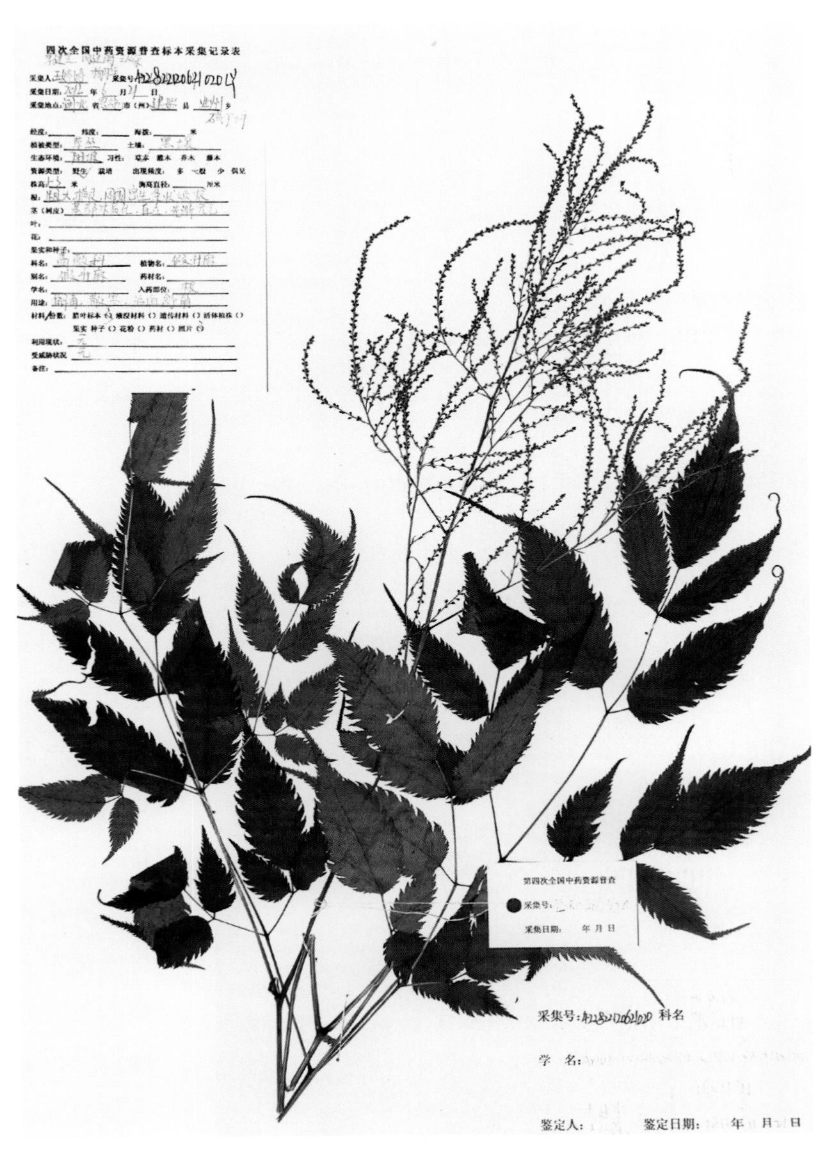

蔷薇科 Rosaceae 樱属 *Cerasus*

微毛樱桃 *Cerasus clarofolia* (C. K. Schneid.) Yu et Li

药材名

微毛樱桃。

形态特征

灌木或小乔木，高 2.5 ~ 20 m。树皮灰黑色；小枝灰褐色，嫩枝紫色或绿色，无毛或多少被疏柔毛。冬芽卵形，无毛。叶片卵形、卵状椭圆形或倒卵状椭圆形，长 3 ~ 6 cm，宽 2 ~ 4 cm，先端渐尖或骤尖，基部圆形，边有单锯齿或重锯齿，齿渐尖，齿端有小腺体或小腺体不明显，上面绿色，疏被短柔毛或无毛，下面淡绿色，无毛或被疏柔毛，侧脉 7 ~ 12 对；叶柄长 0.8 ~ 1 cm，无毛或被疏柔毛；托叶披针形，边有腺齿或有羽状分裂腺齿。花序伞形或近伞形，有花 2 ~ 4，花叶同开；总苞片褐色，匙形，长约 0.8 mm，宽 3 ~ 4 mm，外面无毛，内面被疏柔毛；总梗长 4 ~ 10 mm，无毛或被疏柔毛；苞片绿色，果时宿存，近卵形、卵状长圆形或近圆形，直径 2 ~ 5 mm，边有锯齿，齿端有锥状或头状腺体；花梗长 1 ~ 2 cm，无毛或被稀疏柔毛；萼筒钟状，无毛或几无毛，萼片卵状三角形或披针状三角形，先端急尖或渐尖，有腺齿或全缘；花瓣白色或粉红色，倒卵形至近圆形；雄蕊 20 ~ 30；花柱基部有疏柔毛，比雄蕊稍短或稍长，柱头头状。核果红色，长椭圆形，纵径 7 ～ 8 mm，横径 4 ～ 5 mm；果核表面微具棱纹。花期 4 ～ 6 月，果期 6 ～ 7 月。

| **生境分布** | 生于海拔 800 ～ 3 100 m 的山坡林中或灌丛中。湖北有分布。

| **功能主治** | 用于咳嗽，发热等。

蔷薇科 Rosaceae 樱属 *Cerasus*

华中樱桃 *Cerasus conradinae* (Koehne) T. T. Yu et C. L. Li

| 药 材 名 | 樱桃仁。

| 形态特征 | 乔木，高 3 ~ 10 m，树皮灰褐色。小枝灰褐色，嫩枝绿色，无毛。冬芽卵形，无毛。叶片倒卵形、长椭圆形或倒卵状长椭圆形，长 5 ~ 9 cm，宽 2.5 ~ 4 cm，先端骤渐尖，基部圆形，边缘有向前伸展锯齿，齿端有小腺体，上面绿色，下面淡绿色，两面均无毛，有侧脉 7 ~ 9 对；叶柄长 6 ~ 8 mm，无毛，有 2 腺；托叶线形，长约 6 mm，边缘有腺齿，花后脱落。伞形花序，有花 3 ~ 5，先于叶开放，直径约 1.5 cm；总苞片褐色，倒卵状椭圆形，长约 8 mm，宽约 4 mm，外面无毛，内面密被疏柔毛；总梗长 0.4 ~ 1.5 cm，稀总梗不明显，无毛；苞片褐色，宽扇形，长约 1.3 mm，有腺齿，果时脱落；

花梗长 1 ~ 1.5 cm，无毛；萼筒钟状管，长约 4 mm，宽约 3 mm，无毛，萼片三角状卵形，长约 2 mm，先端圆钝或急尖；花瓣白色或粉红色，卵形或倒卵圆形，先端 2 裂；雄蕊 32 ~ 43；花柱无毛，比雄蕊短或稍长。核果卵球形，红色，纵径 8 ~ 11 mm，横径 5 ~ 9 mm；核表面棱纹不显著。花期 3 月，果期 4 ~ 5 月。

| **生境分布** | 生于海拔 500 ~ 2 100 m 的沟边林中。湖北有分布。

| **功能主治** | 调中益脾，调气和血，平肝祛湿。

蔷薇科 Rosaceae 樱属 *Cerasus*

襄阳山樱桃 *Cerasus cyclamina* (Koehne) Yu et Li

| 药材名 | 襄阳山樱桃。

| 形态特征 | 乔木，高 5 ~ 10 m。树皮灰黑褐色；小枝灰褐色或紫褐色，无毛，稀被疏柔毛。冬芽卵形，无毛。叶片倒卵状长圆形，长 4.5 ~ 12 cm，宽 2.7 ~ 5.5 cm，先端骤尖，基部圆形或宽楔形，边有单锯齿或尖锐重锯齿，齿端有圆钝腺体，上面深绿色，无毛，下面淡绿色，初时沿脉有稀疏柔毛，以后脱落无毛，侧脉 9 ~ 11 对；叶柄长 0.8 ~ 1.2 cm，无毛，稀被疏柔毛，先端或中部有 2 腺体，或腺体着生在叶基部；托叶线形，比叶柄短，边缘有腺齿。花序近伞形，有花 3 ~ 4，花叶同开；总苞大，倒卵形，直径 0.8 ~ 1.3 cm，外面几无毛，内面密被柔毛；总梗长 0.8 ~ 2 cm，无毛或散生疏柔毛；

苞片圆形，直径 3 ~ 5 mm，边有长柄腺体；花梗长 1.5 ~ 2.6 cm，无毛或被稀疏柔毛；萼筒钟状，长 4 mm，无毛，萼片反折，披针形，先端圆钝，比萼筒长 1.5 ~ 2 倍；花瓣粉红色，长圆形，先端 2 裂；雄蕊约 32，稍短于花瓣；花柱比雄蕊稍长，无毛。核果红色，近球形，直径 7.5 ~ 8.3 mm；果核略具棱纹。花期 4 月，果期 5 ~ 6 月。

| 生境分布 | 生于海拔 1 000 ~ 1 300 m 的山地疏林中。湖北有分布。

| 采收加工 | **果实：**6 ~ 9 月成熟时采摘。

| 功能主治 | 健脾，益气，固精。用于食积泻痢，便秘，脚气，遗精滑泄。

蔷薇科 Rosaceae 樱属 *Cerasus*

麦李 *Cerasus glandulosa* (Thunb.) Lois.

| 药 材 名 | 麦李。

| 形态特征 | 灌木，高 0.5 ~ 1.5 m，稀达 2 m。小枝灰棕色或棕褐色，无毛或嫩枝被短柔毛。冬芽卵形，无毛或被短柔毛。叶片长圆状披针形或椭圆状披针形，长 2.5 ~ 6 cm，宽 1 ~ 2 cm，先端渐尖，基部楔形，最宽处在中部，边缘有细钝重锯齿，上面绿色，下面淡绿色，两面均无毛或在中脉上有疏柔毛，侧脉 4 ~ 5 对；叶柄长 1.5 ~ 3 mm，无毛或上面被疏柔毛；托叶线形，长约 5 mm。花单生或 2 簇生，花叶同开或近同开；花梗长 6 ~ 8 mm，几无毛；萼筒钟状，长宽近相等，无毛，萼片三角状椭圆形，先端急尖，边缘有锯齿；花瓣白色或粉红色，倒卵形；雄蕊 30；花柱稍比雄蕊长，无毛或基部有疏

柔毛。核果红色或紫红色，近球形，直径 1 ~ 1.3 cm。花期 3 ~ 4 月，果期 5 ~ 8 月。

| 生境分布 | 生于海拔 800 ~ 2 300 m 的山坡、沟边或灌丛中，也有庭园栽培。湖北有分布。

| 采收加工 | **果实：**7 ~ 8 月果实成熟时采摘，鲜用。

种仁：7 ~ 8 月果实成熟时采摘，除去果肉，收取果核，洗净，破核，取仁，晒干。

叶：夏、秋季采收，鲜用或晒干。

花：4 ~ 5 月花盛开时采摘一部分，晒干。

根：全年均可采挖，刮去粗皮，洗净，切段，晒干或鲜用。

根皮：全年均可采剥，采挖根部，洗净，剥取根皮，晒干。

| 功能主治 | **果实：**清热，生津，消积。用于虚劳骨蒸，消渴，食积。

种仁：散瘀，利水，润肠。用于跌打瘀血作痛，痰饮咳嗽，水气肿满，大便秘结，虫蝎螫痛。

叶：清热解毒。用于壮热惊痫，肿毒溃烂。

花：泽面。用于粉滓黑黯，斑点。

根：清热解毒，利湿。用于疮疡肿毒，热淋，痢疾，带下。

根皮：降逆，燥湿，清热解毒。用于气逆奔豚，湿热痢疾，赤白带下，消渴，脚气，丹毒疮痈。

蔷薇科 Rosaceae 樱属 *Cerasus*

樱桃 *Cerasus pseudocerasus* (Lindl.) G. Don

| 药 材 名 | 樱桃。

| 形态特征 | 乔木，高 2 ~ 6 m，树皮灰白色。小枝灰褐色，嫩枝绿色，无毛或被疏柔毛。冬芽卵形，无毛。叶片卵形或长圆状卵形，长 5 ~ 12 cm，

宽 3 ~ 5 cm，先端渐尖或尾状渐尖，基部圆形，边缘有尖锐重锯齿，齿端有小腺体，上面暗绿色，近无毛，下面淡绿色，沿脉或脉间有稀疏柔毛，侧脉 9 ~ 11 对；叶柄长 0.7 ~ 1.5 cm，被疏柔毛，先端有 1 或 2 大腺体；托叶早落，披针形，有羽裂腺齿。花序伞房状或近伞形，有花 3 ~ 6，先叶开放；总苞倒卵状椭圆形，褐色，长约 5 mm，宽约 3 mm，边有腺齿；花梗长 0.8 ~ 1.9 cm，被疏柔毛；萼筒钟状，长 3 ~ 6 mm，宽 2 ~ 3 mm，外面被疏柔毛，萼片三角卵状圆形或卵状长圆形，先端急尖或钝，全缘，长为萼筒的 1/2 或超过 1/2；花瓣白色，卵圆形，先端下凹或 2 裂；雄蕊 30 ~ 35，栽培者可达 50；花柱与雄蕊近等长，无毛。核果近球形，红色，直径 0.9 ~ 1.3 cm。花期 3 ~ 4 月，果期 5 ~ 6 月。

| 生境分布 | 生于海拔 300 ~ 600 m 的山坡阳处或沟边。常栽培。分布于湖北十堰、宜昌等。

| 采收加工 | **果实及果皮：** 7 ~ 8 月果实成熟时采摘，鲜用，或采剥果皮，晒干。

果核： 7 ~ 8 月采摘成熟的果实，除去果肉，取核，洗净，晒干，生用。

根： 全年均可采挖，洗净，切段，晒干

| 功能主治 | **果实：** 补脾益肾。用于脾虚泄泻，肾虚遗精，腰腿疼痛，四肢不仁，瘫痪。

果核： 发表透疹，消瘤去瘢，行气止痛。用于痘疹初期透发不畅，皮肤瘢痕，瘿瘤，疝气疼痛。

根： 杀虫，调经，益气阴。用于月经不调，绦虫病，蛇虫咬伤，蛔虫病，经闭，劳倦内伤。

蔷薇科 Rosaceae 樱属 *Cerasus*

细齿樱桃 *Cerasus serrula* (Franch.) Yu et Li

| 药 材 名 | 野樱桃皮、野樱桃核、野樱桃根。

| 形态特征 | 冬芽尖卵形，鳞片外面无毛或有稀疏伏毛。叶片披针形至卵状披针形，长 3.5 ~ 7 cm，宽 1 ~ 2 cm，先端渐尖，基部圆形，边有尖锐的单锯齿或重锯齿，齿端有小腺体，叶片茎部有 3 ~ 5 大型腺体，上面深绿色，疏被柔毛，下面淡绿色，无毛或中脉下部两侧被疏柔毛，侧脉 11 ~ 16 对；叶柄长 5 ~ 8 mm，被稀疏柔毛或脱落几无毛；托叶线形，比叶柄短或与之近等长，花后脱落。花单生或 2，花叶同开，花直径约 1 cm；总苞片褐色，狭长椭圆形，长约 6 mm，宽约 3 mm，外面无毛，内面被疏柔毛，边有腺齿；总梗短或无；苞片褐色，卵状狭长圆形，长 2 ~ 2.5 mm，有腺齿；花

梗长 6 ～ 12 mm，被稀疏的柔毛；萼筒管状钟形，长 5 ～ 6 mm，宽约 3 mm，基部被稀疏柔毛，萼片卵状三角形，长 3 mm；花瓣白色，倒卵状椭圆形，先端圆钝；雄蕊 38 ～ 44；花柱比雄蕊长，无毛。核果成熟时紫红色，卵圆形，纵径约 1 cm，横径 6 ～ 7 mm；果核表面有显著棱纹；果柄长 1.5 ～ 2 cm，先端稍膨大。花期 5 ～ 6 月，果期 7 ～ 9 月。

| **生境分布** | 生于海拔 2 600 ～ 3 100 m 的山坡、山谷林中、林缘或山坡草地。湖北有分布。

| **采收加工** | **果实或果皮：**7 ～ 8 月果实成熟时采摘，鲜用；或剥取果皮，晒干。

果核：7 ～ 8 月采摘成熟的果实，除去果肉，取核洗净，晒干。

根：夏、秋季采挖，洗净，切段，晒干。

| **功能主治** | **果实或果皮：**清肺利咽，止咳。用于咽喉肿痛，声音嘶哑，咳嗽。

果核：清肺透疹。用于麻疹初起，疹出不畅。

根：调气活血，杀虫。用于月经不调，绦虫病。

蔷薇科 Rosaceae 樱属 *Cerasus*

山樱花 *Cerasus serrulata* (Lindl.) G. Don ex London

| 药 材 名 | 山樱花。

| 形态特征 | 乔木，高 3 ~ 8 m。树皮灰褐色或灰黑色；小枝灰白色或淡褐色，无毛。冬芽卵圆形，无毛。叶片卵状椭圆形或倒卵状椭圆形，长 5 ~ 9 cm，宽 2.5 ~ 5 cm，先端渐尖，基部圆形，边有渐尖单锯齿及重锯齿，齿尖有小腺体，上面深绿色，无毛，下面淡绿色，无毛，有侧脉 6 ~ 8 对；叶柄长 1 ~ 1.5 cm，无毛，先端有 1 ~ 3 圆形腺体；托叶线形，长 5 ~ 8 mm，边有腺齿，早落。花序伞房总状或近伞形，有花 2 ~ 3；总苞片褐红色，倒卵状长圆形，长约 8 mm，宽约 4 mm，外面无毛，内面被长柔毛；总梗长 5 ~ 10 mm，无毛；苞片褐色或淡绿褐色，长 5 ~ 8 mm，宽 2.5 ~ 4 mm，边有腺齿；花梗

长 1.5 ～ 2.5 cm，无毛或被极稀疏柔毛；萼筒管状，长 5 ～ 6 mm，宽 2 ～ 3 mm，先端扩大，萼片三角状披针形，长约 5 mm，先端渐尖或急尖，全缘；花瓣白色，稀粉红色，倒卵形，先端下凹；雄蕊约 38；花柱无毛。核果球形或卵球形，紫黑色，直径 8 ～ 10 mm。花期 4 ～ 5 月，果期 6 ～ 7 月。

| 生境分布 | 生于海拔 500 ～ 1 500 m 的山谷林中。湖北有分布。

| 功能主治 | 清肺透疹。用于麻疹透发不畅。

蔷薇科 Rosaceae 樱属 *Cerasus*

四川樱桃 *Cerasus szechuanica* (Batal.) Yu et Li

| 药 材 名 |

四川樱桃皮、四川樱桃根、四川樱桃核。

| 形态特征 |

乔木或灌木，高 3 ~ 7 m。小枝灰色或红褐色，无毛或被稀疏柔毛。冬芽长卵形，无毛。叶片卵状椭圆形、倒卵状椭圆形或长椭圆形，长 5 ~ 9 cm，宽 2.5 ~ 4 cm，先端尾尖或骤尖，基部圆形或宽楔形，边有重锯齿或单锯齿，齿端有小盘状、圆头状或锥状腺体，上面绿色，通常无毛或中脉被疏柔毛，下面淡绿色，无毛或被疏柔毛，侧脉 7 ~ 9 对；叶柄长 1 ~ 1.8 cm，无毛或被疏柔毛，先端常有 1 对盘状或头状腺体；托叶卵形至宽卵形，绿色，有缺刻状锯齿，齿尖有圆头状腺体。花序近伞房总状，长 4 ~ 9 cm，有花 2 ~ 5，下部苞片大多不孕或仅先端 1 ~ 3 苞片腋内着花；总苞片褐色，倒卵状长圆形，长 1 ~ 1.5 cm，先端最宽处宽 5 ~ 6 mm，无毛或几无毛，边有圆头状腺体；花轴无毛或被疏柔毛；苞片近圆形、宽卵形至长卵形，绿色，长 0.5 ~ 2.5 cm，宽 0.5 ~ 1.2 cm，先端圆钝，边有盘状腺体；花梗长 1 ~ 2 cm，无毛或被稀疏柔毛；萼筒钟状，长约 5 mm，先端最宽处宽 4 ~ 5 mm，外面无毛或有稀疏柔毛，萼片三角状披针形，先端渐尖，边有头状腺体，与萼筒近等长或较之稍短；花瓣白色或淡红色，近圆形，先端啮蚀状；雄蕊 40 ~ 47；花柱与雄蕊近等长，无毛或有稀疏柔毛，柱头盘状。核果紫红色，卵球形，纵径 8 ~ 10 mm，横径 7 ~ 8 mm；果核表面有棱纹。花期 4 ~ 6 月，果期 6 ~ 8 月。

| 生境分布 | 生于海拔 1 500 ~ 2 600 m 的林中或林缘。湖北有分布。

| 采收加工 | **果实或果皮：**7 ~ 8 月果实成熟时采摘，鲜用；或剥取果皮，晒干。

果核：7 ~ 8 月采摘成熟的果实，除去果肉，取核洗净，晒干。

根：夏、秋季采挖，洗净，切段，晒干。

| 功能主治 | **果实或果皮：**清肺利咽，止咳。用于咽喉肿痛，声音嘶哑，咳嗽。

果核：清肺透疹。用于麻疹初起，疹出不畅。

根：调气活血，杀虫。用于月经不调，绦虫病。

蔷薇科 Rosaceae 樱属 *Cerasus*

毛樱桃 *Cerasus tomentosa* (Thunb.) Wall.

| 药材名 | 山樱桃。

| 形态特征 | 灌木，通常高 0.3 ~ 1 m，稀呈小乔木状，高可达 2 ~ 3 m。小枝紫褐色或灰褐色，嫩枝从密被绒毛到无毛；冬芽卵形，疏被短柔毛或无毛。叶片卵状椭圆形或倒卵状椭圆形，长 2 ~ 7 cm，宽 1 ~ 3.5 cm，先端急尖或渐尖，基部楔形，边缘有急尖或粗锐锯齿，上面暗绿色或深绿色，被疏柔毛，下面灰绿色，密被灰色绒毛或以后变为稀疏，侧脉 4 ~ 7 对；叶柄长 2 ~ 8 mm，被绒毛或脱落稀疏；托叶线形，长 3 ~ 6 mm，被长柔毛。花单生或 2 簇生，花叶同开，近先于叶开放或先于叶开放；花梗长达 2.5 mm 或近无梗；萼筒管状或杯状，长 4 ~ 5 mm，外面被短柔毛或无毛，萼片三角状卵形，

先端圆钝或急尖，长 2 ~ 3 mm，内外两面，内面被短柔毛或无毛；花瓣白色或粉红色，倒卵形，先端圆钝；雄蕊 20 ~ 25，短于花瓣；花柱伸出，与雄蕊近等长或稍长；子房全部被毛或仅先端或基部被毛。核果近球形，红色，直径 0.5 ~ 1.2 cm；核表面除棱脊两侧有纵沟外，无棱纹。花期 4 ~ 5 月，果期 6 ~ 9 月。

| 生境分布 | 生于海拔 100 ~ 3 100 m 的山坡林中、林缘、灌丛中或草地。湖北有分布。

| 采收加工 | **果实**：6 ~ 9 月果实成熟时采摘。

| 功能主治 | 健脾，益气，固精。用于食积泻痢，便秘，脚气，遗精滑泄。

蔷薇科 Rosaceae 樱属 *Cerasus*

东京樱花 *Cerasus yedoensis* (Matsum.) Yu et Li

| 药 材 名 | 东京樱花。

| 形态特征 | 乔木，高 4 ~ 16 m。树皮灰色；小枝淡紫褐色，无毛，嫩枝绿色，被疏柔毛。冬芽卵圆形，无毛。叶片椭圆状卵形或倒卵形，长 5 ~ 12 cm，宽 2.5 ~ 7 cm，先端渐尖或骤尾尖，基部圆形，稀楔形，边有尖锐重锯齿，齿端渐尖，有小腺体，上面深绿色，无毛，下面淡绿色，沿脉被稀疏柔毛，有侧脉 7 ~ 10 对；叶柄长 1.3 ~ 1.5 cm，密被柔毛，先端有 1 ~ 2 腺体或无；托叶披针形，有羽裂腺齿，被柔毛，早落。花序伞形总状，总梗极短，有花 3 ~ 4，花先叶开放，直径 3 ~ 3.5 cm；总苞片褐色，椭圆状卵形，长 6 ~ 7 mm，宽 4 ~ 5 mm，两面被疏柔毛；苞片褐色，匙状长圆形，长约 5 mm，

宽 2 ~ 3 mm，边有腺体；花梗长 2 ~ 2.5 cm，被短柔毛；萼筒管状，长 7 ~ 8 mm，宽约 3 mm，被疏柔毛；萼片三角状长卵形，长约 5 mm，先端渐尖，边有腺齿；花瓣白色或粉红色，椭圆状卵形，先端下凹；雄蕊约 32，短于花瓣；花柱基部有疏柔毛。核果近球形，直径 0.7 ~ 1 cm，黑色，核表面略具棱纹。花期 4 月，果期 5 月。

| **生境分布** | 湖北有栽培。

| **功能主治** | 宣肺止咳。用于咳嗽。

蔷薇科 Rosaceae 木瓜海棠属 *Chaenomeles*

毛叶木瓜 *Chaenomeles cathayensis* (Hemsl.) C. K. Schneid.

| 药 材 名 | 楂子。

| 形态特征 | 落叶灌木至小乔木，高 2 ~ 6 m。枝条直立，具短枝刺；小枝圆柱形，微屈曲，无毛，紫褐色，有疏生浅褐色皮孔；冬芽三角状卵形，先端急尖，无毛，紫褐色。叶片椭圆形、披针形至倒卵状披针形，长 5 ~ 11 cm，宽 2 ~ 4 cm，先端急尖或渐尖，基部楔形至宽楔形，边缘有芒状细尖锯齿，上半部有时形成重锯齿，下半部锯齿较稀，有时近全缘，幼时上面无毛，下面密被褐色绒毛，以后脱落近无毛；叶柄长约 1 cm，有毛或无毛；托叶草质，肾形、耳形或半圆形，边缘有芒状细锯齿，下面被褐色绒毛。花先叶开放，2 ~ 3 花簇生于二年生枝上，花梗短粗或近无；花直径 2 ~ 4 cm；萼筒钟

状，外面无毛或稍有短柔毛；萼片直立，卵圆形至椭圆形，长 3 ~ 5 mm，宽 3 ~ 4 mm，先端圆钝至截形，全缘或有浅齿及黄褐色睫毛；花瓣倒卵形或近圆形，长 10 ~ 15 mm，宽 8 ~ 15 mm，淡红色或白色；雄蕊 45 ~ 50，长约为花瓣之半；花柱 5，基部合生，下半部被柔毛或绵毛，柱头头状。果实卵球形或近圆柱形，先端有突起，长 8 ~ 12 cm，宽 6 ~ 7 cm，黄色，有红晕，味芳香。花期 3 ~ 5 月，果期 9 ~ 10 月。

| 生境分布 | 生于海拔 900 ~ 2 500 m 的山坡、林边、道旁。湖北各地均有分布。

| 采收加工 | **果实：**9 ~ 10 月果实成熟时采摘，纵削为两半或散片，用沸水烫后，晒干或烘干。

| 功能主治 | 和胃化湿，舒筋活络。用于呕吐腹泻，腰膝酸痛，脚气肿痛，腓肠肌痉挛。

蔷薇科 Rosaceae 木瓜海棠属 *Chaenomeles*

皱皮木瓜 *Chaenomeles speciosa* (Sweet) Nakai

| 药 材 名 | 木瓜。

| 形态特征 | 落叶灌木，高达 2 m，枝条直立开展，有刺；小枝圆柱形，微屈曲，无毛，紫褐色或黑褐色，有疏生浅褐色皮孔；冬芽三角状卵形，先端急尖，近无毛或在鳞片边缘具短柔毛，紫褐色。叶片卵形至椭圆形，稀长椭圆形，长 3 ~ 9 cm，宽 1.5 ~ 5 cm，先端急尖稀圆钝，基部楔形至宽楔形，边缘具有尖锐锯齿，齿尖开展，无毛或在萌蘖上沿下面叶脉有短柔毛；叶柄长约 1 cm；托叶大形，草质，肾形或半圆形，稀卵形，长 5 ~ 10 mm，宽 12 ~ 20 mm，边缘有尖锐重锯齿，无毛。花先于叶开放，3 ~ 5 簇生于二年生老枝上；花梗短粗，长约 3 mm 或近无柄；花直径 3 ~ 5 cm；萼筒钟状，外面无毛；萼片

直立，半圆形，稀卵形，长 3 ~ 4 mm，宽 4 ~ 5 mm，长约为萼筒的 1/2，先端圆钝，全缘或有波状齿，具黄褐色睫毛；花瓣倒卵形或近圆形，基部延伸成短爪，长 10 ~ 15 mm，宽 8 ~ 13 mm，猩红色，稀淡红色或白色；雄蕊 45 ~ 50，长约为花瓣的 1/2；花柱 5，基部合生，无毛或稍有毛，柱头头状，有不显明分裂，约与雄蕊等长。果实球形或卵球形，直径 4 ~ 6 cm，黄色或带黄绿色，有稀疏不明显斑点，味芳香；萼片脱落，果柄短或近无柄。花期 3 ~ 5 月，果期 9 ~ 10 月。

| 生境分布 | 分布于湖北西部山区。

| 采收加工 | **果实：**9 ~ 10 月采收成熟果实，置沸水中煮 5 ~ 10 分钟，捞出，晒至外皮起皱时，纵剖为 2 或 4 块，再晒至颜色变红色为度。若日晒夜露经霜，则颜色更为鲜艳。

| 功能主治 | 平肝舒筋，和胃化湿。用于湿痹拘挛，腰膝关节酸重疼痛，吐泻转筋，脚气水肿。

蔷薇科 Rosaceae 栒子属 *Cotoneaster*

灰栒子 *Cotoneaster acutifolius* Turcz.

| 药 材 名 | 灰栒子。

| 形态特征 | 落叶灌木，高 2 ~ 4 m；枝条开张，小枝细瘦，圆柱形，棕褐色或红褐色，幼时被长柔毛。叶片椭圆状卵形至长圆状卵形，长 2.5 ~ 5 cm，宽 1.2 ~ 2 cm，先端急尖，稀渐尖，基部宽楔形，全缘，幼时两面均被长柔毛，下面较密，老时逐渐脱落，最后常近无毛；叶柄长 2 ~ 5 mm，具短柔毛；托叶线状披针形，脱落。花 2 ~ 5 成聚伞花序，总花梗和花梗被长柔毛；苞片线状披针形，微具柔毛；花梗长 3 ~ 5 mm；花直径 7 ~ 8 mm；萼筒钟状或短筒状，外面被短柔毛，内面无毛；萼片三角形，先端急尖或稍钝，外面具短柔毛，内面先端微具柔毛；花瓣直立，宽倒卵形或长圆形，长约 4 mm，宽

3 mm，先端圆钝，白色外带红晕；雄蕊 10 ~ 15，比花瓣短；花柱通常 2，离生，短于雄蕊，子房先端密被短柔毛。果实椭圆形，稀倒卵形，直径 7 ~ 8 mm，黑色，内有小核 2 ~ 3。花期 5 ~ 6 月，果期 9 ~ 10 月。

| 生境分布 | 生于海拔 1 400 ~ 3 100 m 的山坡、山麓、山沟及丛林中。湖北有分布。

| 采收加工 | **枝叶、果实：** 6 ~ 8 月采收枝叶，切段，晒干；9 ~ 10 月采摘果实，晒干。

| 功能主治 | 凉血止血，解毒敛疮。用于鼻衄，牙龈出血，月经过多，烫火伤。

蔷薇科 Rosaceae 栒子属 *Cotoneaster*

匍匐栒子 *Cotoneaster adpressus* Bois

| 药材名 | 匍匐灰栒子。

| 形态特征 | 落叶匍匐灌木，茎不规则分枝，平铺地上；小枝细瘦，圆柱形，幼嫩时具糙伏毛，逐渐脱落，红褐色至暗灰色。叶片宽卵形或倒卵形，稀椭圆形，长 5 ~ 15 mm，宽 4 ~ 10 mm，先端圆钝或稍急尖，基部楔形，全缘而呈波状，上面无毛，下面具稀疏短柔毛或无毛；叶柄长 1 ~ 2 mm，无毛；托叶钻形，成长时脱落。花 1 ~ 2，几无梗，直径 7 ~ 8 mm；萼筒钟状，外具稀疏短柔毛，内面无毛；萼片卵状三角形，先端急尖，外面有稀疏短柔毛，内面常无毛；花瓣直立，倒卵形，长约 4.5 mm，宽几与长相等，先端微凹或圆钝，粉红色；雄蕊 10 ~ 15，短于花瓣；花柱 2，离生，比雄蕊短；子房顶部有短

柔毛。果实近球形，直径 6 ~ 7 mm，鲜红色，无毛，通常有 2 小核，稀 3 小核。花期 5 ~ 6 月，果期 8 ~ 9 月。

| 生境分布 | 生于海拔 1 900 ~ 3 100 m 的山坡杂木林边及岩石山坡。湖北有分布。

| 功能主治 | 祛风除湿，健胃消食，降血压，化瘀滞。

蔷薇科 Rosaceae 栒子属 *Cotoneaster*

矮生栒子 *Cotoneaster dammeri* C. K. Schneid.

| 药材名 | 矮生栒子。

| 形态特征 | 常绿灌木，枝匍匐于地面，常生不定根；小枝暗灰褐色，幼时微被淡黄色平贴柔毛，不久即脱落无毛。叶片厚革质，椭圆形至椭圆状长圆形，长 1 ~ 3 cm，宽 0.7 ~ 2.2 cm，先端圆钝、微缺或急尖，基部宽楔形至圆形，上面光亮无毛，叶脉下陷，下面微带苍白色，幼时具平贴柔毛，不久即脱落，侧脉 4 ~ 6 对，微凸起；叶柄长 2 ~ 3 mm，幼时具淡黄色柔毛，以后逐渐脱落无毛；托叶线状披针形，微具柔毛，多数脱落。花通常单生，直径约 1 cm，有时 2 ~ 3；花梗长 4 ~ 5 mm，有时长达 1 cm，具稀疏柔毛；萼筒钟状，外面微具柔毛，内面无毛；萼片三角形，先端通常急尖，外面疏生柔

毛，内面无毛或仅先端沿边缘微具稀柔毛；花瓣平展，近圆形或宽卵形，直径 4 ~ 5 mm，先端圆钝，基部具短爪，白色；雄蕊 20，长短不一，有的几与花瓣等长，有的短于花瓣；花药紫色；花柱 5，离生，约与雄蕊等长；子房先端具柔毛。果实近球形，直径 6 ~ 7 mm，鲜红色，通常具 4 ~ 5 小核。花期 5 ~ 6 月，果期 10 月。

| 生境分布 | 生于海拔 1 300 ~ 2 600 m 的多石山地或稀疏杂木林内。湖北有分布。

| 资源情况 | 野生资源较少。药材主要来源于野生。

| 功能主治 | 清热利湿。用于干咳失音，脾湿发黄，肠风下血，小便短少。

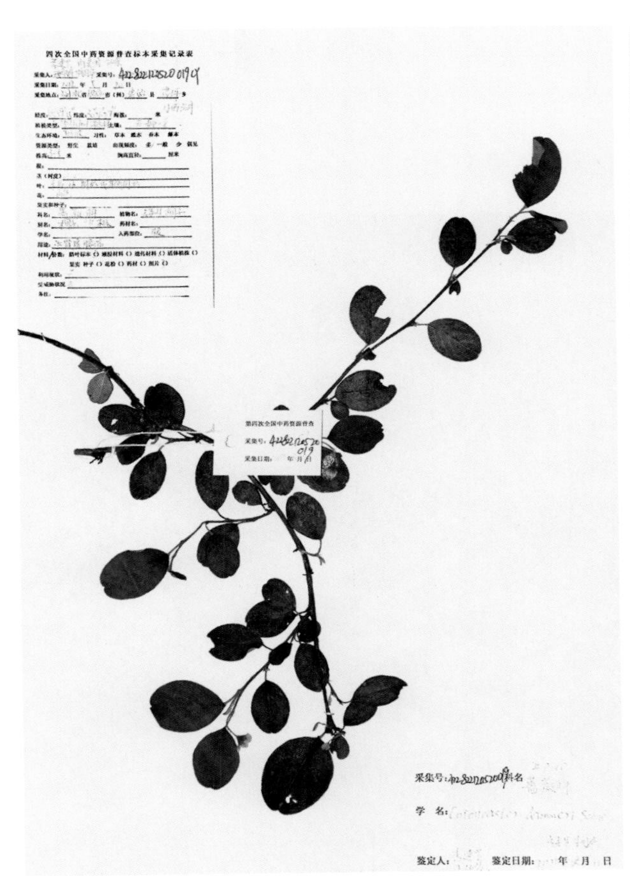

蔷薇科 Rosaceae 栒子属 *Cotoneaster*

木帚栒子 *Cotoneaster dielsianus* E. Pritz. ex Diels

| 药 材 名 | 木帚栒子。

| 形态特征 | 落叶灌木，高 1 ~ 2 m，枝条开展下垂；小枝通常细瘦，圆柱形，灰黑色或黑褐色，幼时密被长柔毛。是中国的特有植物。

| 生境分布 | 生于海拔 1 000 ~ 3 100 m 的荒坡、沟谷、草地或灌丛中。湖北有分布。

| 功能主治 | 活血止血。用于外伤出血，跌打损伤。

第四次全国中药资源普查标本采集记录表
第四次全国中药资源普查
采集号：
采集日期：2012 年 6 月 17 日
采集号：
科名：
学名：
鉴定人：
鉴定日期：

蔷薇科 Rosaceae 栒子属 *Cotoneaster*

平枝栒子 *Cotoneaster horizontalis* Decne.

| 药材名 | 水莲沙。

| 形态特征 | 半常绿匍匐灌木，高在 0.5 m 以下。小枝排成 2 列，幼时被糙伏毛。叶片近圆形或宽椭圆形，稀倒卵形，先端急尖，基部楔形，全缘，上面无毛，下面有稀疏伏贴柔毛；叶柄被柔毛；托叶钻形，早落。花 1 ～ 2 顶生或腋生，近无梗，花瓣粉红色，倒卵形，先端圆钝；雄蕊约 12；子房先端有柔毛，离生。果实近球形，鲜红色。花期 5 ～ 6 月，果期 9 ～ 10 月。

| 生境分布 | 生于海拔 1 000 m 以上的山坡、山脊灌丛中或岩缝中。湖北有分布。

| 采收加工 | **根：**全年均可采挖。

| 功能主治 | 凉血止血，解毒敛疮。用于鼻衄，牙龈出血，月经过多。

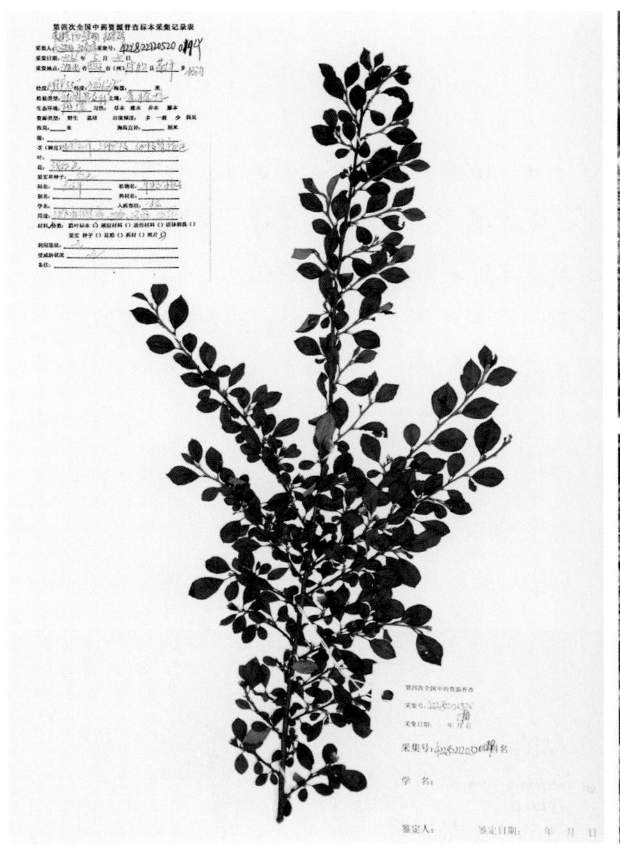

蔷薇科 Rosaceae 栒子属 *Cotoneaster*

小叶栒子 *Cotoneaster microphyllus* Wall. ex Lindl.

| 药 材 名 | 黑牛筋。

| 形态特征 | 常绿矮生灌木，高达 1 m；枝条开展，小枝圆柱形，红褐色至黑褐色，幼时具黄色柔毛，逐渐脱落。叶片厚革质，倒卵形至长圆状倒卵形，长 4 ~ 10 mm，宽 3.5 ~ 7 mm，先端圆钝，稀微凹或急尖，基部宽楔形，上面无毛或具稀疏柔毛，下面被带灰白色短柔毛，叶边反卷；叶柄长 1 ~ 2 mm，有短柔毛；托叶细小，早落。花通常单生，稀 2 ~ 3，直径约 1 cm，花梗甚短；萼筒钟状，外面有稀疏短柔毛，内面无毛；萼片卵状三角形，先端钝，外面稍具短柔毛，内面无毛或仅先端边缘上有少数柔毛；花瓣平展，近圆形，长、宽均约 4 mm，先端钝，白色；雄蕊 15 ~ 20，短于花瓣；花柱 2，离生，

稍短于雄蕊；子房先端有短柔毛。果实球形，直径 5 ～ 6 mm，红色，内常具 2 小核。花期 5 ～ 6 月，果期 8 ～ 9 月。

| **生境分布** | 生于海拔 2 500 ～ 3 100 m 的多石山坡地、灌丛中。湖北有分布。

| **采收加工** | **叶**：秋季采收，鲜用或晒干。

| **功能主治** | 止血生肌。用于刀伤。

蔷薇科 Rosaceae 栒子属 *Cotoneaster*

西北栒子 *Cotoneaster zabelii* Schneid.

| 药材名 | 西北栒子。

| 形态特征 | 落叶灌木，高达 2 m；枝条细瘦开张，小枝圆柱形，深红褐色，幼时密被带黄色柔毛，老时无毛。叶片椭圆形至卵形，长 1.2 ~ 3 cm，宽 1 ~ 2 cm，先端多数圆钝，稀微缺，基部圆形或宽楔形，全缘，上面具稀疏柔毛，下面密被带黄色或带灰色绒毛；叶柄长 1 ~ 3 mm，被绒毛；托叶披针形，有毛，在果期多数脱落。花 3 ~ 13 成下垂聚伞花序，总花梗和花梗被柔毛；花梗长 2 ~ 4 mm；萼筒钟状，外面被柔毛；萼片三角形，先端稍钝或具短尖头，外面具柔毛，内面几无毛或仅沿边缘有少数柔毛；花瓣直立，倒卵形或近圆形，直径 2 ~ 3 mm，先端圆钝，浅红色；雄蕊 18 ~ 20，较花瓣短；花柱 2，

离生，短于雄蕊，子房先端具柔毛。果实倒卵形至卵球形，直径 7 ~ 8 mm，鲜红色，常具 2 小核。花期 5 ~ 6 月，果期 8 ~ 9 月。

| 生境分布 | 生于海拔 800 ~ 2 500 m 的石灰岩山地、山坡阴处、沟谷边、灌丛中。湖北有分布。

| 功能主治 | 活血止血，涩肠止泻。用于崩漏，腹泻，腰痛。

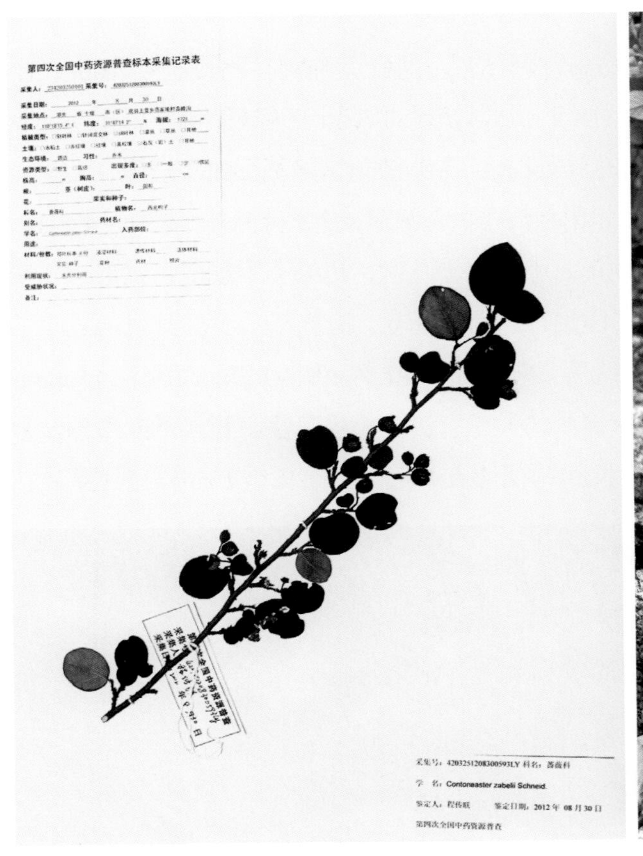

蔷薇科 Rosaceae 山楂属 *Crataegus*

野山楂 *Crataegus cuneata* Siebold et Zucc.

| 药材名 | 野山楂。

| 形态特征 | 落叶灌木，高达 15 m，分枝密，通常具细刺，刺长 5 ~ 8 mm；小枝细弱，圆柱形，有棱，幼时被柔毛，一年生枝紫褐色，无毛，老枝灰褐色，散生长圆形皮孔；冬芽三角状卵形，先端圆钝，无毛，紫褐色。叶片宽倒卵形至倒卵状长圆形，长 2 ~ 6 cm，宽 1 ~ 4.5 cm，先端急尖，基部楔形，下延连于叶柄，边缘有不规则重锯齿，先端常有 3 或稀 5 ~ 7 浅裂片，上面无毛，有光泽，下面具稀疏柔毛，沿叶脉较密，以后脱落，叶脉显著；叶柄两侧有叶翼，长 4 ~ 15 mm；托叶大形，草质，镰状，边缘有齿。伞房花序，直径 2 ~ 2.5 cm，具花 5 ~ 7，总花梗和花梗均被柔毛；花梗长约 1 cm；苞片草质，

披针形，条裂或有锯齿，长 8 ～ 12 mm，脱落很迟；花直径约 1.5 cm；萼筒钟状，外被长柔毛，萼片三角状卵形，长约 4 mm，约与萼筒等长，先端尾状渐尖，全缘或有齿，内外两面均具柔毛；花瓣近圆形或倒卵形，长 6 ～ 7 mm，白色，基部有短爪；雄蕊 20，花药红色；花柱 4 ～ 5，基部被绒毛。果实近球形或扁球形，直径 1 ～ 1.2 cm，红色或黄色，常具有宿存反折萼片或 1 苞片；小核 4 ～ 5，内面两侧平滑。花期 5 ～ 6 月，果期 9 ～ 11 月。

| **生境分布** | 生于海拔 50 ～ 800 m 的山坡上。分布于湖北鹤峰、江夏、崇阳。

| **资源情况** | 野生资源丰富，栽培资源稀少。药材来源于野生。

| **采收加工** | **果实**：秋后果实变成红色，果点明显时采收。用剪刀剪断果柄，或摘下，横切成两半，或切片后晒干。

| **功能主治** | 健脾消食，活血化瘀。用于食滞肉积，脘腹胀痛，产后瘀痛，漆疮，冻疮。

蔷薇科 Rosaceae 山楂属 *Crataegus*

湖北山楂 *Crataegus hupehensis* Sarg.

| 药 材 名 | 野山楂。

| 形态特征 | 乔木或灌木，高达 3 ~ 5 m，枝条开展；刺少，直立，长约 1.5 cm，也常无刺；小枝圆柱形，无毛，紫褐色，有疏生浅褐色皮孔，二年生枝条灰褐色；冬芽三角状卵形至卵形，先端急尖，无毛，紫褐色。叶片卵形至卵状长圆形，长 4 ~ 9 cm，宽 4 ~ 7 cm，先端短渐尖，基部宽楔形或近圆形，边缘有圆钝锯齿，上半部具 2 ~ 4 对浅裂片，裂片卵形，先端短渐尖，无毛或仅下部脉腋有髯毛；叶柄长 3.5 ~ 5 cm，无毛；托叶草质，披针形或镰形，边缘具腺齿，早落。伞房花序，直径 3 ~ 4 cm，具多花；总花梗和花梗均无毛，花梗长 4 ~ 5 mm；苞片膜质，线状披针形，边缘有齿，早落；花直径

约 1 cm；萼筒钟状，外面无毛；萼片三角状卵形，先端尾状渐尖，全缘，长 3 ~ 4 mm，稍短于萼筒，内外两面皆无毛；花瓣卵形，长约 8 mm，宽约 6 mm，白色；雄蕊 20，花药紫色，比花瓣稍短；花柱 5，基部被白色绒毛，柱头头状。果实近球形，直径 2.5 cm，深红色，有斑点，萼片宿存，反折；小核 5，两侧平滑。花期 5 ~ 6 月，果期 8 ~ 9 月。

| 生境分布 | 生于海拔 500 ~ 2 000 m 的山坡灌丛中。分布于湖北兴山、房县。

| 资源情况 | 野生资源丰富，栽培资源稀少。药材来源于野生。

| 采收加工 | **果实：**秋后果实变成红色，果点明显时采收。用剪刀剪断果柄，或摘下，横切成两半，或切片后晒干。

| 功能主治 | 健脾消食，活血化瘀。用于食滞肉积，脘腹胀痛，产后瘀痛，漆疮，冻疮。

蔷薇科 Rosaceae 山楂属 *Crataegus*

毛山楂 *Crataegus maximowiczii* Schneid.

| 药 材 名 |

野山楂。

| 形态特征 |

灌木或小乔木，高达 7 m，无刺或有刺。刺长 1.5 ~ 3.5 cm；小枝粗壮，圆柱形，嫩时密被灰白色柔毛，二年生枝无毛，紫褐色，多年生枝灰褐色，有光泽，疏生长圆形皮孔；冬芽卵形，先端圆钝，无毛，有光泽，紫褐色。叶片宽卵形或菱状卵形，长 4 ~ 6 cm，宽 3 ~ 5 cm，先端急尖，基部楔形，边缘每侧各有 3 ~ 5 浅裂并疏生重锯齿，上面散生短柔毛，下面密被灰白色长柔毛，沿叶脉毛较密；叶柄长 1 ~ 2.5 cm，被稀疏柔毛；托叶膜质，半月形或卵状披针形，先端渐尖，边缘有深锯齿，长 4 ~ 5 mm，脱落很早。复伞房花序，多花，直径 4 ~ 5 cm，总花梗和花梗均被灰白色柔毛，花梗长 3 ~ 8 mm；苞片膜质，线状披针形，长约 5 mm，边缘有腺齿，早落；花直径约 1.2 cm；萼筒钟状，外被灰白色柔毛，长约 4 mm；萼片三角状卵形或三角状披针形，先端渐尖或急尖，全缘，比萼筒稍短，外被灰白色柔毛，内面毛较少；花瓣近圆形，直径约 5 mm，白色；雄蕊 20，比花瓣短；花柱（2 ~ ）3 ~ 5，基部被柔毛，柱头头状。果实球形，直径约 8 mm，红色，幼时被柔毛，以后脱落无毛；萼片宿存，反折；小核 3 ～ 5，两侧有凹痕。花期 5 ～ 6 月，果期 8 ～ 9 月。

| 生境分布 | 生于海拔 200 ～ 1 000 m 的杂木林中或林边、河岸沟边及路边。湖北有栽培。

| 资源情况 | 栽培资源丰富。药材来源于栽培。

| 采收加工 | 秋后果实变成红色、果点明显时用剪刀剪断果柄或摘下，横切成两半或切片后晒干。

| 功能主治 | 健脾消食，活血化瘀。用于食滞肉积，脘腹胀痛，产后瘀滞腹痛，漆疮，冻疮。

蔷薇科 Rosaceae 山楂属 *Crataegus*

山楂 *Crataegus pinnatifida* Bunge

| 药 材 名 | 山楂。

| 形态特征 | 落叶乔木，高达 6 m。枝刺长 1 ~ 2 cm 或无。单叶互生；叶柄长 2 ~ 6 cm；叶片宽卵形或三角状卵形，稀菱状卵形，长 6 ~ 12 cm，宽 5 ~ 8 cm，有 2 ~ 4 对羽状裂片，先端渐尖，基部宽楔形，上面有光泽，下面沿叶脉被短柔毛，边缘有不规则重锯齿。伞房花序，直径 4 ~ 6 cm；萼筒钟状，5 齿裂；花冠白色，直径约 1.5 cm，花瓣 5，倒卵形或近圆形；雄蕊约 20，花药粉红色；雌蕊 1，子房下位，5 室，花柱 5。梨果近球形，直径可达 2.5 cm，深红色，有黄白色小斑点，萼片脱落很迟，先端留下 1 圆形深凹；小核 3 ~ 5，向外的一面稍具棱，向内两侧面平滑。花期 5 ~ 6 月，果期 8 ~ 10 月。

| 生境分布 | 生于海拔 100 ～ 1 500 m 的溪边、山谷、林缘或灌丛。湖北有分布。

| 采收加工 | **成熟果实**：秋季果实成熟时采摘，趁新鲜横切或纵切两瓣，晒干；或采摘后直接晒干。

| 功能主治 | 消食健胃，行气散瘀，化浊降脂。用于肉食积滞，胃脘胀满，泻痢腹痛，瘀血闭经，产后瘀阻，心腹刺痛，胸痹心痛，疝气疼痛，高脂血症。

蔷薇科 Rosaceae 山楂属 *Crataegus*

山里红 *Crataegus pinnatifida* Bunge var. *major* N. E. Br

| 药 材 名 | 山楂、山楂叶。

| 形态特征 | 落叶乔木，高可达 6 m。枝刺长 1 ~ 2 cm，或无刺。单叶互生；叶柄长 2 ~ 6 cm；叶片宽卵形或三角状卵形，稀菱状卵形，长 6 ~ 12 cm，宽 5 ~ 8 cm，有 2 ~ 4 对羽状裂片，先端渐尖，基部宽楔形，上面有光泽，下面沿叶脉被短柔毛，边缘有不规则重锯齿。伞房花序，直径 4 ~ 6 cm；萼筒钟状，5 齿裂；花冠白色，直径约 1.5 cm，花瓣 5，倒卵形或近圆形；雄蕊约 20，花药粉红色；雌蕊 1，子房下位，5 室，花柱 5。梨果近球形，直径可达 2.5 cm，深红色，有黄白色小斑点，萼片脱落很迟，先端留下一圆形的深洼；小核 3 ~ 5，向外的 1 面稍具棱，向内 2 侧面平滑。花期 5 ~ 6 月，果期 8 ~ 10 月。

| 生境分布 | 生于海拔 100 ~ 1 500 m 的溪边、山谷、林缘或灌丛中。湖北有分布。

| 资源情况 | 野生资源丰富，栽培资源丰富。药材来源于野生和栽培。

| 采收加工 | **山楂：** 9 ~ 10 月成熟后采收。采下后趁鲜横切或纵切成两瓣，晒干，或切成薄片，在 60 ~ 65℃下烘干。

山楂叶： 夏、秋季采收，晾干。

| 功能主治 | **山楂：** 消食健胃，行气散瘀，化浊降脂。用于肉食积滞，胃脘胀满，泻痢腹痛，瘀血经闭，产后瘀阻，心腹刺痛，胸痹心痛，疝气疼痛，高脂血症。焦山楂消食导滞作用增强。用于肉食积滞，泻痢不爽。

山楂叶： 活血化瘀，理气通脉，化浊降脂。用于气滞血瘀，胸痹心痛，胸闷憋气，心悸健忘，眩晕耳鸣，高脂血症。

蔷薇科 Rosaceae 山楂属 *Crataegus*

华中山楂 *Crataegus wilsonii* Sarg.

| 药 材 名 | 野山楂。

| 形态特征 | 落叶灌木，高达 7 m；刺粗壮，光滑，直立或微弯曲，长 1 ~ 2.5 cm；小枝圆柱形，稍有棱角，当年生枝被白色柔毛，深黄褐色，老枝灰褐色或暗褐色，无毛或近无毛，疏生浅色长圆形皮孔；冬芽三角状卵形，先端急尖，无毛，紫褐色。叶片卵形或倒卵形，稀三角状卵形，长 4 ~ 6.5 cm，宽 3.5 ~ 5.5 cm，先端急尖或圆钝，基部圆形、楔形或心形，边缘有尖锐锯齿，幼时齿尖有腺，通常在中部以上有 3 ~ 5 对浅裂片，裂片近圆形或卵形，先端急尖或圆钝，幼嫩时上面散生柔毛，下面中脉或沿侧脉微具柔毛；叶柄长 2 ~ 2.5 cm，有窄叶翼，幼时被白色柔毛，以后脱落；托叶披针形、镰形或卵形，

边缘有腺齿，脱落很早。伞房花序具多花，直径 3 ~ 4 cm；总花梗和花梗均被白色绒毛；花梗长 4 ~ 7 mm；苞片草质至膜质，披针形，先端渐尖，边缘有腺齿，脱落较迟；花直径 1 ~ 1.5 cm；萼筒钟状，外面通常被白色柔毛或无毛；萼片卵形或三角状卵形，长 3 ~ 4 mm，稍短于萼筒，先端急尖，边缘具齿，外面被柔毛；花瓣近圆形，长 6 ~ 7 mm，宽 5 ~ 6 mm，白色；雄蕊 20，花药玫瑰紫色；花柱 2 ~ 3，稀 1，基部有白色绒毛，比雄蕊稍短。果实椭圆形，直径 6 ~ 7 mm，红色，肉质，外面光滑无毛；萼片宿存，反折；小核 1 ~ 3，两侧有深凹痕。花期 5 月，果期 8 ~ 9 月。

| 生境分布 | 生于海拔 1 000 ~ 2 500 m 的山坡阴处密林中。分布于湖北巴东、房县、兴山、秭归、神农架。

| 资源情况 | 野生资源丰富，栽培资源稀少。药材来源于野生。

| 采收加工 | **果实：**秋后果实变成红色，果点明显时采收。用剪刀剪断果柄，或摘下，横切成两半，或切片后晒干。

| 功能主治 | 健脾消食，活血化瘀。用于食滞肉积，脘腹胀痛，产后瘀痛，漆疮，冻疮。

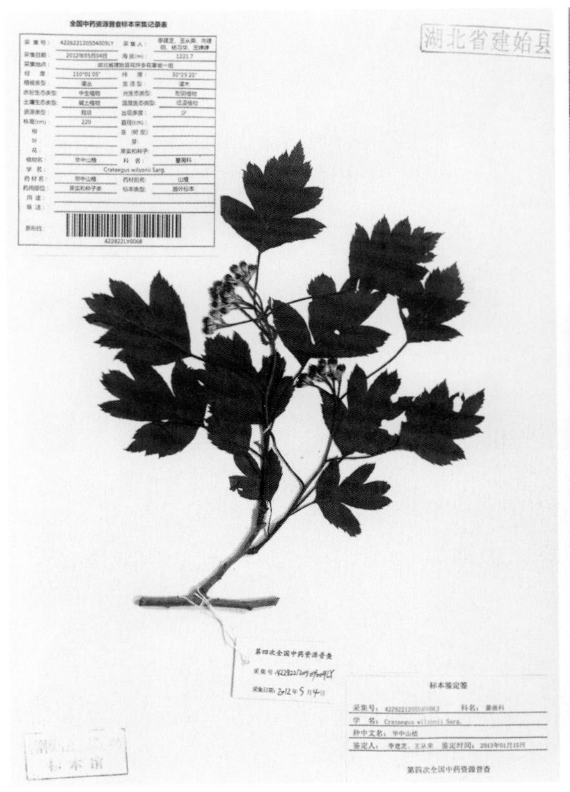

蔷薇科 Rosaceae 牛筋条属 *Dichotomanthus*

牛筋条 *Dichotomanthus tristaniaecarpa* Kurz

| 药 材 名 | 牛筋条。

| 形态特征 | 常绿灌木至小乔木，高 2 ～ 4 m。枝条丛生，小枝幼时密被黄白色绒毛，老时呈灰褐色，无毛；树皮光滑，暗灰色，密被皮孔。叶片长圆状披针形，有时倒卵形、倒披针形至椭圆形，长 3 ～ 6 cm，宽 1.5 ～ 2.5 cm，先端急尖或圆钝，并有凸尖，基部楔形至圆形，全缘，上面无毛或仅在中脉上有少数柔毛，光亮，下面幼时密被白色绒毛，逐渐稀薄，侧脉 7 ～ 12 对，在下面明显；叶柄粗壮，长 4 ～ 6 mm，密被黄白色绒毛；托叶丝状，不久脱落。花多数，密集成顶生复伞房花序，总花梗和花梗被黄白色绒毛；苞片披针形，膜质，早落；花梗长 2 ～ 3 mm；花直径 8 ～ 9 mm；萼筒钟状，外面密被绒毛，

内面被柔毛；萼片三角形，先端圆钝，边有腺齿，外面密被绒毛，内面无毛或几无毛；花瓣白色，平展，近圆形或宽卵形，长 3 ~ 4 mm，先端圆钝或微凹，基部有极短爪；雄蕊 20，短于花瓣，花丝光滑无毛；子房外被柔毛，花柱侧生，无毛，柱头头状。果期心皮干燥，革质，长圆柱状，先端稍具短柔毛，长 5 ~ 7 mm，褐色至黑褐色，突出于肉质红色杯状萼筒之中。花期 4 ~ 5 月，果期 8 ~ 11 月。

| 生境分布 | 生于海拔 1 500 ~ 2 300 m 的山坡空旷地杂木林中或常绿栎林边缘。湖北有栽培。

| 资源情况 | 栽培资源稀少。

| 功能主治 | 解毒消肿，止血止痛。

蔷薇科 Rosaceae 蛇莓属 *Duchesnea*

蛇莓 *Duchesnea indica* (Andr.) Focke

| 药材名 | 蛇莓。

| 形态特征 | 多年生草本；根茎短，粗壮；匍匐茎多数，长 30 ~ 100 cm，有柔毛。小叶片倒卵形至菱状长圆形，长 2 ~ 3.5（~ 5）cm，宽 1 ~ 3 cm，先端圆钝，边缘有钝锯齿，两面皆有柔毛，或上面无毛，具小叶柄；叶柄长 1 ~ 5 cm，有柔毛；托叶窄卵形至宽披针形，长 5 ~ 8 mm。花单生于叶腋；直径 1.5 ~ 2.5 cm；花梗长 3 ~ 6 cm，有柔毛；萼片卵形，长 4 ~ 6 mm，先端锐尖，外面有散生柔毛；副萼片倒卵形，长 5 ~ 8 mm，比萼片长，先端常具 3 ~ 5 锯齿；花瓣倒卵形，长 5 ~ 10 mm，黄色，先端圆钝；雄蕊 20 ~ 30；心皮多数，离生；花托在果期时膨大，海绵质，鲜红色，有光泽，直径 10 ~ 20 mm，

外面有长柔毛。瘦果卵形，长约 1.5 mm，光滑或具不明显突起，鲜时有光泽。花期 6 ~ 8 月，果期 8 ~ 10 月。

| 生境分布 | 生于海拔 1 800 m 以下的山坡、河岸、草地、潮湿的地方。分布于湖北宣恩、丹江口、江夏、黄陂、罗田。

| 资源情况 | 野生资源丰富，栽培资源稀少。药材来源于野生。

| 采收加工 | **全草：**6 ~ 11 月采收，洗净，晒干或鲜用。

| 功能主治 | 清热解毒，凉血止血，散瘀消肿。用于热病，惊厥，感冒，痢疾，黄疸，目赤，口疮，咽痛，痄腮，疖肿，毒蛇咬伤，吐血，崩漏，月经不调，烫火伤，跌打肿痛。

蔷薇科 Rosaceae 枇杷属 *Eriobotrya*

大花枇杷 *Eriobotrya cavaleriei* (H. Lév.) Rehd.

| 药 材 名 | 地枇杷。

| 形态特征 | 常绿乔木，高 4 ~ 6 m。小枝粗壮，棕黄色，无毛。叶片集生于枝顶，长圆形、长圆状披针形或长圆状倒披针形，长 7 ~ 18 cm，宽 2.5 ~ 7 cm，先端渐尖，基部渐狭，边缘具疏生内曲浅锐锯齿；近基部全缘，上面光亮，无毛，下面近无毛，中脉在两面凸起，侧脉 7 ~ 14 对，网脉在下面显著；叶柄长 1.5 ~ 4 cm，无毛。圆锥花序顶生，直径 9 ~ 12 cm；总花梗和花梗有稀疏棕色短柔毛；花梗粗壮，长 3 ~ 10 mm；花直径 1.5 ~ 2.5 cm；萼筒浅杯状，长 3 ~ 5 mm，外面有稀疏棕色短柔毛；萼片三角状卵形，长 2 ~ 3 mm，先端钝，沿边缘有棕色绒毛；花瓣白色，倒卵形，长 8 ~ 10 mm，微缺，无

毛；雄蕊 20，长 4 ~ 5 mm；花柱 2 ~ 3，基部合生，长 4 mm，中部以下有白色长柔毛，子房无毛。果实椭圆形或近球形，直径 1 ~ 1.5 cm，橘红色，肉质，具颗粒状突起，无毛或微有柔毛，先端有反折宿存萼片。花期 4 ~ 5 月，果期 7 ~ 8 月。

| 生境分布 | 生于海拔 500 ~ 2 000 m 的山坡、河边的杂木林中。湖北有分布。

| 功能主治 | 清热利湿。

蔷薇科 Rosaceae 枇杷属 *Eriobotrya*

枇杷 *Eriobotrya japonica* (Thunb.) Lindl.

| **药材名** | 枇杷叶。

| **形态特征** | 常绿小乔木，高可达 10 m；小枝粗壮，黄褐色，密生锈色或灰棕色绒毛。叶片革质，披针形、倒披针形、倒卵形或椭圆状长圆形，长 12 ~ 30 cm，宽 3 ~ 9 cm，先端急尖或渐尖，基部楔形或渐狭成叶柄，上部边缘有疏锯齿，基部全缘，上面光亮，多皱，下面密生灰棕色绒毛，侧脉 11 ~ 21 对；叶柄短或几无柄，长 6 ~ 10 mm，有灰棕色绒毛；托叶钻形，长 1 ~ 1.5 cm，先端急尖，有毛。圆锥花序顶生，长 10 ~ 19 cm，具多花；总花梗和花梗密生锈色绒毛；花梗长 2 ~ 8 mm；苞片钻形，长 2 ~ 5 mm，密生锈色绒毛；花直径 12 ~ 20 mm；萼筒浅杯状，长 4 ~ 5 mm，萼片三角状卵形，长

2 ~ 3 mm，先端急尖，萼筒及萼片外面有锈色绒毛；花瓣白色，长圆形或卵形，长 5 ~ 9 mm，宽 4 ~ 6 mm，基部具爪，有锈色绒毛；雄蕊 20，远短于花瓣，花丝基部扩展；花柱 5，离生，柱头头状，无毛，子房先端有锈色柔毛，5 室，每室有 2 胚珠。果实球形或长圆形，直径 2 ~ 5 cm，黄色或橘黄色，外有锈色柔毛，不久脱落；种子 1 ~ 5，球形或扁球形，直径 1 ~ 1.5 cm，褐色，光亮，种皮纸质。花期 10 ~ 12 月，果期 5 ~ 6 月。

| 生境分布 | 生于海拔 1 400 m 以下的山谷沟边、山坡杂木林中。分布于湖北来凤、利川、建始、巴东、宣恩、五峰、兴山、通城。

| 资源情况 | 野生资源丰富，栽培资源丰富。药材来源于野生和栽培。

| 采收加工 | **叶：**全年均可采收，以夏季采收者为多。采下后晒至七八成干，扎成小把，再晒至足干。此法所得成品不易破碎，质量较好。亦有拾取自然落叶晒干者，其色较紫。

| 功能主治 | 清肺止咳，降逆止呕。用于肺热咳嗽，气逆喘急，胃热呕逆，烦热口渴。

蔷薇科 Rosaceae 白鹃梅属 *Exochorda*

白鹃梅 *Exochorda racemosa* (Lindl.) Rehd.

| 药材名 | 茧子花。

| 形态特征 | 灌木，高达 3 ~ 5 m，枝条细弱开展；小枝圆柱形，微有棱角，无毛，幼时红褐色，老时褐色；冬芽三角状卵形，先端钝，平滑无毛，暗紫红色。叶片椭圆形，长椭圆形至长圆状倒卵形，长 3.5 ~ 6.5 cm，宽 1.5 ~ 3.5 cm，先端圆钝或急尖，稀有突尖，基部楔形或宽楔形，全缘，稀中部以上有钝锯齿，上下两面均无毛；叶柄短，长 5 ~ 15 mm，或近无柄；不具托叶。总状花序，有花 6 ~ 10，无毛；花梗长 3 ~ 8 mm，基部花梗较顶部稍长，无毛；苞片小，宽披针形；花直径 2.5 ~ 3.5 cm；萼筒浅钟状，无毛；萼片宽三角形，长约 2 mm，先端急尖或钝，边缘有尖锐细锯齿，无毛，黄绿色；花瓣倒

卵形，长约 1.5 cm，宽约 1 cm，先端钝，基部有短爪，白色；雄蕊 15 ~ 20，3 ~ 4 为 1 束着生在花盘边缘，与花瓣对生；心皮 5，花柱分离。蒴果倒圆锥形，无毛，有 5 脊；果柄长 3 ~ 8 mm。花期 5 月，果期 6 ~ 8 月。

| 生境分布 | 生于海拔 250 ~ 500 m 的山坡阴地、灌丛中。分布于湖北江夏、崇阳，以及孝感。

| 资源情况 | 野生资源较少，栽培资源丰富。药材来源于栽培。

| 功能主治 | 通络止痛。用于腰膝、筋骨酸痛。

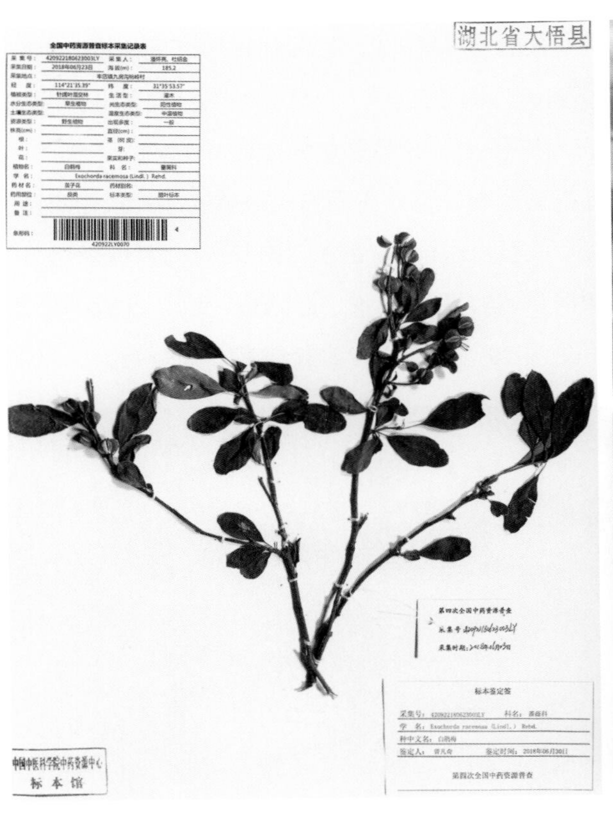

蔷薇科 Rosaceae 草莓属 *Fragaria*

草莓 *Fragaria ananassa* (Weston) Duchesne

| 药 材 名 | 草莓。

| 形态特征 | 多年生草本，高 10 ~ 40 cm。茎低于叶或近相等，密被开展黄色柔毛。叶三出，小叶具短柄，质地较厚，倒卵形或菱形，稀几圆形，长 3 ~ 7 cm，宽 2 ~ 6 cm，先端圆钝，基部阔楔形，侧生小叶基部偏斜，边缘具缺刻状锯齿，锯齿急尖，上面深绿色，几无毛，下面淡白绿色，疏生毛，沿脉较密；叶柄长 2 ~ 10 cm，密被开展黄色柔毛。聚伞花序，有花 5 ~ 15，花序下面具一短柄的小叶；花两性，直径 1.5 ~ 2 cm；萼片卵形，比副萼片稍长，副萼片椭圆状披针形，全缘，稀 2 深裂，果时扩大；花瓣白色，近圆形或倒卵状椭圆形，基部具不明显的爪；雄蕊 20，不等长；雌蕊极多。聚合果大，直径

达 3 cm，鲜红色，宿存萼片直立，紧贴于果实；瘦果尖卵形，光滑。花期 4 ～ 5 月，果期 6 ～ 7 月。

| 生境分布 | 生于地下水位不高于 100 cm 的光照条件好、肥沃、疏松、透水、通气、中性或微酸性、微碱性的土壤中。湖北有分布。

| 资源情况 | 野生资源丰富，栽培资源丰富。药材来源于栽培。

| 采收加工 | **果实：**草莓开花后约 30 天即可成熟，在果面着色 75% ～ 80% 时即可采收，每隔 1 ～ 2 天采收 1 次，可延续 2 ～ 3 周，采摘时不要伤及花萼，必须带有果柄，轻采轻放，保证果品质量。

| 功能主治 | 清凉止渴，健胃消食。用于口渴，食欲不振，消化不良。

蔷薇科 Rosaceae 草莓属 *Fragaria*

黄毛草莓 *Fragaria nilgerrensis* Schltdl. ex J. Gay

| 药 材 名 | 白草莓。

| 形态特征 | 多年生草本，粗壮，密集成丛，高 5 ~ 25 cm。茎密被黄棕色绢状柔毛，几与叶等长。叶三出，小叶具短柄，质地较厚，小叶片倒卵形或椭圆形，长 1 ~ 4.5 cm，宽 0.8 ~ 3 cm，先端圆钝，顶生小叶基部楔形，侧生小叶基部偏斜，边缘具缺刻状锯齿，锯齿先端急尖或圆钝，上面深绿色，被疏柔毛，下面淡绿色，被黄棕色绢状柔毛，沿叶脉上毛长而密；叶柄长 4 ~ 18 cm，密被黄棕色绢状柔毛。聚伞花序（1 ~ ）2 ~ 5（ ~ 6），花序下部具一或三出有柄的小叶；花两性，直径 1 ~ 2 cm；萼片卵状披针形，比副萼片宽或近相等，副萼片披针形，全缘或 2 裂，果时增大；花瓣白色，圆形，基部有

短爪；雄蕊 20，不等长。聚合果圆形，白色、淡白黄色或红色，宿存萼片直立，紧贴果实；瘦果卵形，光滑。花期 4 ~ 7 月，果期 6 ~ 8 月。

| 生境分布 | 生于海拔 700 ~ 3 000 m 的山坡草地或沟边林下。湖北有分布。

| 资源情况 | 野生资源丰富，栽培资源较少。药材来源于野生。

| 采收加工 | **全草：**春、夏季采收，洗净，切段，阴干或鲜用。

| 功能主治 | 清肺止咳，解毒消肿。用于肺热咳喘，百日咳，口舌生疮，痢疾，小便淋痛，疮疡肿痛，毒蛇咬伤，骨折损伤。

蔷薇科 Rosaceae 草莓属 *Fragaria*

东方草莓 *Fragaria orientalis* Lozinsk

| 药 材 名 | 东方草莓。

| 形态特征 | 多年生草本，高 5 ~ 30 cm。茎被开展柔毛，上部较密，下部有时脱落。三出复叶，小叶几无柄，倒卵形或菱状卵形，长 1 ~ 5 cm，宽 0.8 ~ 3.5 cm，先端圆钝或急尖，顶生小叶基部楔形，侧生小叶基部偏斜，边缘有缺刻状锯齿，上面绿色，散生疏柔毛，下面淡绿色，有疏柔毛，沿叶脉较密；叶柄被开展柔毛，有时上部较密。花序聚伞状，有花（1 ~ ）2 ~ 5（ ~ 6），基部苞片淡绿色或具一有柄的小叶，花梗长 0.5 ~ 1.5 cm，被开展柔毛；花两性，稀单性，直径 1 ~ 1.5 cm；萼片卵圆状披针形，先端尾尖，副萼片线状披针形，偶有 2 裂；花瓣白色，几圆形，基部具短爪；雄蕊 18 ~ 22，近等长；

雌蕊多数。聚合果半圆形，成熟后紫红色，宿存萼片开展或微反折；瘦果卵形，宽 0.5 mm，表面脉纹明显或仅基部具皱纹。花期 5 ~ 7 月，果期 7 ~ 9 月。

| 生境分布 | 生于海拔 600 ~ 3 100 m 的山坡草地或林下。分布于湖北来凤、宣恩、鹤峰、利川、巴东、神农架、兴山。

| 资源情况 | 野生资源丰富，栽培资源稀少。药材来源于野生。

| 采收加工 | **果实**：7 ~ 9 月采摘未成熟果实，鲜用。

| 功能主治 | 生津止渴，化石祛湿。用于口渴，肾结石，湿疹。

蔷薇科 Rosaceae 草莓属 *Fragaria*

五叶草莓 *Fragaria pentaphylla* Lozinsk.

| 药 材 名 | 五叶草莓。

| 形态特征 | 多年生草本，高（6 ~ ）10 ~ 15 cm。茎高出叶，密被开展柔毛。羽状小叶 5，质地较厚，顶生小叶具短柄，上面 1 对侧生小叶无柄，小叶片倒卵形或椭圆形，长 1 ~ 4 cm，宽 0.6 ~ 3 cm，先端圆形，顶生小叶基部楔形，侧生小叶基部偏斜，边缘具缺刻状锯齿，锯齿急尖或钝，下面 1 对小叶远比上面 1 对小叶小，具短柄或几无柄，长 0.6 ~ 1 cm，宽 0.4 ~ 0.8 cm；叶柄长 2 ~ 8 cm，密被开展的柔毛。花序聚伞状，有花 1 ~ 4，基部苞片淡褐色或呈有柄的小叶状，花梗长 1.5 ~ 2 cm；萼片 5，卵圆状披针形，外面被短柔毛，比副萼片宽，副萼片披针形，与萼片近等长，先端偶 2 裂；花瓣白色，

近圆形，基部具短爪；雄蕊 20，不等长；雌蕊多数。聚合果卵球形，红色，宿存萼片显著反折；瘦果卵形，仅基部具少许脉纹。花期 4 ~ 5 月，果期 5 ~ 6 月。

| **生境分布** | 生于海拔 1 000 ~ 2 300 m 的山坡草地。湖北有栽培。

| **资源情况** | 栽培资源较少。

| **功能主治** | 清热解毒，增强免疫力。用于口腔炎，口腔溃疡，风热感冒，尿路感染等。

蔷薇科 Rosaceae 草莓属 *Fragaria*

野草莓 *Fragaria vesca* L.

| 药 材 名 | 野草莓。

| 形态特征 | 多年生草本。高 5 ~ 30 cm，茎被开展的柔毛，稀脱落。3 小叶，稀羽状小叶 5，小叶无柄或先端小叶具短柄；小叶片倒卵圆形、椭圆形或宽卵圆形，长 1 ~ 5 cm，宽 0.6 ~ 4 cm，先端圆钝，顶生小叶基部宽楔形，侧生小叶基部楔形，边缘具缺刻状锯齿，锯齿圆钝或急尖，上面绿色，疏被短柔毛，下面淡绿色，被短柔毛或几无毛；叶柄长 3 ~ 20 cm，疏被开展的柔毛，稀脱落。花序聚伞状，有花 2 ~ 4（~ 5），基部具 1 有柄小叶或为淡绿色钻形苞片，花梗被紧贴的柔毛，长 1 ~ 3 cm；萼片卵状披针形，先端尾尖，副萼片窄披针形或钻形，花瓣白色，倒卵形，基部具短爪；雄蕊 20，不等长；

雌蕊多数。聚合果卵球形，红色；瘦果卵形，表面脉纹不显著。花期 4 ~ 6 月，果期 6 ~ 9 月。

| 生境分布 | 生于山坡、草地、林下。湖北有分布。

| 资源情况 | 野生资源丰富，栽培资源稀少。药材来源于野生。

| 采收加工 | **全草：**夏、秋季采收，除去杂质，洗净，晒干。

| 功能主治 | 清热解毒，收敛止血。用于感冒，咳嗽，咽痛，痄腮，痢疾，口疮，血崩，血尿。

蔷薇科 Rosaceae 路边青属 *Geum*

路边青 *Geum aleppicum* Jacq.

| 药 材 名 | 五气朝阳草。

| 形态特征 | 多年生草本，须根簇生。茎直立，高 30 ~ 100 cm，被开展粗硬毛稀几无毛。基生叶为大头羽状复叶，通常有小叶 2 ~ 6 对，连叶柄长 10 ~ 25 cm，叶柄被粗硬毛，小叶大小极不相等，顶生小叶最大，菱状广卵形或宽扁圆形，长 4 ~ 8 cm，宽 5 ~ 10 cm，先端急尖或圆钝，基部宽心形至宽楔形，边缘常浅裂，有不规则粗大锯齿，锯齿急尖或圆钝，两面绿色，疏生粗硬毛；茎生叶羽状复叶，有时重复分裂，向上小叶逐渐减少，顶生小叶披针形或倒卵状披针形，先端常渐尖或短渐尖，基部楔形；茎生叶托叶大，绿色，叶状，卵形，边缘有不规则粗大锯齿。花序顶生，疏散排列，花梗被短柔毛或微

硬毛；花直径 1 ～ 1.7 cm；花瓣黄色，几圆形，比萼片长；萼片卵状三角形，先端渐尖，副萼片狭小，披针形，先端渐尖，稀 2 裂，比萼片短 1 倍多，外面被短柔毛及长柔毛；花柱顶生，在上部 1/4 处扭曲，成熟后自扭曲处脱落，脱落部分下部被疏柔毛。聚合果倒卵状球形，瘦果被长硬毛，花柱宿存部分无毛，先端有小钩；果托被短硬毛，长约 1 mm。花果期 7 ～ 10 月。

| 生境分布 | 生于海拔 200 ～ 3 100 m 的山坡草地、沟边、地边、河滩、林间隙地及林缘。分布于湖北鹤峰、巴东、长阳、兴山、神农架。

| 资源情况 | 野生资源丰富，栽培资源稀少。药材来源于野生。

| 采收加工 | **全草：**夏、秋季采收，切碎，晒干或鲜用。

| 功能主治 | 清热解毒，活血止痛，调经止带。用于疮痈肿痛，口疮咽痛，跌打伤痛，风湿痹痛，泻痢腹痛，月经不调，崩漏带下，脚气水肿，小儿惊风。

蔷薇科 Rosaceae 路边青属 *Geum*

柔毛路边青 *Geum japonicum* Thunb. var. *chinense* Bolle

| 药材名 | 柔毛水杨梅。

| 形态特征 | 多年生草本。须根，簇生。茎直立，高 25 ~ 60 cm，被黄色短柔毛及粗硬毛。基生叶为大头羽状复叶，通常有小叶 1 ~ 2 对，其余侧生小叶呈附片状，连叶柄长 5 ~ 20 cm，叶柄被粗硬毛及短柔毛，顶生小叶最大，卵形或广卵形，浅裂或不裂，长 3 ~ 8 cm，宽 5 ~ 9 cm，先端圆钝，基部阔心形或宽楔形，边缘有粗大圆钝或急尖锯齿，两面绿色，被稀疏糙伏毛，下部茎生叶 3 小叶，上部茎生叶单叶，3 浅裂，裂片圆钝或急尖；茎生叶托叶草质，绿色，边缘有不规则粗大锯齿。花序疏散，顶生数朵，花梗密被粗硬毛及短柔毛；花直径 1.5 ~ 1.8 cm；萼片三角状卵形，先端渐尖，副萼片狭小，椭圆状披

针形，先端急尖，比萼片短 1 倍多，外面被短柔毛；花瓣黄色，几圆形，比萼片长；花柱顶生，在上部 1/4 处扭曲，成熟后自扭曲处脱落，脱落部分下部被疏柔毛。聚合果卵球形或椭球形，瘦果被长硬毛，花柱宿存部分光滑，先端有小钩，果托被长硬毛，长 2 ～ 3 mm。花果期 5 ～ 10 月。

| 生境分布 | 生于海拔 200 ～ 2 300 m 的山坡草地、田边、河边、灌丛及疏林下。湖北有分布。

| 资源情况 | 野生资源丰富，栽培资源较少。药材来源于野生。

| 采收加工 | **全草**：夏、秋季采收，切碎，晒干或鲜用。

| 功能主治 | 补肾平肝，活血消肿。用于头晕目眩，小儿惊风，阳痿，遗精，虚劳咳嗽，风湿痹痛，月经不调，疮疡肿痛，跌打损伤。

蔷薇科 Rosaceae 棣棠花属 *Kerria*

棣棠花 *Kerria japonica* (L.) DC.

| 药 材 名 |

棣棠花。

| 形态特征 |

落叶灌木，高 1 ~ 2 m，稀达 3 m。小枝绿色，圆柱形，无毛，常拱垂，嫩枝有棱角。叶互生，三角状卵形或卵圆形，先端长渐尖，基部圆形、截形或微心形，边缘有尖锐的重锯齿，两面绿色，上面无毛或有稀疏柔毛，下面沿脉或脉腋有柔毛；叶柄长 5 ~ 10 cm，无毛；托叶膜质，带状披针形，有缘毛，早落。单花，着生在当年生侧枝先端，花梗无毛，花直径 2.5 ~ 6 cm；萼片卵状椭圆形，先端急尖，有小尖头，全缘，无毛，果时宿存；花瓣黄色，宽椭圆形，先端下凹，比萼片长 1 ~ 4 倍。瘦果倒卵形至半球形，褐色或黑褐色，表面无毛，有折皱。花期 4 ~ 6 月，果期 6 ~ 8 月。

| 生境分布 |

生于海拔 200 ~ 3 000 m 的山谷沟边、山坡灌丛中。分布于湖北来凤、房县、罗田、崇阳。

| **资源情况** | 野生资源丰富，栽培资源丰富。药材来源于野生和栽培。

| **采收加工** | **花**：4 ~ 5 月采摘，晒干。

枝叶：7 ~ 8 月采摘，晒干。

根：7 ~ 8 月采挖，洗净，切段，晒干。

| **功能主治** | 化痰止咳，利湿消肿，解毒。用于咳嗽，风湿痹痛，产后劳伤，水肿，小便不利，消化不良，痈疽肿毒，湿疹，荨麻疹。

蔷薇科 Rosaceae 苹果属 *Malus*

花红 *Malus asiatica* Nakai

| 药 材 名 | 林檎。

| 形态特征 | 小乔木，高 4 ~ 6 m。小枝粗壮，圆柱形，嫩枝密被柔毛，老枝暗紫褐色，无毛，有稀疏浅色皮孔；冬芽卵形，先端急尖，初时密被柔毛，逐渐脱落，灰红色。叶片卵形或椭圆形，长 5 ~ 11 cm，宽 4 ~ 5.5 cm，先端急尖或渐尖，基部圆形或宽楔形，边缘有细锐锯齿，上面有短柔毛，逐渐脱落，下面密被短柔毛；叶柄长 1.5 ~ 5 cm，具短柔毛；托叶小，膜质，披针形，早落。伞房花序具 4 ~ 7 花，集生在小枝先端；花梗长 1.5 ~ 2 cm，密被柔毛；花直径 3 ~ 4 cm；萼筒钟状，外面密被柔毛；萼片三角状披针形，长 4 ~ 5 mm，先端渐尖，全缘，内外两面密被柔毛，萼片比萼筒稍长；花瓣倒卵形

或长圆状倒卵形，长 8 ～ 13 mm，宽 4 ～ 7 mm，基部有短爪，淡粉色；雄蕊 17 ～ 20，花丝长短不等，比花瓣短；花柱 4（～ 5），基部具长绒毛，比雄蕊较长。果实卵形或近球形，直径 4 ～ 5 cm，黄色或红色，先端渐狭，不隆起，基部陷入，宿存萼肥厚，隆起。花期 4 ～ 5 月，果期 8 ～ 9 月。

| 生境分布 | 生于海拔 50 ～ 2 800 m 的山坡阳处、平原沙地。分布于湖北鹤峰、利川、建始。

| 资源情况 | 野生资源较多，栽培资源较多。药材来源于野生和栽培。

| 采收加工 | 8 ～ 9 月果实将成熟时采摘，鲜用或切片晒干。

| 功能主治 | 下气宽胸，生津止渴，和中止痛。用于痰饮食积，胸膈痞塞，消渴，霍乱，吐泻腹痛，痢疾。

蔷薇科 Rosaceae 苹果属 *Malus*

垂丝海棠 *Malus halliana* Koehne

| 药材名 | 垂丝海棠。

| 形态特征 | 乔木，高达 5 m；树冠开展；小枝细弱，微弯曲，圆柱形，最初有毛，不久脱落，紫色或紫褐色；冬芽卵形，先端渐尖，无毛或仅在鳞片边缘具柔毛，紫色。叶片卵形或椭圆形至长椭圆形，长 3.5 ~ 8 cm，宽 2.5 ~ 4.5 cm，先端长渐尖，基部楔形至近圆形，边缘有圆钝细锯齿，中脉有时具短柔毛，其余部分均无毛，上面深绿色，有光泽并常带紫晕；叶柄长 5 ~ 25 mm，幼时被稀疏柔毛，老时近无毛；托叶小，膜质，披针形，内面有毛，早落。伞房花序，具花 4 ~ 6，花梗细弱，长 2 ~ 4 cm，下垂，有稀疏柔毛，紫色；花直径 3 ~ 3.5 cm；萼筒外面无毛；萼片三角状卵形，长 3 ~ 5 mm，先端钝，

全缘，外面无毛，内面密被绒毛，与萼筒等长或稍短；花瓣倒卵形，长约 1.5 cm，基部有短爪，粉红色，常在 5 数以上；雄蕊 20 ~ 25，花丝长短不齐，约等于花瓣的 1/2；花柱 4 或 5，较雄蕊为长，基部有长绒毛，顶花有时缺少雌蕊。果实梨形或倒卵形，直径 6 ~ 8 mm，略带紫色，成熟很迟，萼片脱落；果柄长 2 ~ 5 cm。花期 3 ~ 4 月，果期 9 ~ 10 月。

| 生境分布 | 生于海拔 50 ~ 1 200 m 的山坡丛林中或山溪边。分布于湖北兴山、竹溪。

| 资源情况 | 野生资源丰富，栽培资源丰富。药材来源于野生和栽培。

| 采收加工 | **花**：3 ~ 4 月花盛开时采摘，晒干。

| 功能主治 | 调经和血。用于血崩。

蔷薇科 Rosaceae 苹果属 *Malus*

湖北海棠 *Malus hupehensis* (Pamp.) Rehd.

| 药 材 名 | 湖北海棠。

| 形态特征 | 乔木，高达 8 m；小枝最初有短柔毛，不久脱落，老枝紫色至紫褐色；冬芽卵形，先端急尖，鳞片边缘有疏生短柔毛，暗紫色。叶片卵形至卵状椭圆形，长 5 ~ 10 cm，宽 2.5 ~ 4 cm，先端渐尖，基部宽楔形，稀近圆形，边缘有细锐锯齿，嫩时具稀疏短柔毛，不久脱落无毛，常呈紫红色；叶柄长 1 ~ 3 cm，嫩时有稀疏短柔毛，逐渐脱落；托叶草质至膜质，线状披针形，先端渐尖，有疏生柔毛，早落。伞房花序，具花 4 ~ 6，花梗长 3 ~ 6 cm，无毛或稍有长柔毛；苞片膜质，披针形，早落；花直径 3.5 ~ 4 cm；萼筒外面无毛或稍有长柔毛；萼片三角状卵形，先端渐尖或急尖，长 4 ~ 5 mm，外面无毛，内面

有柔毛，略带紫色，与萼筒等长或稍短；花瓣倒卵形，长约 1.5 cm，基部有短爪，粉白色或近白色；雄蕊 20，花丝长短不齐，约等于花瓣的 1/2；花柱 3，稀 4，基部有长绒毛，较雄蕊稍长。果实椭圆形或近球形，直径约 1 cm，黄绿色稍带红色晕，萼片脱落；果柄长 2 ~ 4 cm。花期 4 ~ 5 月，果期 8 ~ 9 月。

| 生境分布 | 生于海拔 50 ~ 2 900 m 的山坡或山谷丛林中。分布于湖北来凤、丹江口、江夏、崇阳、英山。

| 资源情况 | 野生资源丰富，栽培资源丰富。药材来源于野生和栽培。

| 采收加工 | **叶**：夏、秋季采收，鲜用。

果实：8 ~ 9 月采摘，鲜用。

根：夏、秋季采挖，洗净，切片，鲜用或晒干。

| 功能主治 | **叶、果实**：消积化滞，和胃健脾。用于食积停滞，消化不良，痢疾，疳积。

根：活血通络。用于跌打损伤。

| 附　　注 | 湖北海棠叶是我国的传统天然饮品原料，在民间有 400 年以上的应用历史，具有清凉消渴、消积化滞以及和胃健脾的功能，夏季常用此制作凉茶。尤其在湖北地区，“三皮罐”是家家户户必备的夏季凉茶。

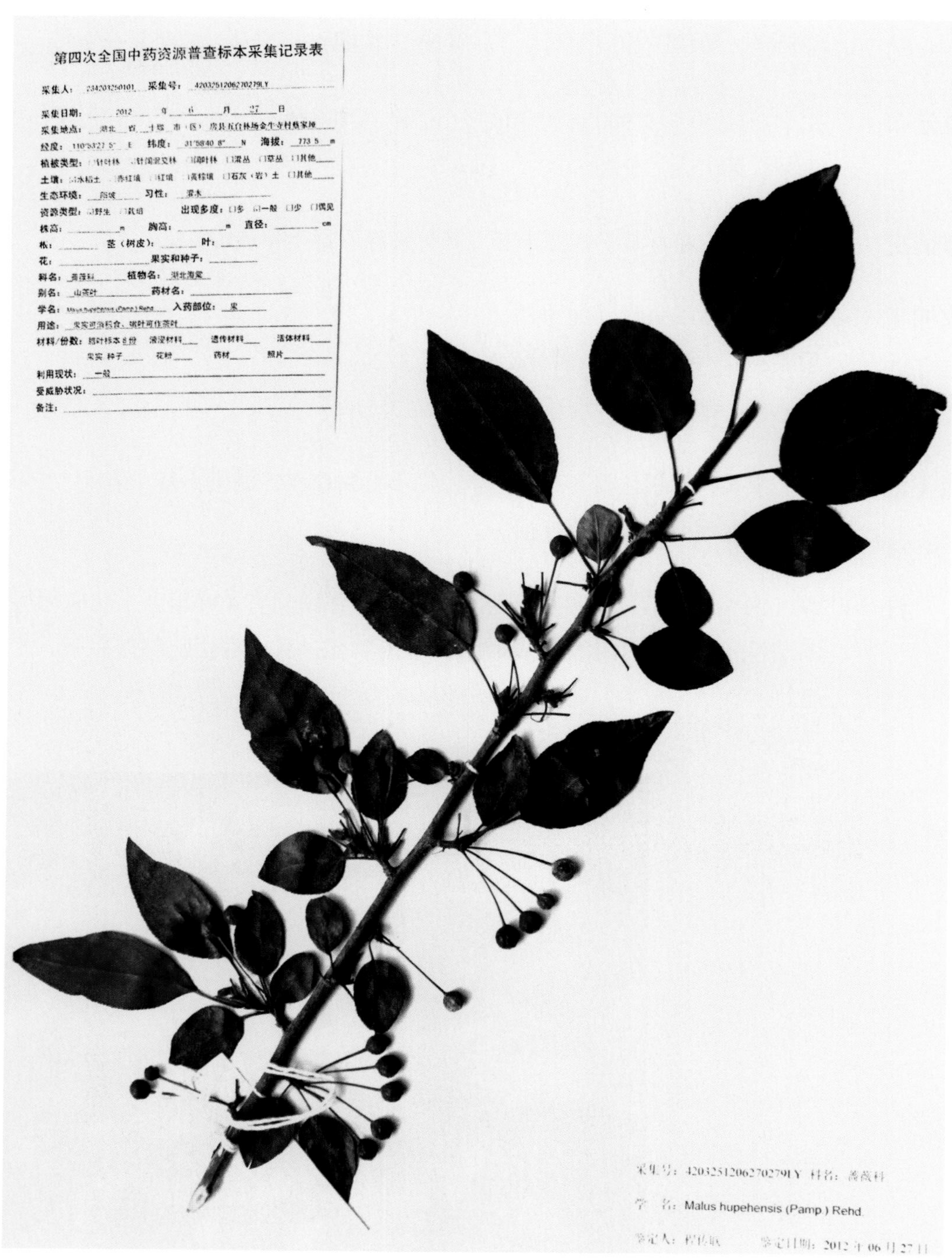
第四次全国中药资源普查标本采集记录表
采集人：234203250101　采集号：4203251206270279LY
采集日期：2012 年 6 月 27 日
采集地点：湖北 省 十堰 市（区） 房县五台林场金牛寺村蔡家坪
经度：110°53′27.5″ E　纬度：31°58′40.8″ N　海拔：773.5 m
植被类型：□针叶林 □针阔混交林 □阔叶林 □灌丛 □草丛 □其他
土壤：□水稻土 □赤红壤 □红壤 □黄棕壤 □石灰（岩）土 □其他
生态环境：阳坡　习性：灌木
资源类型：□野生 □栽培　出现多度：□多 □一般 □少 □偶见
株高：m　胸高：m　直径：cm
根：　茎（树皮）：　叶：
花：　果实和种子：
科名：蔷薇科　植物名：湖北海棠
别名：山茶叶　药材名：
学名：Malus hupehensis (Pamp.) Rehd.　入药部位：果
用途：果实可消积食、嫩叶可作茶叶
材料/份数：腊叶标本 8 份　浸泡材料　遗传材料　活体材料
果实 种子　花粉　药材　照片
利用现状：一般
受威胁状况：
备注：
采集号：4203251206270279LY 科名：蔷薇科
学 名：Malus hupehensis (Pamp.) Rehd.
鉴定人：程传联　鉴定日期：2012 年 06 月 27 日

蔷薇科 Rosaceae 苹果属 *Malus*

尖嘴林檎 *Malus melliana* (Hand.-Mazz.) Rehd.

| 药 材 名 | 尖嘴林檎果。

| 形态特征 | 灌木或小乔木，高 4 ~ 10 m。小枝微弯曲，圆柱形，幼时微具柔毛，老时脱落，暗灰褐色；冬芽卵形，先端急尖，无毛，稀在先端鳞片边缘微具柔毛，红紫色。叶片椭圆形至卵状椭圆形，长 5 ~ 10 cm，宽 2.5 ~ 4 cm，先端急尖或渐尖，基部圆形至宽楔形，边缘有圆钝锯齿，嫩时微具柔毛，成熟后脱落；叶柄长 1.5 ~ 2.5 cm；托叶膜质，线状披针形，先端渐尖，全缘，内面微具柔毛。花序近伞形，有 5 ~ 7 花，花梗长 3 ~ 5 cm，无毛；苞片披针形，早落；花直径约 2.5 cm；萼筒外面无毛；萼片三角状披针形，先端渐尖，全缘，长约 8 mm，外面无毛，内面具绒毛，较萼筒长；花瓣倒卵形，长 1 ~ 2 cm，基

部有短爪，紫白色；雄蕊约 30，花丝长短不等，比花瓣稍短；花柱 5，基部有白色绒毛，较雄蕊稍长，柱头棒状。果实球形，直径 1.5 ~ 2.5 cm，宿萼有长筒，长 5 ~ 8 mm，萼片反折，果实先端隆起，果心分离，果柄长 2 ~ 2.5 cm。花期 5 月，果期 8 ~ 9 月。

| 生境分布 | 生于海拔 700 ~ 2 400 m 的山地混交林中或山谷沟边。湖北有栽培。

| 资源情况 | 栽培资源丰富。药材来源于栽培。

| 采收加工 | 8 ~ 9 月果实成熟时采摘，鲜用或切成纵、横切片，晒干。

| 功能主治 | 健脾消积。用于脾胃虚弱，食积停滞。

蔷薇科 Rosaceae 苹果属 *Malus*

西府海棠 *Malus micromalus* Makino

| 药 材 名 | 海红。

| 形态特征 | 小乔木，高达 2.5 ~ 5 m，树枝直立性强；小枝细弱圆柱形，嫩时被短柔毛，老时脱落，紫红色或暗褐色，具稀疏皮孔；冬芽卵形，先端急尖，无毛或仅边缘有绒毛，暗紫色。叶片长椭圆形或椭圆形，长 5 ~ 10 cm，宽 2.5 ~ 5 cm，先端急尖或渐尖，基部楔形稀近圆形，边缘有尖锐锯齿，嫩叶被短柔毛，下面较密，老时脱落；叶柄长 2 ~ 3.5 cm；托叶膜质，线状披针形，先端渐尖，边缘有疏生腺齿，近无毛，早落。伞形总状花序，有花 4 ~ 7，集生于小枝先端，花梗长 2 ~ 3 cm，嫩时被长柔毛，逐渐脱落；苞片膜质，线状披针形，早落；花直径约 4 cm；萼筒外面密被白色长绒毛；萼片三角状卵形、

三角状披针形至长卵形，先端急尖或渐尖，全缘，长 5 ~ 8 mm，内面被白色绒毛，外面较稀疏，萼片与萼筒等长或稍长；花瓣近圆形或长椭圆形，长约 1.5 cm，基部有短爪，粉红色；雄蕊约 20，花丝长短不等，比花瓣稍短；花柱 5，基部具绒毛，约与雄蕊等长。果实近球形，直径 1 ~ 1.5 cm，红色，萼洼、梗洼均下陷，萼片多数脱落，少数宿存。花期 4 ~ 5 月，果期 8 ~ 9 月。

| 生境分布 | 生于海拔 100 ~ 2 400 m 处。湖北有栽培。

| 资源情况 | 栽培资源丰富。药材来源于栽培。

| 采收加工 | **成熟果实：**8 ~ 9 月采收，鲜用。

| 功能主治 | 涩肠止痢。用于泄泻，痢疾。

蔷薇科 Rosaceae 苹果属 *Malus*

苹果 *Malus pumila* Mill.

| 药 材 名 | 苹果。

| 形态特征 | 乔木，高可达 15 m，多具有圆形树冠和短主干；小枝短而粗，圆柱形，幼嫩时密被绒毛，老枝紫褐色，无毛；冬芽卵形，先端钝，密被短柔毛。叶片椭圆形、卵形至宽椭圆形，长 4.5 ~ 10 cm，宽 3 ~ 5.5 cm，先端急尖，基部宽楔形或圆形，边缘具有圆钝锯齿，幼嫩时两面具短柔毛，长成后上面无毛；叶柄粗壮，长 1.5 ~ 3 cm，被短柔毛；托叶草质，披针形，先端渐尖，全缘，密被短柔毛，早落。伞房花序，具花 3 ~ 7，集生于小枝先端，花梗长 1 ~ 2.5 cm，密被绒毛；苞片膜质，线状披针形，先端渐尖，全缘，被绒毛；花直径 3 ~ 4 cm；萼筒外面密被绒毛；萼片三角状披针形或三角状

卵形，长 6 ~ 8 mm，先端渐尖，全缘，内外两面均密被绒毛，萼片比萼筒长；花瓣倒卵形，长 15 ~ 18 mm，基部具短爪，白色，含苞未放时带粉红色；雄蕊 20，花丝长短不齐，约等于花瓣的 1/2；花柱 5，下半部密被灰白色绒毛，较雄蕊稍长。果实扁球形，直径超过 2 cm，先端常有隆起，萼洼下陷，萼片永存，果柄短粗。花期 5 月，果期 7 ~ 10 月。

| 生境分布 | 生于海拔 50 ~ 2 500 m 的山坡梯田、平原旷野以及黄土丘陵等。栽培于湖北武汉。

| 资源情况 | 野生资源一般，栽培资源丰富。药材来源于栽培。

| 采收加工 | **果实：**早熟品种 7 ~ 8 月采收，晚熟品种 9 ~ 10 月采收。保鲜，包装贮藏，及时调运。

| 功能主治 | 益胃，生津，除烦，醒酒。用于津少口渴，脾虚泄泻，食后腹胀，饮酒过度。

蔷薇科 Rosaceae 苹果属 *Malus*

三叶海棠 *Malus sieboldii* (Regel) Rehd.

| 药 材 名 | 三叶海棠。

| 形态特征 | 灌木，高 2 ~ 6 m。枝条开展；小枝圆柱形，稍有棱角，嫩时被短柔毛，老时脱落，暗紫色或紫褐色；冬芽卵形，先端较钝，无毛或仅在先端鳞片边缘微有短柔毛，紫褐色。叶片卵形、椭圆形或长椭圆形，长 3 ~ 7.5 cm，宽 2 ~ 4 cm，先端急尖，基部圆形或宽楔形，边缘有尖锐锯齿，在新枝上的叶片锯齿粗锐，常 3 浅裂，稀 5 浅裂，幼叶上、下面均被短柔毛，老叶上面近无毛，下面沿中肋及侧脉有短柔毛；叶柄长 1 ~ 2.5 cm，有短柔毛；托叶草质，窄披针形，先端渐尖，全缘，微被短柔毛。花 4 ~ 8，集生于小枝先端，花梗长 2 ~ 2.5 cm，有柔毛或近无毛；苞片膜质，线状披针形，先端渐尖，全缘，

内面被柔毛，早落；花直径 2 ~ 3 cm；萼筒外面近无毛或有柔毛；萼片三角状卵形，先端尾状渐尖，全缘，长 5 ~ 6 mm，外面无毛，内面密被绒毛，约与萼筒等长或较之稍长；花瓣长椭圆状倒卵形，长 1.5 ~ 1.8 cm，基部有短爪，淡粉红色，在花蕾时颜色较深；雄蕊 20，花丝长短不齐，长约等于花瓣之半；花柱 3 ~ 5，基部有长柔毛，较雄蕊稍长。果实近球形，直径 6 ~ 8 mm，红色或褐黄色，萼片脱落，果柄长 2 ~ 3 cm。花期 4 ~ 5 月，果期 8 ~ 9 月。

| 生境分布 | 生于海拔 150 ~ 2 000 m 的山坡杂木林或灌丛中。分布于湖北巴东等。

| 资源情况 | 野生资源一般，栽培资源丰富。药材来源于栽培。

| 采收加工 | 8 ~ 9 月果实成熟时采摘，鲜用或晒干。

| 功能主治 | 消食健胃。用于饮食积滞。

蔷薇科 Rosaceae 苹果属 *Malus*

海棠花 *Malus spectabilis* (Ait.) Borkh.

| 药 材 名 | 木槿花。

| 形态特征 | 乔木，高可达 8 m。小枝粗壮，圆柱形，幼时具短柔毛，逐渐脱落，老时红褐色或紫褐色，无毛；冬芽卵形，先端渐尖，微被柔毛，紫褐色，有数枚外露鳞片。叶片椭圆形至长椭圆形，长 5 ~ 8 cm，宽 2 ~ 3 cm，先端短渐尖或圆钝，基部宽楔形或近圆形，边缘有紧贴的细锯齿，有时部分近全缘，幼嫩时上、下面具稀疏的短柔毛，后毛脱落，老叶无毛；叶柄长 1.5 ~ 2 cm，具短柔毛；托叶膜质，窄披针形，先端渐尖，全缘，内面具长柔毛。花序近伞形，有 4 ~ 6 花，花直径 4 ~ 5 cm，花梗长 2 ~ 3 cm，具柔毛；苞片膜质，披针形，早落；萼筒外面无毛或有白色绒毛；萼片三角状卵形，先端急尖，

全缘，外面无毛或偶有稀疏的绒毛，内面密被白色绒毛，萼片比萼筒稍短；花瓣卵形，长 2 ~ 2.5 cm，宽 1.5 ~ 2 cm，基部有短爪，白色，在芽中呈粉红色；雄蕊 20 ~ 25，花丝长短不等，长约为花瓣之半；花柱 5，稀 4，基部有白色绒毛，比雄蕊稍长。果实近球形，直径 2 cm，黄色，萼片宿存，基部不下陷，梗洼隆起；果柄细长，先端肥厚，长 3 ~ 4 cm。花期 4 ~ 5 月，果期 8 ~ 9 月。

| 生境分布 | 生于海拔 50 ~ 2 000 m 的平原或山地。湖北有分布。

| 功能主治 | 用于风湿，痢疾，跌打损伤。

蔷薇科 Rosaceae 绣线梅属 *Neillia*

毛叶绣线梅 *Neillia ribesioides* Rehd.

| 药 材 名 | 钓杆柴。

| 形态特征 | 灌木。高 1 ~ 2 m；小枝圆柱形，微屈曲，密被短柔毛，幼时黄褐色，老时暗灰褐色；冬芽卵形，先端微尖，深褐色，具 2 ~ 4 外露鳞片。叶片三角形至卵状三角形，长 4 ~ 6 cm，宽 3.5 ~ 4 cm，先端渐尖，基部截形至近心形，边缘有 5 ~ 7 浅裂片和尖锐重锯齿，上面具稀疏平铺柔毛，下面密被柔毛，在中脉和侧脉上更为显著；叶柄长约 5 mm，密被短柔毛；托叶长圆形至披针形，长 5 ~ 10 mm，先端钝或急尖，全缘或具少数锯齿，微具短柔毛。顶生总状花序，有花 10 ~ 15，长 4 ~ 5 cm；苞片线状披针形，长约 6 mm，两面微被柔毛；花梗长 3 ~ 4 mm，近无毛；花直径约 6 mm；萼筒筒状，长 8 ~ 9 mm，外面无毛，基部具少数腺毛，内面具柔毛；萼片三角

形，先端尾尖，长约 2 mm，内面被柔毛；花瓣倒卵形，先端圆钝，白色或淡粉色，稍长于萼片；雄蕊 10 ~ 15，花丝短，花药紫色，着生在萼筒边缘；子房仅先端微具柔毛，内含 4 ~ 5 胚珠。蓇葖果长椭圆形，萼宿存，外被疏生腺毛。花期 5 月，果期 7 ~ 9 月。

| 生境分布 | 生于海拔 1 000 ~ 2 500 m 的山地丛林中。分布于湖北利川、巴东、神农架。

| 资源情况 | 野生资源丰富，栽培资源稀少。药材来源于野生。

| 采收加工 | **根：**夏、秋季采挖，除去茎枝，洗净，切片，晒干。

| 功能主治 | 利水消肿，清热止血。用于水肿，咯血。

蔷薇科 Rosaceae 绣线梅属 *Neillia*

中华绣线梅 *Neillia sinensis* Oliv.

| 药 材 名 | 中华绣线梅。

| 形态特征 | 灌木，高达 2 m；小枝圆柱形，无毛，幼时紫褐色，老时暗灰褐色；冬芽卵形，先端钝，微被短柔毛或近无毛，红褐色。叶片卵形至卵状长椭圆形，长 5 ~ 11 cm，宽 3 ~ 6 cm，先端长渐尖，基部圆形或近心形，稀宽楔形，边缘有重锯齿，常不规则分裂，稀不裂，两面无毛或在下面脉腋有柔毛；叶柄长 7 ~ 15 mm，微被毛或近无毛；托叶线状披针形或卵状披针形，先端渐尖或急尖，全缘，长 0.8 ~ 1 cm，早落。顶生总状花序，长 4 ~ 9 cm，花梗长 3 ~ 10 mm，无毛；花直径 6 ~ 8 mm；萼筒筒状，长 1 ~ 1.2 cm，外面无毛，内面被短柔毛；萼片三角形，先端尾尖，全缘，长 3 ~ 4 mm；花瓣倒

卵形，长约 3 mm，宽约 2 mm，先端圆钝，淡粉色；雄蕊 10 ~ 15，花丝不等长，着生于萼筒边缘，排成不规则的 2 轮；心皮 1 ~ 2，子房先端有毛，花柱直立，内含 4 ~ 5 胚珠。蓇葖果长椭圆形，萼筒宿存，外面被疏生长腺毛。花期 5 ~ 6 月，果期 8 ~ 9 月。

| 生境分布 | 生于海拔 1 000 ~ 2 500 m 的山坡、山谷或沟边杂木林中。分布于湖北宣恩、鹤峰、利川、巴东、神农架、兴山。

| 资源情况 | 野生资源较少，栽培资源丰富。药材来源于栽培。

| 采收加工 | **全株：**全年均可采收，晒干或鲜用。

| 功能主治 | 祛风解表，中和止泻。用于感冒，泄泻。

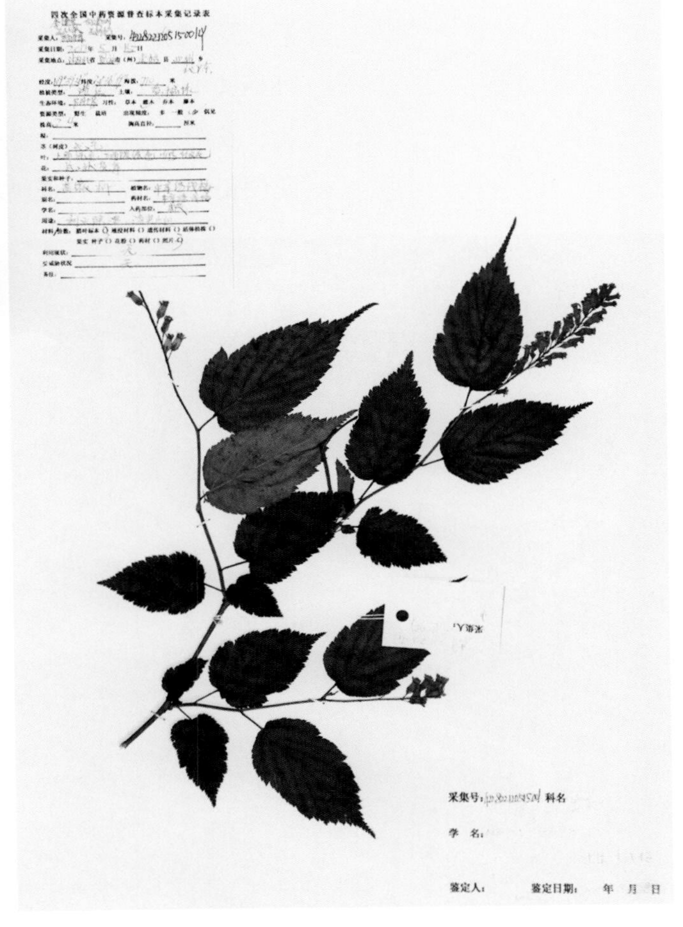

蔷薇科 Rosaceae 绣线梅属 *Neillia*

绣线梅 *Neillia thyrsiflora* D. Don

| 药 材 名 | 地棠花。

| 形态特征 | 直立灌木，高达 2 m；小枝细弱，有棱角，红褐色，微被柔毛或近无毛；冬芽卵形，先端稍钝，红褐色，有 2 ~ 4 外露的鳞片，边缘微被柔毛，在开花枝上叶腋间常 2 ~ 3 芽迭生。叶片卵形至卵状椭圆形，近花序叶片常呈卵状披针形，长 6 ~ 8.5 cm，宽 4 ~ 6 cm，先端长渐尖，基部圆形或近心形，通常基部 3 深裂，稀有不规则的 3 ~ 5 浅裂，边缘有尖锐重锯齿，下面沿叶脉有稀疏柔毛或近无毛；叶柄长 1 ~ 1.5 cm，微被毛或近无毛；托叶卵状披针形，有稀疏锯齿，长约 6 mm，两面近无毛。顶生圆锥花序，直径 6 ~ 15.5 cm，花梗长约 3 mm，总花梗和花梗均微被柔毛；苞片小，卵状披针形，

内外被毛；花直径约 4 mm；萼筒钟状，长 2 ~ 3 mm，外面微被短柔毛；萼片三角形，先端尾尖，约与萼筒等长，内外两面微被短柔毛；花瓣倒卵形，白色，长约 2 mm；雄蕊 10 ~ 15，花丝短，着生在萼筒边缘；子房无毛或在缝上微被毛，内含胚珠（8 ~ ）10 ~ 12。蓇葖果长圆形，宿萼外面密被柔毛和稀疏长腺毛；种子 8 ~ 10，卵形，亮褐色，长约 1.5 mm。花期 7 月，果期 9 ~ 10 月。

| 生境分布 | 生于海拔 1 000 ~ 3 000 m 的山地丛林中。湖北有分布。

| 资源情况 | 野生资源丰富，栽培资源较少。药材来源于野生。

| 采收加工 | **花**：7 ~ 8 月花开时采摘，晒干。

| 功能主治 | 抗痨。用于肺痨。

蔷薇科 Rosaceae 稠李属 *Padus*

短梗稠李 *Padus brachypoda* (Batal.) Schneid.

| 药 材 名 | 短梗稠李。

| 形态特征 | 落叶乔木，高 8 ~ 10 m。树皮黑色；多年生小枝黑褐色，无毛，散生浅色皮孔；当年生小枝红褐色，被短绒毛或近无毛；冬芽卵圆形，通常无毛。叶片长圆形，稀椭圆形，长 6 ~ 16 cm，宽 3 ~ 7 cm，先端急尖或渐尖，稀短尾尖，基部圆形或微心形，稀截形，叶边有贴生或开展的锐锯齿，齿尖带短芒，上面深绿色，无毛，中脉和侧脉均下陷，下面淡绿色，无毛或在脉腋有髯毛，中脉和侧脉均凸起；叶柄长 1.5 ~ 2.3 cm，无毛，先端两侧各有 1 腺体；托叶膜质，线形，先端渐尖，边缘有带腺锯齿，早落。总状花序具多花，长 16 ~ 30 cm，基部有 1 ~ 3 叶，叶片长圆形或长圆状披针形，长

5 ~ 7 cm，宽 2 ~ 3 cm；花梗长 5 ~ 7 mm，总花梗和花梗均被短柔毛；花直径 5 ~ 7 mm；萼筒钟状，比萼片稍长，萼片三角状卵形，先端急尖，边有带腺细锯齿，萼筒和萼片外面有疏生的短柔毛，内面基部被短柔毛；花瓣白色，倒卵形，中部以上啮蚀状或波状，基部楔形，有短爪；雄蕊 25 ~ 27，花丝长短不等，排成不规则 2 轮，着生在花盘边缘，长花丝与花瓣近等长或较之稍长；雌蕊 1，心皮无毛，柱头盘状，花柱比长花丝短。核果球形，直径 5 ~ 7 mm，幼时紫红色，老时黑褐色，无毛；果柄被短柔毛；萼片脱落，萼筒基部宿存；果核光滑。花期 4 ~ 5 月，果期 5 ~ 10 月。

| 生境分布 | 生于海拔 1 500 ~ 2 500 m 的山坡灌丛中或山谷和山沟林中。分布于湖北神农架。

| 资源情况 | 野生资源一般，栽培资源丰富。

| 功能主治 | 止咳化痰。

蔷薇科 Rosaceae 稠李属 *Padus*

橉木 *Padus buergeriana* (Miq.) T. T. Yu et T. C. Ku

| 药 材 名 | 橉木。

| 形态特征 | 落叶乔木，高 6 ~ 12 m，稀达 25 m；老枝黑褐色；小枝红褐色或灰褐色，通常无毛；冬芽卵圆形，通常无毛，稀在鳞片边缘有睫毛。叶片椭圆形或长圆状椭圆形，稀倒卵状椭圆形，长 4 ~ 10 cm，宽 2.5 ~ 5 cm，先端尾状渐尖或短渐尖，基部圆形、宽楔形，偶有楔形，边缘有贴生锐锯齿，上面深绿色，下面淡绿色，两面无毛；叶柄长 1 ~ 1.5 cm，通常无毛，无腺体，有时在叶片基部边缘两侧各有 1 腺体；托叶膜质，线形，先端渐尖，边缘有腺齿，早落。总状花序具多花，通常 20 ~ 30，长 6 ~ 9 cm，基部无叶；花梗长约 2 mm，总花梗和花梗近无毛或被疏短柔毛；花直径 5 ~ 7 mm；萼筒钟状，

与萼片近等长；萼片三角状卵形，长、宽几相等，先端急尖，边有不规则细锯齿，齿尖幼时带腺体，萼筒和萼片外面近无毛或有稀疏短柔毛，内面有稀疏短柔毛；花瓣白色，宽倒卵形，先端啮蚀状，基部楔形，有短爪，着生在萼筒边缘；雄蕊 10，花丝细长，基部扁平，比花瓣长 1/3 ~ 1/2，着生在花盘边缘；花盘圆盘形，紫红色；心皮 1，子房无毛，花柱比雄蕊短近 1/2，柱头圆盘状或半圆形。核果近球形或卵球形，直径约 5 mm，黑褐色，无毛；果柄无毛；萼片宿存。花期 4 ~ 5 月，果期 5 ~ 10 月。

| 生境分布 | 生于海拔 1 000 ~ 2 800 m 的高山密林中、山坡阳处疏林中、山谷斜坡或路旁空旷地。湖北有分布。

| 资源情况 | 野生资源一般，栽培资源一般。药材来源于野生和栽培。

| 功能主治 | 舒筋活络。用于筋骨扭伤。

蔷薇科 Rosaceae 石楠属 *Photinia*

中华石楠 *Photinia beauverdiana* Schneid.

| 药 材 名 | 中华石楠。

| 形态特征 | 落叶灌木或小乔木，高 3 ~ 10 m；小枝无毛，紫褐色，有散生灰色皮孔。叶片薄纸质，长圆形、倒卵状长圆形或卵状披针形，长 5 ~ 10 cm，宽 2 ~ 4.5 cm，先端突渐尖，基部圆形或楔形，边缘有疏生具腺锯齿，上面光亮，无毛，下面中脉疏生柔毛，侧脉 9 ~ 14 对；叶柄长 5 ~ 10 mm，微有柔毛。花多数，成复伞房花序，直径 5 ~ 7 cm；总花梗和花梗无毛，密生疣点，花梗长 7 ~ 15 mm；花直径 5 ~ 7 mm；萼筒杯状，长 1 ~ 1.5 mm，外面微有毛；萼片三角状卵形，长 1 mm；花瓣白色，卵形或倒卵形，长 2 mm，先端圆钝，无毛；雄蕊 20；花柱 2 ~ 3，基部合生。果实卵形，长 7 ~ 8 mm，

直径 5 ~ 6 mm，紫红色，无毛，微有疣点，先端有宿存萼片；果柄长 1 ~ 2 cm。花期 5 月，果期 7 ~ 8 月。

| 生境分布 | 生于海拔 1 000 ~ 1 700 m 的山坡或山谷林下。分布于湖北鹤峰、建始、兴山、神农架、崇阳、通城。

| 资源情况 | 野生资源一般，栽培资源丰富。药材来源于栽培。

| 采收加工 | **叶**：夏、秋季采摘，晒干。

根：全年均可采挖，洗净，切片，晒干。

| 功能主治 | 行气活血，祛风止痛。用于风湿痹痛，肾虚脚膝酸软，头风头痛，跌打损伤。

蔷薇科 Rosaceae 石楠属 *Photinia*

贵州石楠 *Photinia bodinieri* H. Lév.

|药 材 名| 石南实。

|形态特征| 乔木。幼枝褐色，无毛。叶片革质，卵形、倒卵形或长圆形，长4.5 ~ 9 cm，宽1.5 ~ 4 cm，先端尾尖，基部楔形，边缘有刺状齿，两面皆无毛，或脉上微有柔毛，后毛脱落，侧脉约10对；叶柄长1 ~ 1.5 cm，无毛，上面有纵沟。复伞房花序顶生，直径约5 cm，总花梗和花梗有柔毛；花直径约1 cm；萼筒杯状，有柔毛；萼片三角形，长1 mm，先端急尖或钝，外面有柔毛；花瓣白色，近圆形，直径约4 mm，先端微缺，无毛；雄蕊20，较花瓣稍短；花柱2 ~ 3，

合生。花期 5 月。

| **生境分布** | 生于海拔 600 ~ 1 300 m 的山坡林缘或灌丛中。分布于湖北神农架等。

| **功能主治** | 祛风湿，消积聚。

蔷薇科 Rosaceae 石楠属 *Photinia*

椤木石楠 *Photinia davidsoniae* Rehd. et Wils.

| 药 材 名 | 椤木石楠。

| 形态特征 | 常绿乔木。高 6 ~ 15 m。幼枝黄红色，后成紫褐色，有稀疏平贴柔毛，老时灰色，无毛，有时具刺。叶片革质，长圆形、倒披针形或

椭圆形，长 5 ~ 15 cm，宽 2 ~ 5 cm，先端急尖或渐尖，有短尖头，基部楔形，边缘稍反卷，有具腺的细锯齿，上面光亮，中脉初有贴生柔毛，后渐脱落无毛，侧脉 10 ~ 12 对；叶柄长 8 ~ 15 mm，无毛。花多数，密集成顶生复伞房花序，直径 10 ~ 12 mm；总花梗和花梗有平贴短柔毛，花梗长 5 ~ 7 mm；苞片和小苞片微小，早落；花直径 10 ~ 12 mm；萼筒浅杯状，直径 2 ~ 3 mm，外面有疏生平贴短柔毛；萼片阔三角形，长约 1 mm，先端急尖，有柔毛；花瓣圆形，直径 3.5 ~ 4 mm，先端圆钝，基部有极短爪，内外两面皆无毛；雄蕊 20，较花瓣短；花柱 2，基部合生并密被白色长柔毛。果实球形或卵形，直径 7 ~ 10 mm，黄红色，无毛；种子 2 ~ 4，卵形，长 4 ~ 5 mm，褐色。花期 5 月，果期 9 ~ 10 月。

| **生境分布** | 生于海拔 600 ~ 1 000 m 的灌丛中。分布于湖北江夏。

| **资源情况** | 野生资源丰富，栽培资源丰富。药材来源于野生和栽培。

| **采收加工** | **根**：秋季采收，洗净，切片，晒干。

叶：随用随采或夏季采收，晒干。

| **功能主治** | 清热解毒。用于痈肿疮疖。

蔷薇科 Rosaceae 石楠属 *Photinia*

光叶石楠 *Photinia glabra* (Thunb.) Maxim.

| 药 材 名 | 光叶石楠。

| 形态特征 | 常绿乔木，高 3 ~ 5 m，可达 7 m；老枝灰黑色，无毛，皮孔棕黑色，近圆形，散生。叶片革质，幼时及老时皆呈红色，椭圆形、长圆形或长圆状倒卵形，长 5 ~ 9 cm，宽 2 ~ 4 cm，先端渐尖，基部楔形，边缘有疏生浅钝细锯齿，两面无毛，侧脉 10 ~ 18 对；叶柄长 1 ~ 1.5 cm，无毛。花多数，成顶生复伞房花序，直径 5 ~ 10 cm；总花梗和花梗均无毛；花直径 7 ~ 8 mm；萼筒杯状，无毛；萼片三角形，长 1 mm，先端急尖，外面无毛，内面有柔毛；花瓣白色，反卷，倒卵形，长约 3 mm，先端圆钝，内面近基部有白色绒毛，基部有短爪；雄蕊 20，约与花瓣等长或较短；花柱 2，稀为 3，离生

或下部合生，柱头头状，子房先端有柔毛。果实卵形，长约 5 mm，红色，无毛。花期 4 ～ 5 月，果期 9 ～ 10 月。

| 生境分布 | 生于海拔 500 ～ 800 m 的山坡杂木林中。分布于湖北崇阳、通山。武汉常见栽培。

| 资源情况 | 野生资源一般，栽培资源丰富。药材来源于栽培。

| 采收加工 | 9 ～ 10 月果实成熟时采收，晒干。

叶：全年均可采摘，晒干，切丝。

| 功能主治 | 清热利尿，消肿止痛。用于小便不利，跌打损伤，头痛。

蔷薇科 Rosaceae 石楠属 *Photinia*

小叶石楠 *Photinia parvifolia* (Pritz.) Schneid.

| 药 材 名 | 小叶石楠。

| 形态特征 | 落叶灌木，高 1 ~ 3 m；枝纤细，小枝红褐色，无毛，有黄色散生皮孔；冬芽卵形，长 3 ~ 4 mm，先端急尖。叶片草质，椭圆形、椭圆状卵形或菱状卵形，长 4 ~ 8 cm，宽 1 ~ 3.5 cm，先端渐尖或尾尖，基部宽楔形或近圆形，边缘有具腺尖锐锯齿，上面光亮，初疏生柔毛，以后无毛，下面无毛，侧脉 4 ~ 6 对；叶柄长 1 ~ 2 mm，无毛。花 2 ~ 9，成伞形花序，生于侧枝先端，无总花梗；苞片及小苞片钻形，早落；花梗细，长 1 ~ 2.5 cm，无毛，有疣点；花直径 0.5 ~ 1.5 cm；萼筒杯状，直径约 3 mm，无毛；萼片卵形，长约 1 mm，先端急尖，外面无毛，内面疏生柔毛；花瓣白色，圆形，直

径 4 ~ 5 mm，先端钝，有极短爪，内面基部疏生长柔毛；雄蕊 20，较花瓣短；花柱 2 ~ 3，中部以下合生，较雄蕊稍长，子房先端密生长柔毛。果实椭圆形或卵形，长 9 ~ 12 mm，直径 5 ~ 7 mm，橘红色或紫色，无毛，有直立宿萼片，内含 2 ~ 3 卵形种子；果柄长 1 ~ 2.5 cm，密布疣点。花期 4 ~ 5 月，果期 7 ~ 8 月。

| 生境分布 | 生于海拔 1 000 m 以下的低山丘陵灌丛中。分布于湖北宣恩、利川、建始。

| 资源情况 | 野生资源一般，栽培资源丰富。药材来源于栽培。

| 采收加工 | **根**：秋、冬季采挖，洗净，晒干。

| 功能主治 | 清热解毒，活血止痛。用于黄疸，乳痈，牙痛。

蔷薇科 Rosaceae 石楠属 *Photinia*

绒毛石楠 *Photinia schneideriana* Rehd. et Wils.

| 药 材 名 | 绒毛石楠。

| 形态特征 | 灌木或小乔木。高达 7 m。幼枝有稀疏长柔毛，以后脱落近无毛，一年生枝紫褐色，老时带灰褐色，具梭形皮孔；冬芽卵形，先端急尖，鳞片深褐色，无毛。叶片长圆状披针形或长椭圆形，长 6 ~ 11 cm，宽 2 ~ 5.5 cm，先端渐尖，基部宽楔形，边缘有锐锯齿，上面初疏生长柔毛，以后脱落，下面被稀疏绒毛，侧脉 10 ~ 15 对，微凸起；叶柄长 6 ~ 10 mm，初被柔毛，以后脱落。花多数，成顶生复伞房花序，直径 5 ~ 7 cm；总花梗和分枝疏生长柔毛；花梗长 3 ~ 8 mm，无毛；萼筒杯状，长 4 mm，外面无毛；萼片直立、开展，圆形，长约 1 mm，先端具短尖头，内面上部有疏柔毛；花瓣白色，近圆形，直径约 4 mm，先端钝，无毛，基部有短爪；雄蕊 20，约和花瓣

等长；花柱 2 ~ 3，基部连合，子房先端有柔毛。果实卵形，长 10 mm，直径约 8 mm，带红色，无毛，有小疣点，先端具宿存萼片；种子 2 ~ 3，卵形，长 5 ~ 6 mm，两端尖，黑褐色。花期 5 月，果期 10 月。

| 生境分布 | 生于海拔 1 000 ~ 1 500 m 的山坡疏林中。分布于湖北利川、咸丰、通城。

| 资源情况 | 野生资源一般，栽培资源稀少。药材来源于野生。

| 功能主治 | 用于内热。

蔷薇科 Rosaceae 石楠属 *Photinia*

石楠 *Photinia serrulata* Lindl.

| 药材名 | 石楠。

| 形态特征 | 常绿灌木或小乔木，高 4 ~ 6 m，有时可达 12 m；枝褐灰色，无毛；冬芽卵形，鳞片褐色，无毛。叶片革质，长椭圆形、长倒卵形或倒卵状椭圆形，长 9 ~ 22 cm，宽 3 ~ 6.5 cm，先端尾尖，基部圆形或宽楔形，边缘有疏生具腺细锯齿，近基部全缘，上面光亮，幼时中脉有绒毛，成熟后两面皆无毛，中脉显著，侧脉 25 ~ 30 对；叶柄粗壮，长 2 ~ 4 cm，幼时有绒毛，以后无毛。复伞房花序顶生，直径 10 ~ 16 cm；总花梗和花梗无毛，花梗长 3 ~ 5 mm；花密生，直径 6 ~ 8 mm；萼筒杯状，长约 1 mm，无毛；萼片阔三角形，长约 1 mm，先端急尖，无毛；花瓣白色，近圆形，直径 3 ~ 4 mm，

内外两面皆无毛；雄蕊 20，外轮较花瓣长，内轮较花瓣短，花药带紫色；花柱 2，有时为 3，基部合生，柱头头状，子房先端有柔毛。果实球形，直径 5 ~ 6 mm，红色，后成褐紫色；有 1 种子，种子卵形，长 2 mm，棕色，平滑。花期 4 ~ 5 月，果期 10 月。

| 生境分布 | 生于海拔 1 000 ~ 2 500 m 的杂木林中。分布于湖北宣恩、丹江口、江夏、阳新、崇阳、通山、英山。

| 资源情况 | 野生资源一般，栽培资源丰富。药材来源于栽培。

| 采收加工 | **叶：**全年均可采摘，但以夏、秋季采收者为佳，采摘后晒干即可。

果实：9 ~ 11 月果实成熟时采收，晾干。

根：全年均可采挖，洗净，切碎晒干或鲜用。

| 功能主治 | **叶：**祛风湿，止痒，强筋骨，益肝肾。用于风湿痹痛，头风头痛，风疹，脚膝痿弱，肾虚腰痛，阳痿，遗精。

果实：祛风湿，消积聚。用于风湿痹痛。

根：祛风除湿，活血解毒。用于风痹，历节痛风，外感咳嗽，疮痈肿痛，跌打损伤。

蔷薇科 Rosaceae 石楠属 *Photinia*

毛叶石楠 *Photinia villosa* (Thunb.) DC.

| 药 材 名 | 毛叶石楠。

| 形态特征 | 落叶灌木或小乔木。高 2 ~ 5 m。小枝幼时有白色长柔毛，以后脱落无毛，灰褐色，有散生皮孔；冬芽卵形，长 2 mm，鳞片褐色，无毛。叶片草质，倒卵形或长圆状倒卵形，长 3 ~ 8 cm，宽 2 ~ 4 cm，先端尾尖，基部楔形，边缘上半部具密生尖锐锯齿，两面初有白色长柔毛，以后上面逐渐脱落几无毛，仅下面叶脉有柔毛，侧脉 5 ~ 7 对；叶柄长 1 ~ 5 mm，有长柔毛。花 10 ~ 20，成顶生伞房花序，直径 3 ~ 5 cm；总花梗和花梗有长柔毛；花梗长 1.5 ~ 2.5 cm，在果期具疣点；苞片和小苞片钻形，长 1 ~ 2 mm，早落；花直径 7 ~ 12 mm；萼筒杯状，长 2 ~ 3 mm，外面有白色长柔毛；萼片三角状卵形，长 2 ~ 3 mm，先端钝，外面有长柔毛，内面有毛或无毛；

花瓣白色，近圆形，直径 4 ~ 5 mm，外面无毛，内面基部具柔毛，有短爪；雄蕊 20，较花瓣短；花柱 3，离生，无毛，子房先端密生白色柔毛。果实椭圆形或卵形，长 8 ~ 10 mm，直径 6 ~ 8 mm，红色或黄红色，稍有柔毛，先端有直立宿存萼片。花期 4 月，果期 8 ~ 9 月。

| **生境分布** | 生于海拔 800 ~ 1 200 m 的山坡灌丛中。分布于湖北神农架、通山。

| **资源情况** | 野生资源一般，栽培资源一般。药材来源于野生和栽培。

| **采收加工** | **根**：全年均可采挖，洗净，晒干。
果实：8 ~ 9 月果实成熟时采摘，晒干。

| **功能主治** | 清热利湿，和中健脾。用于湿热内蕴，呕吐，泄泻，痢疾，劳伤疲乏。

蔷薇科 Rosaceae 委陵菜属 *Potentilla*

蛇莓委陵菜 *Potentilla centigrana* Maxim.

| 药 材 名 | 蛇莓委陵菜。

| 形态特征 | 一年生或二年生草本，多须根。全株光滑无毛，或仅在茎、叶柄及叶片下面有少数柔毛。花茎上升或匍匐，或近直立，长 20 ~ 50 cm，有时下部节上生不定根，无毛或稀疏柔毛。基生叶 3 小叶，开花时常枯死，茎生叶 3 小叶，叶柄细长，无毛或被稀疏柔毛；小叶具短柄或几无柄，小叶片椭圆形或倒卵形，长 0.5 ~ 1.5 cm，宽 0.4 ~ 1.5 cm，先端圆形，基部楔形至圆形，边缘有缺刻状圆钝或急尖锯齿，两面绿色，无毛或被稀疏柔毛；基生叶托叶膜质，褐色，无毛或被稀疏柔毛，茎生叶托叶淡绿色，卵形，边缘常有齿，稀全缘。单花，下部与叶对生，上部生于叶腋中；花梗纤细，长 0.5 ~ 2 cm，

无毛或几无毛；花直径 0.4 ~ 0.8 cm；萼片较宽阔，卵形或卵状披针形，先端急尖或渐尖，副萼片披针形，先端渐尖，比萼片短或近等长；花瓣淡黄色，倒卵形，先端微凹或圆钝，比萼片短；花柱近顶生，基部膨大，柱头不扩大。瘦果倒卵形，长约 1 mm，光滑。花果期 4 ~ 8 月。

| 生境分布 | 生于海拔 400 ~ 2 300 m 的荒地、河岸阶地、林缘及林下湿地。湖北有分布。

| 采收加工 | **全草：**秋季可采收，洗净，鲜用或晒干。

| 功能主治 | 散瘀消肿，收敛止血，清热解毒，祛风。

蔷薇科 Rosaceae 委陵菜属 *Potentilla*

委陵菜 *Potentilla chinensis* Ser.

| 药 材 名 | 委陵菜。

| 形态特征 | 多年生草本。根粗壮，圆柱形，稍木质化。花茎直立或上升，高 20 ~ 70 cm，被稀疏短柔毛及白色绢状长柔毛。基生叶为羽状复叶，有小叶 5 ~ 15 对，间隔 0.5 ~ 0.8 cm，连叶柄长 4 ~ 25 cm，叶柄被短柔毛及绢状长柔毛；小叶片对生或互生，上部小叶较长，向下逐渐减小，无柄，长圆形、倒卵形或长圆状披针形，长 1 ~ 5 cm，宽 0.5 ~ 1.5 cm，边缘羽状中裂，裂片三角状卵形、三角状披针形或长圆状披针形，先端急尖或圆钝，边缘向下反卷，上面绿色，被短柔毛或脱落几无毛，中脉下陷，下面被白色绒毛，沿脉被白色绢状长柔毛，茎生叶与基生叶相似，惟叶片对数较少；基生叶托叶近

膜质，褐色，外面被白色绢状长柔毛，茎生叶托叶草质，绿色，边缘锐裂。伞房状聚伞花序；花梗长 0.5 ~ 1.5 cm；基部有披针形苞片，外面密被短柔毛；花直径通常 0.8 ~ 1 cm，稀达 1.3 cm；萼片三角状卵形，先端急尖，副萼片带形或披针形，先端尖，约比萼片短 1 倍，狭窄，外面被短柔毛及少数绢状柔毛；花瓣黄色，宽倒卵形，先端微凹，比萼片稍长；花柱近顶生，基部微扩大，稍有乳头或不明显，柱头扩大。瘦果卵球形，深褐色，有明显皱纹。花果期 4 ~ 10 月。

| 生境分布 | 生于海拔 400 ~ 3 100 m 的山坡草地、沟谷、林缘、灌丛或疏林下。湖北有分布。

| 采收加工 | **带根全草：**春季未抽茎时采挖，除去花枝与果枝，洗净，晒干。

| 功能主治 | 清热解毒，凉血止痢。用于血痢腹泻，久痢不止，痔疮出血，痈肿疮毒。

蔷薇科 Rosaceae 委陵菜属 *Potentilla*

黄花委陵菜 *Potentilla chrysantha* Trev.

| 药 材 名 | 黄花委陵菜。

| 形态特征 | 多年生草本。根粗壮，圆柱形。花茎直立或上升，高 15 ~ 55 cm，被开展至伏生的疏柔毛，有时脱落几无毛。基生叶为羽状五出复叶，连叶柄长 5 ~ 20 cm，叶柄被开展或伏生的疏柔毛，或脱落几无毛；小叶无柄或几无柄，小叶片倒卵状长圆形，通常长 1.5 ~ 7 cm，宽 1 ~ 3 cm，先端圆钝或急尖，基部楔形，边缘有多数急尖锯齿，两面绿色，被紧贴或微开展的疏柔毛，有时脱落几无毛，仅在下面沿脉被长柔毛；茎生叶下部五出，上部三出，小叶与基生叶相似；基生叶托叶膜质，褐色，被长柔毛或脱落几无毛，茎生叶托叶草质，全缘，先端渐尖，外被长柔毛。花序为伞房状聚伞花序，具多花，

松散；花梗长 1 ~ 2 cm，密被短柔毛；花直径 1.2 ~ 1.5 cm；萼片长三角状卵形，先端急尖或渐尖，副萼片披针形或椭圆状披针形，先端急尖或渐尖，稍短于萼片，外被短柔毛及稀疏长柔毛；花瓣黄色，倒卵形，先端微凹，比萼片长 1/2 ~ 1 倍；花柱基部稍微扩大，柱头扩大。瘦果光滑或有不明显的脉纹。花果期 5 ~ 8 月。

| 生境分布 | 生于海拔 1 000 ~ 2 200 m 的林缘、草地、河谷、水渠边。湖北有分布。

| 采收加工 | 秋季采收，洗净，鲜用或晒干。

| 功能主治 | 清热解毒，收敛止血。

蔷薇科 Rosaceae 委陵菜属 *Potentilla*

狼牙委陵菜 *Potentilla cryptotaeniae* Maxim.

| 药 材 名 | 狼牙委陵菜。

| 形态特征 | 一年生或二年生草本，多须根。花茎直立或上升，高 50 ~ 100 cm，被长硬毛或长柔毛，或脱落几无毛。基生叶三出复叶，开花时已枯死，茎生叶 3 小叶，叶柄被开展长柔毛及短柔毛，有时脱落几无毛；小叶片长圆形至卵状披针形，长 2 ~ 6 cm，常中部最宽，达 1 ~ 2.5 cm，先端渐尖或尾状渐尖，基部楔形，边缘有多数急尖锯齿，两面绿色，被疏柔毛，有时脱落几无毛，下面沿脉较密而开展；基生叶托叶膜质，褐色，外面密被长柔毛，茎生叶托叶草质，绿色，全缘，披针形，先端渐尖，通常与叶柄合生很长，合生部分比离生部分长 1 ~ 3 倍。伞房状聚伞花序多花，顶生；花梗细，长 1 ~ 2 cm，被长柔毛或短

柔毛；花直径约 2 cm；萼片长卵形，先端渐尖或急尖，副萼片披针形，先端渐尖，开花时与萼片近等长，开花后比萼片长，外面被稀疏长柔毛；花瓣黄色，倒卵形，先端圆钝或微凹，比萼片长或近等长；花柱近顶生，基部稍膨大，柱头稍微扩大。瘦果卵形，光滑。花果期 7 ~ 9 月。

| 生境分布 | 生于海拔 1 000 ~ 2 200 m 的河谷、草甸、草原、林缘。湖北有分布。

| 采收加工 | **全草**：夏季采收，洗净，切碎，晒干。

| 功能主治 | 活血止血，解毒敛疮。用于跌打损伤，外伤出血，肺虚咳嗽，泄泻，痢疾，胃痛，狂犬咬伤，疮疡。

蔷薇科 Rosaceae 委陵菜属 *Potentilla*

翻白草 *Potentilla discolor* Bunge.

| 药 材 名 | 翻白草。

| 形态特征 | 多年生草本。根粗壮，下部常肥厚，呈纺锤形。花茎直立，上升或微铺散，高 10 ~ 45 cm，密被白色绵毛。基生叶有小叶 2 ~ 4 对，间隔 0.8 ~ 1.5 cm，连叶柄长 4 ~ 20 cm，叶柄密被白色绵毛，有时并有长柔毛；小叶对生或互生，无柄，小叶片长圆形或长圆状披针形，长 1 ~ 5 cm，宽 0.5 ~ 0.8 cm，先端圆钝，稀急尖，基部楔形、宽楔形或偏斜圆形，边缘具圆钝锯齿，稀急尖，上面暗绿色，被稀疏白色绵毛或脱落几无毛，下面密被白色或灰白色绵毛，脉不显或微显，茎生叶 1 ~ 2 小叶，有掌状小叶 3 ~ 5；基生叶托叶膜质，褐色，外面被白色长柔毛，茎生叶托叶草质，绿色，卵形或宽卵形，

边缘常有缺刻状牙齿，稀全缘，下面密被白色绵毛。聚伞花序有花数朵至多朵，疏散，花梗长 1 ～ 2.5 cm，外面被绵毛；花直径 1 ～ 2 cm；萼片三角状卵形，副萼片披针形，比萼片短，外面被白色绵毛；花瓣黄色，倒卵形，先端微凹或圆钝，比萼片长；花柱近顶生，基部具乳头状膨大，柱头稍微扩大。瘦果近肾形，宽约 1 mm，光滑。花果期 5 ～ 9 月。

| 生境分布 | 生于海拔 100 ～ 1 850 m 的荒地、山谷、沟边、山坡草地、草甸及疏林下。分布于湖北枣阳。

| 资源情况 | 药材来源于栽培。

| 采收加工 | **全草：**夏、秋季采收。在未开花前连根挖取，除掉枯叶及须根，除净泥土，洗净，晒干。置于阴凉干燥处，防潮，防蛀。

| 功能主治 | 解热，消肿，止痢，止血。用于湿热泻痢，痈肿疮毒，血热吐衄，便血，崩漏。

| 附　　注 | 孕妇慎用。

蔷薇科 Rosaceae 委陵菜属 *Potentilla*

莓叶委陵菜 *Potentilla fragarioides* L.

| 药 材 名 | 莓叶委陵菜。

| 形态特征 | 多年生草本。根簇生，极多。花茎多数，丛生，上升或铺散，长 8 ~

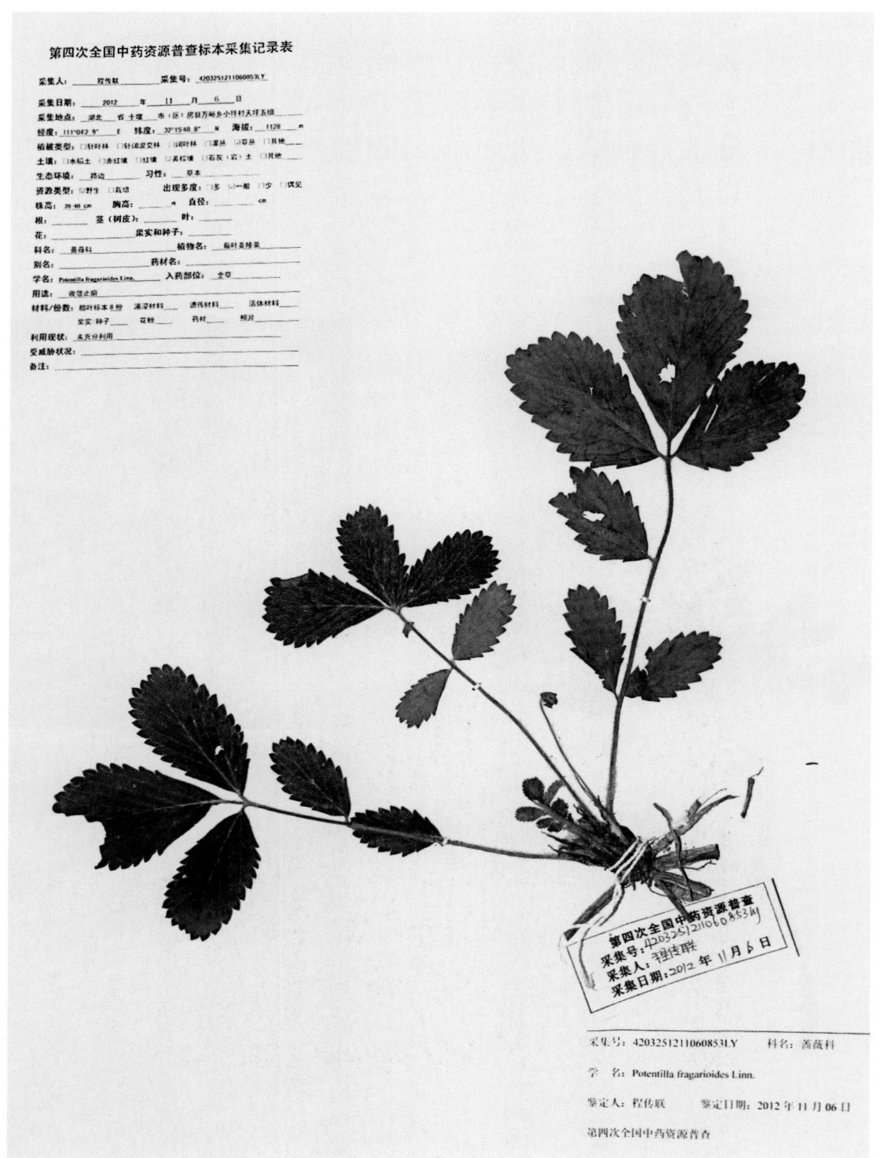

25 cm，有开展长柔毛。基生叶为奇数羽状复叶，有小叶 5 ~ 7，稀为 9，连叶柄长 5 ~ 22 cm，叶柄有开展疏柔毛，小叶有短柄或几无柄；小叶片倒卵形、椭圆形或长椭圆形，长 0.5 ~ 7 cm，宽 0.4 ~ 3 cm，先端圆钝或急尖，基部楔形或宽楔形，边缘有多数急尖或圆钝的锯齿，近基部为全缘，两面有平铺疏柔毛，下面沿叶脉毛较密，锯齿边缘有时密被缘毛；茎生叶常有 3 小叶，小叶与基生叶相似或为长圆形，边缘上部有锯齿而下部全缘，有短叶柄或几无柄；基生叶有膜质托叶，褐色托叶外面有稀疏开展长柔毛，茎生叶有草质托叶，卵形，全缘，外面有平铺疏柔毛。顶生伞房状聚伞花序，多花；花梗细，长 1.5 ~ 2 cm，外面有疏柔毛；花直径 1 ~ 1.7 cm；花萼有长柔毛，副萼片与萼片近等长或稍短，但萼片稍宽；花瓣黄色；花柱顶生，上部大，基部小；花托内部密生细柔毛。瘦果近肾形，直径约 1 mm，表面有脉纹。花期 4 ~ 6 月，果期 6 ~ 8 月。

| 生境分布 | 湖北有分布。

| 资源情况 | 药材来源于野生和栽培。

| 采收加工 | **根及根茎：**一般多在秋季采收，采挖根，除去地上部分，洗净，晒干。除去杂质，洗净，润透，切段，晒干。

| 功能主治 | 补阴虚，止血。用于疝气，月经过多，功能失调性子宫出血，产后出血等。

蔷薇科 Rosaceae 委陵菜属 *Potentilla*

三叶委陵菜 *Potentilla freyniana* Bornm.

| 药 材 名 | 三叶委陵菜。

| 形态特征 | 多年生草本，有纤匍枝或不明显。根分枝多，簇生。花茎纤细，直立或上升，高 8 ~ 25 cm，被平铺或开展疏柔毛。基生叶掌状三出复叶，连叶柄长 4 ~ 30 cm，宽 1 ~ 4 cm；小叶片长圆形、卵形或椭圆形，先端急尖或圆钝，基部楔形或宽楔形，边缘有多数急尖锯齿，两面绿色，疏生平铺柔毛，下面沿脉较密；茎生叶 1 ~ 2 小叶，小叶与基生叶小叶相似，唯叶柄很短，叶边锯齿减少；基生叶托叶膜质，褐色，外面被稀疏长柔毛，茎生叶托叶草质，绿色，呈缺刻状锐裂，有稀疏长柔毛。伞房状聚伞花序顶生；多花，松散；花梗纤细，长 1 ~ 1.5 cm，外被疏柔毛；花直径 0.8 ~ 1 cm；萼片三角

状卵形，先端渐尖，副萼片披针形，先端渐尖，与萼片近等长，外面被平铺柔毛；花瓣淡黄色，长圆状倒卵形，先端微凹或圆钝；花柱近顶生，上部粗，基部细。成熟瘦果卵球形，直径 0.5 ~ 1 mm，表面有显著脉纹。花果期 3 ~ 6 月。

| 生境分布 | 生于海拔 300 ~ 2 100 m 的山坡草地、溪边及疏林下阴湿处。分布于湖北黄冈。

| 资源情况 | 药材来源于野生和栽培。

| 采收加工 | **全草**：4 ~ 10 月采收。

| 功能主治 | 清热解毒，散瘀止血。用于骨髓炎，毒蛇咬伤，瘰疬，跌打损伤，外伤出血。

蔷薇科 Rosaceae 委陵菜属 *Potentilla*

西南委陵菜 *Potentilla fulgens* Wall. ex Hook.

| 药 材 名 | 西南委陵菜。

| 形态特征 | 多年生草本。根粗壮，圆柱形。花茎直立或上升，高 10 ~ 60 cm，密被开展长柔毛及短柔毛。基生叶为间断羽状复叶，有小叶 6 ~ 15 对，连叶柄长 6 ~ 30 cm，叶柄密被开展长柔毛及短柔毛，小叶片无柄或有时顶生小叶片有柄，倒卵状长圆形或倒卵状椭圆形，长 16.5 cm，宽 0.5 ~ 3.5 cm，先端圆钝。基部楔形或宽楔形，边缘有多数尖锐锯齿，上面绿色或暗绿色，伏生疏柔毛，下面密被白色绢毛及绒毛；茎生叶与基生叶相似，惟向上部小叶对数逐渐减少；基生叶托叶膜质，褐色，外面被长柔毛；茎生叶托叶草质，下面被白色绢毛，上面绿色，被长柔毛，边缘有锐锯齿。伞房状聚伞花序顶

生；花直径 1.2 ~ 1.5 cm；萼片三角状卵圆形，先端急尖，外面绿色，被长柔毛，副萼片椭圆形，先端急尖，全缘，稀有齿，外面密生白色绢毛，与萼片近等长；花瓣黄色，先端圆钝，比萼片稍长；花柱近基生，两端渐狭，中间粗，子房无毛。瘦果光滑。花果期 6 ~ 10 月。

| 生境分布 | 生于海拔 1 100 ~ 3 100 m 的山坡草地、灌丛、林缘及林中。湖北有分布湖北。

| 采收加工 | **开花全草：**夏季采收，晒干。

| 功能主治 | 清热解毒，涩肠止泻，凉血止血。用于赤白下痢，肠炎腹泻，肠风下血，肺痨咯血，吐血，崩漏带下，外伤出血，疔疮，烫火伤。

蔷薇科 Rosaceae 委陵菜属 *Potentilla*

蛇含委陵菜 *Potentilla kleiniana* Wight et Arn.

| 药 材 名 | 蛇含委陵菜。

| 形态特征 | 蛇含委陵菜，一年生、二年生或多年生宿根草本。多须根；茎平卧，具匍匐茎，常于节处生根并发育出新植株，花茎被疏柔毛或开展长

柔毛。基生叶为近鸟足状 5 小叶，叶柄被疏柔毛或开展长柔毛，小叶近无柄稀有短柄；托叶膜质，淡褐色，外被疏柔毛或脱落近无毛；小叶片倒卵形或长圆卵形，长 0.5 ~ 4 cm，宽 0.4 ~ 2 cm，先端圆钝，基部楔形，边缘有多数急尖或圆钝锯齿，两面被疏柔毛，有时上面脱少近无毛或下面沿脉被伏生长柔毛；下部茎生叶有 5 小叶，上部茎生叶有 3 小叶，与基生叶相似，惟叶柄较短，托叶草质，卵形至卵状披针形，全缘，稀有 1 ~ 2 齿，先端急尖或渐尖，外面被疏长柔毛。花两性；聚伞花序密集枝顶如假伞形，花梗密被开展长柔毛，下有茎生叶如苞片状；花直径 0.5 ~ 1 cm；萼片 5，三角状卵圆形，先端急尖或渐尖，副萼片 5，披针形或椭圆状披针形，先端急尖或渐尖，开花时比萼片短，果时略长或近等长，外面被疏长柔毛；花瓣 5，倒卵形，先端微凹，长于萼片，黄色；花柱近顶生。瘦果近圆形，1 面稍平，直径约 0.5 mm，具皱纹。花果期 4 ~ 9 月。

| **生境分布** | 生于海拔 400 ~ 3 000 m 的田边、水旁、草甸及山坡草地。湖北有分布。

| **采收加工** | **开花全草：**夏季采收，晒干。

| **功能主治** | 清热定惊，截疟，止咳化痰，解毒活血。用于高热惊风，疟疾，肺热咳嗽，百日咳，痢疾，疮疖肿毒，咽喉肿痛，风火牙痛，带状疱疹，目赤肿痛，蛇虫咬伤，风湿麻木，跌打损伤，月经不调，外伤出血。

全国中药资源普查标本采集记录表
采 集 号：420111200808008LY
采 集 人：何江城
采集日期：2020年08月08日
海 拔(m)：64.7
采集地点：九峰山
经 度：114°28′53.01″
纬 度：30°30′34.12″
植被类型：阔叶林
生 活 型：多年生草本植物
水分生态类型：中生植物
光生态类型：阳性植物
土壤生态类型：酸性土植物
温度生态类型：中温植物
资源类型：野生植物
出现多度：一般
株高(cm)：15
直径(cm)：0.3
根：
茎（树皮）：
叶：
芽：
花：
果实和种子：
植物名：蛇含委陵菜
科 名：蔷薇科
学 名：Potentilla kleiniana Wight et Arn.
药 材 名：蛇含
药材别名：蛇衔
药用部位：全草类
标本类型：腊叶标本
用 途：清热定惊，截疟，止咳化痰，解毒活血。
备 注：
420111LY0046
湖北省洪山区
第四次全国中药资源普查
采集号：
名 称：
标本鉴定签
采集号：420111200808008LY
科名：蔷薇科
学 名：Potentilla kleiniana Wight et Arn.
种中文名：蛇含委陵菜
鉴定人：汪乐原
鉴定时间：2020年10月12日
中国中医科学院中药资源中心
标 本 馆

蔷薇科 Rosaceae 委陵菜属 *Potentilla*

银叶委陵菜 *Potentilla leuconota* D. Don

| 药材名 | 银叶委陵菜。

| 形态特征 | 多年生草本。茎粗壮，圆柱形。花茎直立或上升，高 10 ~ 45 cm，被伏生或稍微开展长柔毛。基生叶间断羽状复叶，稀不间断，有小叶 10 ~ 17 对，间距 0.5 ~ 1 cm，连叶柄长 10 ~ 25 cm，叶柄被伏生或稍微开展长柔毛，小叶对生或互生，最上面 2 ~ 3 对小叶基部下延与叶轴汇合，其余小叶无柄；小叶片长圆形、椭圆形或椭圆状卵形，长 0.5 ~ 3 cm，宽 0.3 ~ 1.5 cm，向下逐渐缩小，在基部多呈附片状，先端圆钝或急尖，基部圆形或阔楔形，边缘有多数急尖或渐尖锯齿，上面疏被伏生长柔毛，稀脱落几无毛，下面密被银白色绢毛，脉不明显；茎生叶 1 ~ 2，与基生叶相似，惟小叶对数较少，

3 ~ 7 对；基生叶托叶膜质，褐色，外面被白色绢毛；茎生叶托叶草质，绿色，边缘深撕裂状，或有深齿。花序集生在花茎先端，呈假伞形花序，花梗近等长，长 1.5 ~ 2 cm，密被白色伏生长柔毛，基部有叶状总苞，果时花序略伸长；花直径通常 0.8 cm，稀达 1 cm；萼片三角状卵形，先端急尖或渐尖，副萼片披针形或长圆状披针形，与萼片近等长，外面密被白色长柔毛；花瓣黄色，倒卵形，先端圆钝，稍长于萼片；花柱侧生，小枝状，柱头扩大。瘦果光滑无毛。花果期 5 ~ 10 月。

| 生境分布 | 生于海拔 1 300 ~ 3 100 m 的山坡草地及林下。湖北有分布。

| 采收加工 | **开花全草**：夏季采收，晒干。

| 功能主治 | 清热解毒，利湿。用于风热声哑，肺痈，腹痛下痢，带下。

蔷薇科 Rosaceae 委陵菜属 *Potentilla*

多茎委陵菜 *Potentilla multicaulis* Bge.

| 药 材 名 | 多茎委陵菜。

| 形态特征 | 多年生草本。根粗壮，圆柱形。花茎多而密集丛生，上升或铺散，长 7 ~ 35 cm，常带暗红色，被白色长柔毛或短柔毛。基生叶为羽状复叶，有小叶 4 ~ 6 对，稀达 8 对，间隔 0.3 ~ 0.8 cm，连叶柄长 3 ~ 10 cm，叶柄暗红色，被白色长柔毛，小叶片对生，稀互生，无柄，椭圆形至倒卵形，上部小叶远比下部小叶大，长 0.5 ~ 2 cm，宽 0.3 ~ 0.8 cm，边缘羽状深裂，裂片带形，排列较整齐，先端舌状，边缘平坦或略微反卷，上面绿色，主脉、侧脉微下陷，被稀疏伏生的柔毛，稀脱落几无毛，下面被白色绒毛，脉上疏生白色长柔毛，茎生叶与基生叶形状相似，唯小叶对数较少；基生叶托叶膜质，

棕褐色，外面被白色长柔毛；茎生叶托叶草质，绿色，全缘，卵形，先端渐尖。聚伞花序具多花，初开时密集，花后疏散；花直径 0.8 ～ 1 cm，稀达 1.3 cm；萼片三角状卵形，先端急尖，副萼片狭披针形，先端圆钝，比萼片短约一半；花瓣黄色，倒卵形或近圆形，先端微凹，比萼片稍长或较之长 1 倍；花柱近顶生，圆柱形，基部膨大。瘦果卵球形，有皱纹。花果期 4 ～ 9 月。

| 生境分布 | 生于耕地边、沟谷阴处、向阳砾石山坡、草地及疏林下。湖北有分布。

| 采收加工 | **全草：**夏、秋季花初开或盛开时采收，晒干。

根：春、秋季采挖，洗净，晒干。

| 功能主治 | **全草：**清热解毒，凉血止痢，收敛止血。用于阿米巴痢疾，湿热下痢，久痢不止，痔疮出血，痈肿疮毒，刀伤，疮口久不愈合，烫火伤。

根：止血，收敛。用于久痢，各种出血。

蔷薇科 Rosaceae 委陵菜属 *Potentilla*

多裂委陵菜 *Potentilla multifida* L.

| 药 材 名 | 多裂委陵菜。

| 形态特征 | 多年生草本。根呈圆柱形，稍木质化。花茎上升，稀直立，高12～40 cm，花茎被紧贴或开展的短柔毛或绢状柔毛。基生叶为羽状复叶，有小叶3～5对，稀达6对，间隔0.5～2 cm，连叶柄长5～17 cm，叶柄被紧贴或开展的短柔毛；小叶片对生，稀互生，羽状深裂几达中脉，长椭圆形或宽卵形，长1～5 cm，宽0.8～2 cm，向基部逐渐减小，裂片带形或带状披针形，先端舌状或急尖，边缘向下反卷，上面伏生短柔毛，稀脱落几无毛，中脉侧脉下陷，下面被白色绒毛，沿脉伏生绢状长柔毛；茎生叶2～3，与基生叶形状相似，唯小叶对数向上逐渐减少；基生叶托叶膜质，褐色，外被

疏柔毛或几无毛；茎生叶托叶草质，绿色，卵形或卵状披针形，先端急尖或渐尖，2 裂或全缘。花序为伞房状聚伞花序，花后花梗伸长，疏散；花梗长 1.5 ~ 2.5 cm，被短柔毛；花直径 1.2 ~ 1.5 cm；萼片三角状卵形，先端急尖或渐尖，副萼片披针形或椭圆状披针形，先端圆钝或急尖，比萼片略短或近等长，外面被伏生长柔毛；花瓣黄色，倒卵形，先端微凹，长不超过萼片的 1 倍；花柱呈圆锥形，近顶生，基部具乳头膨大，柱头稍扩大。瘦果平滑或具皱纹。花期 5 ~ 8 月。

| 生境分布 | 生于海拔 1 200 ~ 3 100 m 的山坡草地、沟谷及林缘。湖北有分布。

| 采收加工 | 夏、秋季采挖，洗净，切段，晒干。

| 功能主治 | 止血，利湿热，杀虫。用于外伤出血，崩漏，肝炎，蛲虫病。

蔷薇科 Rosaceae 委陵菜属 *Potentilla*

绢毛匍匐委陵菜 *Potentilla reptans* L. var. *sericophylla* Franch.

|药材名| 绢毛匍匐委陵菜。

|形态特征| 多年生匍匐草本。根多分枝，常具纺锤状块根。匍匐枝长 20 ~ 100 cm，节上生不定根，被稀疏柔毛或脱落几无毛。基生叶为鸟足状五出复叶，连叶柄长 7 ~ 12 cm，叶柄被疏柔毛或脱落几无毛，小叶有短柄或几无柄；小叶片倒卵形至倒卵圆形，先端圆钝，基部楔形，边缘有急尖或圆钝锯齿，两面绿色，上面几无毛，下面被疏柔毛；纤匍枝上叶与基生叶相似；基生叶托叶膜质，褐色，外面几无毛，匍匐枝上托叶草质，绿色，卵状长圆形或卵状披针形，全缘，稀有 1 ~ 2 齿，先端渐尖或急尖。单花自叶腋生或与叶对生，花梗长 6 ~ 9 cm，被疏柔毛；花直径 1.5 ~ 2.2 cm；萼片卵状披针形，

先端急尖，副萼片长椭圆形或椭圆状披针形，先端急尖或圆钝，与萼片近等长，外面被疏柔毛，果时显著增大；花瓣黄色，宽倒卵形，先端显著下凹，比萼片稍长；花柱近顶生，基部细，柱头扩大。瘦果黄褐色，卵球形，外面被显著点纹。花果期 4 ~ 9 月。

| 生境分布 | 生于海拔 300 ~ 3 100 m 的山坡草地、渠旁、溪边灌丛中及林缘。湖北有分布。

| 采收加工 | **带根全草：**秋季采挖，晒干。

| 功能主治 | 滋阴除热，生津止渴。用于虚劳发热，虚喘，热病伤津，口渴咽干，妇女带浊。

蔷薇科 Rosaceae 委陵菜属 *Potentilla*

钉柱委陵菜 *Potentilla saundersiana* Royle

| 药 材 名 | 钉柱委陵菜。

| 形态特征 | 多年生草本。根粗壮，圆柱形。花茎直立或上升，高 10 ~ 20 cm，被白色绒毛及疏柔毛。基生叶为三至五掌状复叶，连叶柄长 2 ~ 5 cm，被白色绒毛及疏柔毛，小叶无柄；小叶片长圆状倒卵形，长 0.5 ~ 2 cm，宽 0.4 ~ 1 cm，先端圆钝或急尖，基部楔形，边缘有多数缺刻状锯齿，齿先端急尖或微钝，上面绿色，伏生稀疏柔毛，下面密被白色绒毛，沿脉伏生疏柔毛；茎生叶 1 ~ 2，小叶 3 ~ 5，与基生叶小叶相似；基生叶托叶膜质，褐色，外面被白色长柔毛或脱落几无毛，茎生叶托叶草质，绿色，卵形或卵状披针形，通常全缘，先端渐尖或急尖，下面被白色绒毛及疏柔毛。聚伞花序顶生，

有花多数，疏散，花梗长 1 ~ 3 cm，外被白色绒毛；花直径 1 ~ 1.4 cm；萼片三角状卵形或三角状披针形，副萼片披针形，先端尖锐，比萼片短或几等长，外被白色绒毛及柔毛；花瓣黄色，倒卵形，先端下凹，比萼片略长或较之长 1 倍；花柱近顶生，基部膨大，不明显，柱头略扩大。瘦果光滑。花果期 6 ~ 8 月。

| 生境分布 | 生于海拔 2 600 ~ 3 100 m 的山坡草地、多石山顶、高山灌丛及草甸。湖北有分布。

| 采收加工 | **果实：**9 ~ 11 月果实成熟时采摘，晒干。

| 功能主治 | 清热解毒，凉血。

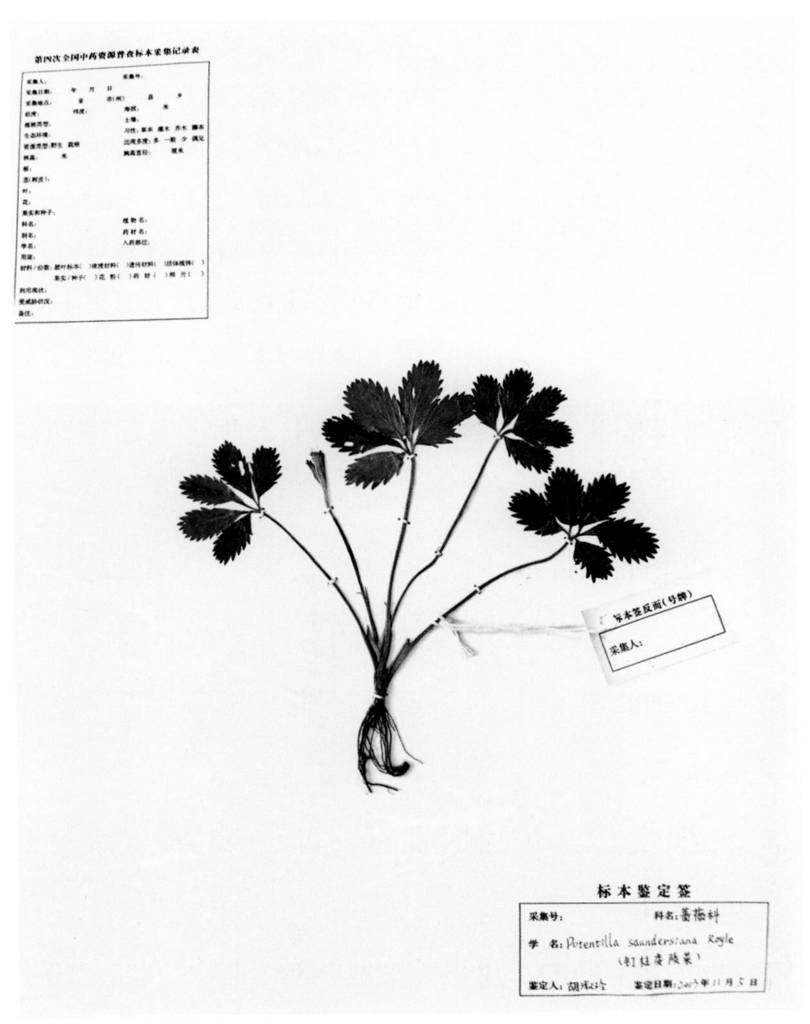

蔷薇科 Rosaceae 委陵菜属 *Potentilla*

朝天委陵菜 *Potentilla supina* L.

| 药 材 名 | 朝天委陵菜。

| 形态特征 | 一年生或二年生草本。主根细长，并有稀疏侧根。茎平展，上升或直立，叉状分枝，长 20 ~ 50 cm，被疏柔毛或脱落几无毛。基生叶羽状复叶，有小叶 2 ~ 5 对，间隔 0.8 ~ 1.2 cm，连叶柄长 4 ~ 15 cm，叶柄被疏柔毛或脱落几无毛；小叶互生或对生，无柄，最上面 1 ~ 2 对小叶基部下延与叶轴合生，小叶片长圆形或倒卵状长圆形，通常长 1 ~ 2.5 cm，宽 0.5 ~ 1.5 cm，先端圆钝或急尖，基部楔形或宽楔形，边缘有圆钝或缺刻状锯齿，两面绿色，被稀疏柔毛或脱落几无毛。花茎上多叶，下部花自叶腋生，先端呈伞房状聚伞花序；花梗长 0.8 ~ 1.5 cm，常密被短柔毛；花直径 0.6 ~ 0.8 cm；萼片三角

状卵形，先端急尖，副萼片长椭圆形或椭圆状披针形，先端急尖，比萼片稍长或近等长；花瓣黄色，倒卵形，先端微凹，与萼片近等长或较短；花柱近顶生，基部乳头状膨大，花柱扩大。瘦果长圆形，先端尖，表面具脉纹，腹部鼓胀若翅或有时不明显。花果期 3 ~ 10 月。

| 生境分布 | 生于海拔 100 ~ 2 000 m 的田边、荒地、河岸沙地、草甸、山坡湿地。湖北有分布。

| 采收加工 | **全草**：6 ~ 9 月枝叶繁茂时割取，晾干或鲜用。

| 功能主治 | 清热解毒，凉血，止痢。用于感冒发热，肠炎，热毒泻痢，血热，各种出血；鲜品外用，用于疮毒痈肿，蛇虫咬伤。

蔷薇科 Rosaceae 李属 *Prunus*

杏 *Prunus armeniaca* L.

| **药材名** | 杏仁。

| **形态特征** | 乔木，高 5 ~ 8（~ 12）m；树冠圆形、扁圆形或长圆形；树皮灰褐色，纵裂；多年生枝浅褐色，皮孔大而横生，一年生枝浅红褐色，有光泽，无毛，具多数小皮孔。叶片宽卵形或圆卵形，长 5 ~ 9 cm，宽 4 ~ 8 cm，先端急尖至短渐尖，基部圆形至近心形，叶边有圆钝锯齿，两面无毛或下面脉腋间具柔毛；叶柄长 2 ~ 3.5 cm，无毛。花单生，直径 2 ~ 3 cm，先于叶开放；花梗短，长 1 ~ 3 mm，被短柔毛；花萼紫绿色；萼筒圆筒形，外面基部被短柔毛；萼片卵形至卵状长圆形，先端急尖或圆钝，花后反折；花瓣圆形至倒卵形，白色或带红色，具短爪。果实球形，稀倒卵形，直径约 2.5 cm 以上，

白色、黄色至黄红色，常具红晕，微被短柔毛；果肉多汁，成熟时不开裂；核卵形或椭圆形，两侧扁平，先端圆钝，基部对称，稀不对称，表面稍粗糙或平滑，腹棱较圆，常稍钝，背棱较直，腹面具龙骨状棱；种仁味苦或甜。花期 3 ～ 4 月，果期 6 ～ 7 月。

| 生境分布 | 生于海拔 500 ～ 1 800 m 的干燥向阳山坡上、丘陵草原或与落叶乔灌木混生。湖北有分布。

| 资源情况 | 药材来源于栽培。

| 采收加工 | **种仁**：6 ～ 7 月采收成熟果实，除去果肉，洗净，晒干，敲碎果核，取出种仁，晒干，防虫蛀。

| 功能主治 | 降气，止咳平喘，润肠通便。用于咳嗽气喘，胸满痰多，血虚津枯，肠燥便秘。

蔷薇科 Rosaceae 李属 *Prunus*

樱桃李 *Prunus cerasifera* Ehrhart

| 药材名 |

樱桃李。

| 形态特征 |

灌木或小乔木。高可达 8 m。多分枝，枝条细长，开展；小枝暗红色，无毛。叶片椭圆形、卵形或倒卵形，长 3 ~ 6 cm，宽 2 ~ 4 cm，先端急尖，基部楔形或近圆形，边缘有圆钝的锯齿；叶柄无腺；托叶膜质，披针形，先端渐尖，边缘有带腺的细锯齿，早落。花 1，直径 2 ~ 2.5 cm：萼筒钟状；花瓣白色，长圆形或匙形，边缘波状，基部楔形，着生在萼筒边缘；雌蕊 1，心皮被长柔毛，柱头盘状。核果近球形或椭圆形，长宽几相等，直径 2 ~ 3 cm，黄色、红色或黑色，微被蜡粉，具有浅侧沟，粘核；核椭圆形或卵球形，先端急尖，浅褐色带白色，表面平滑或粗糙，或有时呈蜂窝状，背缝具沟。花期 4 月，果期 8 月。

| 生境分布 |

生于海拔 800 ~ 2 000 m 的山坡林中或多石砾的坡地及峡谷水边等处。湖北有分布。

| **采收加工** | **种子：**采摘成熟果实，取出果核，清除杂质，晒干，将果核压碎，去壳，取出种子，晒干。

| **功能主治** | 镇咳，活血，止痢，润肠。用于咳嗽，痢疾等。

蔷薇科 Rosaceae 李属 *Prunus*

郁李 *Prunus japonica* (Thunb.) Lois.

| 药材名 |

郁李仁、郁李根。

| 形态特征 |

落叶灌木，高 1 ~ 1.5 m。树皮灰褐色，有不规则纵条纹。幼枝黄棕色，光滑。叶互生，卵形或卵状披针形，长 3 ~ 7 cm，有缺刻状尖锐重锯齿，上面无毛，下面淡绿色，无毛或有稀疏柔毛，侧脉 5 ~ 8 对；叶柄长 2 ~ 3 mm，无毛或被稀疏柔毛；托叶线形，长 4 ~ 6 mm，有腺齿。1 ~ 3 花簇生，花与叶同放或先于叶开放；花梗长 0.5 ~ 1 cm，无毛或被疏柔毛；萼筒陀螺形，长、宽均为 2.5 ~ 3 mm，无毛；萼片椭圆形，比萼筒稍长，有细齿；花瓣白色或粉红色，倒卵状椭圆形，花柱与雄蕊近等长，无毛。核果近球形，成熟时呈深红色，直径约 1 cm；核光滑。花期 5 月，果期 7 ~ 8 月。

| 生境分布 |

生于海拔 2000 m 以下的向阳山坡、路旁或小灌丛中。湖北有分布。

| 采收加工 |

郁李仁：当果实呈鲜红色时采收，堆放在阴

湿处，待果肉腐烂后取果核，清除杂质，稍晒干，压碎，去壳，即得种仁。

郁李根：秋、冬季采挖，洗净，切段，晒干。

| 功能主治 | **郁李仁**：润肠通便，下气利水。用于津枯肠燥，食积气滞，腹胀便秘，水肿，脚气，小便不利。

郁李根：清热，杀虫，行气破积。用于龋齿疼痛，小儿发热，气滞积聚。

蔷薇科 Rosaceae 李属 *Prunus*

李 *Prunus salicina* Lindl.

| 药 材 名 | 李。

| 形态特征 | 乔木，高达 12 m。叶矩圆状倒卵形或椭圆状倒卵形，长 5 ~ 10 cm，宽 3 ~ 4 cm，边缘有细密、浅圆钝重锯齿，两面无毛或下面脉腋间

有毛；叶柄长 1 ~ 1.5 cm，无毛，近先端有 2 ~ 3 腺体；托叶早落。花先于叶开，直径 1.5 ~ 2 cm，通常 3 花簇生；花梗长 1 ~ 1.5 cm，无毛；萼筒钟状，无毛，裂片卵形，边缘有细齿；花瓣白色，矩圆状倒卵形；雄蕊多数，约与花瓣等长；心皮 1，无毛。核果卵球形，直径 4 ~ 7 cm，先端常尖，基部凹陷，有深沟，绿色、黄色或浅红色，有光泽，外有蜡粉；核有皱纹。

| 生境分布 | 生于海拔 400 ~ 2 600 m 的山坡灌丛中、山谷疏林中或水边、沟底、路旁。湖北有分布。

| 资源情况 | 药材主要来源于栽培。

| 采收加工 | **根：**春季采挖。

种仁：夏季采收果实，捡拾李核，破核取仁，晒干。

| 功能主治 | **根：**清热解毒，利湿，止痛。用于牙痛，消渴，痢疾，带下。

种仁：活血祛瘀，滑肠，利水。用于跌打损伤，瘀血作痛，大便燥结，浮肿。

蔷薇科 Rosaceae 李属 *Prunus*

杏李 *Prunus simonii* Carr.

| 药 材 名 | 杏李。

| 形态特征 | 乔木，高 5 ~ 8 m。树冠金字塔形，直立分枝；老枝紫红色，树皮起伏不平，常有裂痕；小枝浅红色，粗壮，节间短，无毛；冬芽卵圆形，紫红色，有数枚覆瓦状排列的鳞片，边缘有细齿，通常无毛，极稀鳞片边缘有睫毛。叶片长圆状倒卵形或长圆状披针形，稀长椭圆形，长 7 ~ 10 cm，宽 3 ~ 5 cm，先端渐尖或急尖，基部楔形或宽楔形，边缘有细密圆钝锯齿，有时呈不明显重锯齿，幼时齿尖常带腺；上面深绿色，主脉和侧脉均明显下陷，下面淡绿色，中脉和侧脉均明显凸起，侧脉弧形，与主脉呈锐角，两面无毛；托叶膜质，线形，先端长渐尖，边缘有腺，早落；叶柄长 1 ~ 1.3 cm，无毛，

通常在先端两侧各有 1 ~ 2 腺体。花（1 ~ ）2 ~ 3，簇生；花梗长 2 ~ 5 mm，无毛；花直径 1.5 ~ 2 cm，萼筒钟状，萼片长圆形，先端圆钝，边有带腺细齿，萼片与萼筒外面均无毛，内面在萼筒基部被短柔毛；花瓣白色，长圆形，先端圆钝，基部楔形，有短爪，着生在萼筒边缘；雄蕊多数，花丝长短不等，排成紧密 2 轮，长花丝比花瓣稍短或与之近等长；雌蕊 1，心皮无毛，柱头盘状，花柱比长雄蕊稍短或与之近等长。核果先端扁球形，直径 3 ~ 5（ ~ 6）cm，红色，果肉淡黄色，质地紧密，有浓香味，粘核，微涩；核小，扁球形，有纵沟。果期 6 ~ 7 月。

| 生境分布 | 湖北有栽培。

| 功能主治 | 活血，调经，止血。用于吐血，闭经，跌打损伤。

蔷薇科 Rosaceae 火棘属 *Pyracantha*

窄叶火棘 *Pyracantha angustifolia* (Franch.) Schneid.

| 药 材 名 | 窄叶火棘。

| 形态特征 | 常绿灌木或小乔木，高达 4 m，多枝刺，小枝密被灰黄色绒毛，老枝紫褐色，绒毛逐渐减少。叶片窄长圆形至倒披针状长圆形，长 1.5 ~ 5 cm，宽 4 ~ 8 mm，先端圆钝而短尖或微凹，基部楔形，叶边全缘，微向下卷，上面初时有灰色绒毛，逐渐脱落，暗绿色，下面密生灰白色绒毛；叶柄密被绒毛，长 1 ~ 3 mm。复伞房花序，直径 2 ~ 4 cm，总花梗、花梗、萼筒和萼片均密被灰白色绒毛；萼筒钟状，萼片三角形；花瓣近圆形，直径约 2.5 mm，白色；雄蕊 20，花丝长 1.5 ~ 2 mm；花柱 5，与雄蕊等长，子房上具白色绒毛。果实扁球形，直径 5 ~ 6 mm，砖红色，先端具宿存萼片。花期 5 ~ 6 月，

果期 10 ~ 12 月。

| **生境分布** | 生于海拔 1 600 m 以下的山坡灌丛中或路旁。分布于湖北西南部。

| **采收加工** | 果实成熟时采摘，晒干。

| **功能主治** | 消积止痢，活血止血，清热凉血。外用于疮疡肿毒。

蔷薇科 Rosaceae 火棘属 *Pyracantha*

全缘火棘 *Pyracantha atalantioides* (Hance) Stapf

| 药 材 名 | 全缘火棘。

| 形态特征 | 常绿灌木或小乔木。高达 6 m。常有枝刺；幼枝被黄褐色或灰色柔毛。叶椭圆形或长圆形，稀长圆状倒卵形，长 1.5 ~ 4 cm，先端微

尖或圆钝，有时刺尖，基部楔形或圆，全缘或有不明显细齿，幼时有黄褐色柔毛，老时无毛，下面微带白霜；叶柄长 2 ~ 5 mm，无毛或有柔毛。花多数组成复伞房花序，花序梗和花梗被黄褐色柔毛；花梗长 0.5 ~ 1 cm；花直径 7 ~ 9 mm；萼片宽卵形；花瓣白色，卵形，长 4 ~ 5 mm，先端尖，基部具短爪；雄蕊 20，花药黄色；子房上部密生白色绒毛，花柱 5，与雄蕊近等长。梨果扁球形，直径 4 ~ 6 mm，亮红色。

| 生境分布 | 生于海拔 500 ~ 1 700 m 的山坡或谷地灌丛疏林中。湖北有分布。

| 资源情况 | 野生资源丰富，栽培资源丰富。药材来源于野生和栽培。

| 采收加工 | **果实：**9 ~ 11 月果实成熟时采摘，晒干。

| 功能主治 | 健脾消积，收敛止痢，止痛。用于痞块，食积，脘腹胀满，泄泻，痢疾，崩漏，带下，跌打损伤。

蔷薇科 Rosaceae 火棘属 *Pyracantha*

火棘 *Pyracantha fortuneana* (Maxim.) Li

| 药材名 | 火棘。

| 形态特征 | 常绿灌木，高达 3 m；侧枝短，先端呈刺状，嫩枝外被锈色短柔毛，老枝暗褐色，无毛；芽小，外被短柔毛。叶片倒卵形或倒卵状长圆形，长 1.5 ~ 6 cm，宽 0.5 ~ 2 cm，先端圆钝或微凹，有时具短尖头，基部楔形，下延连于叶柄，边缘有钝锯齿，齿尖向内弯，近基部全缘，两面皆无毛；叶柄短，无毛或嫩时有柔毛。花集成复伞房花序，直径 3 ~ 4 cm，花梗和总花梗近无毛，花梗长约 1 cm；花直径约 1 cm；萼筒钟状，无毛；萼片三角状卵形，先端钝；花瓣白色，近圆形，长约 4 mm，宽约 3 mm；雄蕊 20，花丝长 3 ~ 4 mm，花药黄色；花柱 5，离生，与雄蕊等长，子房上部密生白色柔毛。

果实近球形，直径约 5 mm，橘红色或深红色。花期 3 ~ 5 月，果期 8 ~ 11 月。

| 生境分布 | 生于海拔 500 ~ 2 800 m 的山地、丘陵地阳坡灌丛草地及河沟路旁。湖北有分布。

| 采收加工 | 9 ~ 11 月果实成熟时采摘，晒干。

| 功能主治 | 消积止痢，活血止血。用于消化不良，肠炎，痢疾，疳积，崩漏，带下，产后腹痛。

蔷薇科 Rosaceae 梨属 *Pyrus*

杜梨 *Pyrus betulifolia* Bunge

| 药材名 |

杜梨。

| 形态特征 |

乔木，高达 10 m。树冠开展，枝常具刺；小枝嫩时密被灰白色绒毛，二年生枝条具稀疏绒毛或近无毛，紫褐色；冬芽卵形，先端渐尖，外被灰白色绒毛。叶片菱状卵形至长圆状卵形，长 4 ~ 8 cm，宽 2.5 ~ 3.5 cm，先端渐尖，基部宽楔形，稀近圆形，边缘有粗锐锯齿，幼叶上、下面均密被灰白色绒毛，成长后毛脱落，老叶上面无毛而有光泽，下面微被绒毛或近无毛；叶柄长 2 ~ 3 cm，被灰白色绒毛；托叶膜质，线状披针形，长约 2 mm，两面均被绒毛，早落。伞形总状花序，有 10 ~ 15 花，总花梗和花梗均被灰白色绒毛，花梗长 2 ~ 2.5 cm；苞片膜质，线形，长 5 ~ 8 mm，两面均微被绒毛，早落；花直径 1.5 ~ 2 cm；萼筒外密被灰白色绒毛；萼片三角状卵形，长约 3 mm，先端急尖，全缘，内、外面均密被绒毛，花瓣宽卵形，长 5 ~ 8 mm，宽 3 ~ 4 mm，先端圆钝，基部具有短爪，白色；雄蕊 20，花药紫色，长约为花瓣之半；花柱 2 ~ 3，基部微具毛。果实近球形，直径 5 ~ 10 mm，具 2 ~ 3 室，褐色，有淡色斑点，萼片脱落，基部具带绒毛果柄。花期 4 月，果期 8 ~ 9 月。

| 生境分布 | 生于海拔 50 ~ 1 800 m 的平原或山坡阳处。湖北有分布。

| 采收加工 | 8 ~ 9 月果实成熟时采摘，晒干或鲜用。

| 功能主治 | 涩肠，敛肺，消食。用于泻痢，咳嗽，食积。

蔷薇科 Rosaceae 梨属 *Pyrus*

豆梨 *Pyrus calleryana* Decne.

| 药 材 名 | 鹿梨。

| 形态特征 | 乔木，高 5 ~ 8 m；小枝在幼嫩时具绒毛，不久毛脱落，二年生枝灰褐色；冬芽三角状卵形，先端短渐尖，微具绒毛。叶片宽卵形或卵形，长 4 ~ 8 cm，宽 3.5 ~ 6 cm，先端渐尖，基部圆形至宽楔形，边缘有钝锯齿，两面无毛；叶柄长 2 ~ 4 cm，无毛；托叶叶质，线状披针形，长 4 ~ 7 mm，无毛。伞形总状花序，具 6 ~ 12 花，直径 4 ~ 6 mm；总花梗和花梗均无毛，花梗长 1.5 ~ 3 cm；苞片膜质，线状披针形；花直径 2 ~ 2.5 cm；萼片披针形，先端渐尖，全缘，外面无毛，内面具绒毛；花瓣卵形，长约 13 mm，基部具短爪，白色；雄蕊 20，稍短于花瓣；花柱 2，稀 3，基部无毛。梨果球形，黑褐色，

有斑点，萼片脱落。花期 4 月，果期 8 ～ 9 月。

| 生境分布 | 生于海拔 80 ～ 1 800 m 的山坡、平原或山谷杂木林中。湖北有分布。

| 功能主治 | 健脾消食，涩肠止痢。用于饮食积滞，泻痢。

蔷薇科 Rosaceae 梨属 *Pyrus*

川梨 *Pyrus pashia* Buch.-Ham. ex D. Don

| 药材名 | 川梨、川梨茎皮。

| 形态特征 | 乔木，高达 12 m。常具枝刺；小枝圆柱形，幼嫩时被绵状毛，以后脱落，二年生枝条紫褐色或暗褐色；冬芽卵形，先端圆钝，鳞片边缘被短柔毛。叶片卵形至长卵形，稀椭圆形，长 4 ~ 7 cm，宽 2 ~ 5 cm，先端渐尖或急尖，基部圆形，稀宽楔形，边缘有钝锯齿，在幼苗或萌蘖上的叶片常具分裂并有尖锐锯齿，幼嫩时被绒毛，以后脱落；叶柄长 1.5 ~ 3 cm；托叶膜质，线状披针形，不久即脱落。伞形总状花序，具花 7 ~ 13，直径 4 ~ 5 cm，总花梗和花梗均密被绒毛，逐渐脱落，果期无毛，或近无毛，花梗长 2 ~ 3 cm；苞片膜质，线形，长 8 ~ 10 mm，两面均被绒毛；花直径 2 ~ 2.5 cm；

萼筒杯状，外面密被绒毛，萼片三角形，长 3 ~ 6 mm，先端急尖，全缘，内外两面均被绒毛；花瓣倒卵形，长 8 ~ 10 mm，宽 4 ~ 6 mm，先端圆或啮齿状，基部具短爪，白色；雄蕊 25 ~ 30，稍短于花瓣；花柱 3 ~ 5，无毛。果实近球形，直径 1 ~ 1.5 cm，褐色，有斑点，萼片早落，果柄长 2 ~ 3 cm。花期 3 ~ 4 月，果期 8 ~ 9 月。

| **生境分布** | 生于海拔 1 100 ~ 2 650 m 的山谷斜坡、丛林中，或栽培于山坡。湖北有分布。

| **采收加工** | **川梨**：8 ~ 9 月采收成熟果实，晒干。

川梨茎皮：全年均可采收，割去表皮，剥取内皮，晒干。

| **功能主治** | **川梨**：消食化积，祛瘀止痛。用于肉食积滞，消化不良，泄泻，痛经，产后瘀血作痛。

川梨茎皮：清热止痢，解毒。用于痢疾，肠炎，毒菇中毒。

蔷薇科 Rosaceae 梨属 *Pyrus*

沙梨 *Pyrus pyrifolia* (Burm. f.) Nakai.

| 药 材 名 | 沙梨。

| 形态特征 | 乔木，高 7 ~ 15 m；小枝嫩时具黄褐色长柔毛或绒毛，不久脱落，二年生枝紫褐色或暗褐色，具稀疏皮孔；冬芽长卵形，先端圆钝，鳞片边缘和先端稍具长绒毛。叶片卵状椭圆形或卵形，长 7 ~ 12 cm，宽 4 ~ 6.5 cm，先端长尖，基部圆形或近心形，稀宽楔形，边缘有刺芒锯齿。微向内合拢，上、下面无毛或嫩时有褐色绵毛；叶柄长 3 ~ 4.5 cm，嫩时被绒毛，不久脱落；托叶膜质，线状披针形，长 1 ~ 1.5 cm，先端渐尖，全缘，边缘具长柔毛，早落。伞形总状花序，具 6 ~ 9 花，直径 5 ~ 7 cm；总花梗和花梗幼时微具柔毛，花梗长 3.5 ~ 5 cm；苞片膜质，线形，边缘有长柔毛；花直径 2.5 ~ 3.5 cm；

萼片三角状卵形，长约 5 mm，先端渐尖，边缘有腺齿；外面无毛，内面密被褐色绒毛；花瓣卵形，长 15 ~ 17 mm，先端啮齿状，基部具短爪，白色；雄蕊 20，长约等于花瓣之半；花柱 5，稀 4，光滑无毛，约与雄蕊等长。果实近球形，浅褐色，有浅色斑点，先端微向下陷，萼片脱落；种子卵形，微扁，长 8 ~ 10 mm，深褐色。花期 4 月，果期 8 月。

| 生境分布 | 生于海拔 100 ~ 1 400 m 的温暖而多雨的地区。湖北有分布。

| 功能主治 | 清暑解渴，生津收敛。用于干咳，热病烦渴，多汗等。

蔷薇科 Rosaceae 梨属 *Pyrus*

麻梨 *Pyrus serrulata* Rehd.

| 药 材 名 | 麻梨。

| 形态特征 | 乔木，高 8 ~ 10 m；小枝呈圆柱形，微带棱角，在幼嫩时具褐色绒毛，以后脱落无毛，二年生枝紫褐色，具稀疏的白色皮孔；冬芽肥大，卵形，先端急尖，鳞片内面具黄褐色绒毛。叶片卵形至长卵形，长 5 ~ 11 cm，宽 3.5 ~ 7.5 cm，先端渐尖，基部宽楔形或圆形，边缘有细锐锯齿，齿尖常向内合拢，下面在幼嫩时被褐色绒毛，后毛脱落，侧脉 7 ~ 13 对，网脉明显；叶柄长 3.5 ~ 7.5 cm，嫩时有褐色绒毛，不久毛脱落；托叶膜质，线状披针形，先端渐尖，内面有褐色绒毛，早落。伞形总状花序有 6 ~ 11 花，花梗长 3 ~ 5 cm，总花梗和花梗均被褐色绵毛，毛逐渐脱落；苞片膜质，线状披针形，长

5 ~ 10 mm，先端渐尖，边缘有腺齿，内面具褐色绵毛；花直径 2 ~ 3 cm；萼筒外面有疏绒毛；萼片三角状卵形，长约 3 mm，先端渐尖或急尖，边缘具有腺齿，外面具疏绒毛，内面密生绒毛。果实近球形或倒卵形，长 1.5 ~ 2.2 cm，深褐色，有浅褐色果点，3 ~ 4 室，萼片宿存。花期 4 月，果期 6 ~ 8 月。

| 生境分布 | 生于海拔 100 ~ 1 500 m 的灌丛中或林边。湖北有分布。

| 采收加工 | 6 ~ 8 月果实成熟时采摘。

| 功能主治 | 生津止咳，润燥化痰，润肠通便。用于心烦口渴，肺燥干咳，咽干舌燥，噎嗝反胃，大便干结等。

蔷薇科 Rosaceae 梨属 *Pyrus*

木梨 *Pyrus xerophila* T. T. Yu

| 药 材 名 | 木梨。

| 形态特征 | 乔木，高 8 ~ 10 m。小枝粗壮，微屈曲，幼时无毛或具疏柔毛，二年生枝条褐灰色，具疏白色皮孔；冬芽小，卵形，先端急尖，无毛或在鳞片边缘及先端微具柔毛。叶片卵形至长卵形，稀长椭圆状卵形，长 4 ~ 7 cm，宽 2.5 ~ 4 cm，先端渐尖，稀急尖，基部圆形，边缘有钝锯齿，稀先端有少数细锐锯齿，上、下面均无毛或萌蘖叶片有柔毛，侧脉 5 ~ 10 对；叶柄长 2.5 ~ 5 cm，无毛；托叶膜质，线状披针形，先端渐尖，边缘有腺齿，长 6 ~ 10 mm，内面具白色绵毛，很早脱落。伞形总状花序有 3 ~ 6 花，总花梗和花梗幼时均被稀疏柔毛，不久脱落，花梗长 2 ~ 3 cm；苞片膜质，线状披针形，

长约 1 cm，先端渐尖，边缘有腺齿，内面具绵毛，早期脱落；花瓣宽卵形，基部具短爪，长 9 ~ 10 mm，白色；雄蕊 20，稍短于花瓣；花柱 5，稀 4，和雄蕊近等长，基部具疏柔毛。果实卵球形或椭圆形，直径 1 ~ 1.5 cm，褐色，有稀疏的斑点，萼片宿存，4 ~ 5 室；果柄长 2 ~ 3.5 cm。花期 4 月，果期 8 ~ 9 月。

| 生境分布 | 生于海拔 500 ~ 2 000 m 的山坡、灌丛中。湖北有分布。

| 采收加工 | 8 ~ 9 月果实成熟时采摘。

| 功能主治 | 消食，止痢。用于泛酸，水痢。

蔷薇科 Rosaceae 蔷薇属 *Rosa*

刺蔷薇 *Rosa acicularis* Lindl.

| 药 材 名 | 刺蔷薇。

| 形态特征 | 灌木，高 1 ~ 3 m；小枝呈圆柱形，稍微弯曲，红褐色或紫褐色，无毛；有细直皮刺，常密生针刺，有时无刺。小叶 3 ~ 7，连叶柄长 7 ~ 14 cm；小叶片宽椭圆形或长圆形，长 1.5 ~ 5 cm，宽 8 ~ 25 mm，先端急尖或圆钝，基部近圆形，稀宽楔形，边缘有单锯齿或不明显重锯齿，上面深绿色，无毛，中脉和侧脉稍微下陷，下面淡绿色，中脉和侧脉均凸起，有柔毛，沿中脉较密；叶柄和叶轴有柔毛、腺毛和稀疏皮刺；托叶大部贴生于叶柄，离生部分宽卵形，边缘有腺齿，下面被柔毛。花单生或 2 ~ 3 花集生，苞片卵形至卵状披针形，先端渐尖或尾尖，边缘有腺齿或缺刻，花梗长 2 ~ 3.5 cm，

无毛，密被腺毛；花直径 3.5 ～ 5 cm；萼筒长椭圆形，光滑无毛或有腺毛；萼片披针形，先端常扩展成叶状，外面有腺毛或稀疏刺毛，内面密被柔毛；花瓣粉红色，芳香，倒卵形，先端微凹，基部宽楔形；花柱离开，被毛，比雄蕊短。果实梨形、长椭圆形或倒卵球形，直径 1 ～ 1.5 cm，有明显的颈部，红色，有光泽，有腺或无腺。花期 6 ～ 7 月，果期 7 ～ 9 月。

| 生境分布 | 生于海拔 450 ～ 1 820 m 的山坡阳处、灌丛中或桦木林下，以及砍伐后的针叶林迹地、路旁。湖北有分布。

| 资源情况 | 野生资源一般。药材来源于野生。

| 采收加工 | 夏、秋季采根，洗净，切段，晒干。

| 功能主治 | 祛风湿。用于风湿关节痛。

蔷薇科 Rosaceae 蔷薇属 *Rosa*

单瓣白木香 *Rosa banksiae* Ait. var. *normalis* Regel

| 药 材 名 | 香花刺。

| 形态特征 | 落叶灌木或半常绿灌木。茎攀缘，长达 10 m，具疏刺或近无刺。叶互生，奇数羽状复叶，小叶 3 ~ 5，叶片椭圆状卵形或长圆状披针形，

长 2 ～ 6 cm，宽 1 ～ 2.5 cm，边缘有细锯齿。伞形花序顶生，常有数花，花直径 1.5 ～ 2.5 cm；苞片 5，卵形，先端长渐尖，全缘；萼筒和萼片外面均无毛，内面被白色柔毛；花瓣白色，单瓣，芳香。果实球形至卵球形，直径 5 ～ 7 mm，红黄色至黑褐色，萼片脱落。花期 4 ～ 5 月。

| **生境分布** | 生于海拔 500 ～ 1 500 m 的沟谷中。分布于湖北来凤、房县。

| **资源情况** | 野生资源一般。药材来源于野生。

| **采收加工** | 夏、秋季挖根，洗净，剥去根皮，晒干。

| **功能主治** | 活血调经，消肿散瘀。用于月经不调，外伤红肿。

蔷薇科 Rosaceae 蔷薇属 *Rosa*

木香花 *Rosa banksiae* W. T. Aiton

| 药 材 名 | 木香花。

| 形态特征 | 攀缘小灌木，高可达 6 m；小枝圆柱形，无毛，有短小皮刺；小叶 3 ~ 5，连叶柄长 4 ~ 6 cm，托叶线状披针形，离生，早落，小叶片椭圆状卵形或长圆状披针形，长 2 ~ 5 cm，宽 8 ~ 18 mm，先端急尖或稍钝，基部近圆形或宽楔形，边缘有紧贴细锯齿，上面无毛，深绿色，下面淡绿色，沿脉有柔毛。花两性，小型，多朵成伞形花序；花直径 1.5 ~ 2.5 cm；花梗长 2 ~ 3 cm，无毛；萼片卵形，萼筒和萼片外面均无毛，内面被白色柔毛；花瓣重瓣至半重瓣；心皮多数；花柱离生，密被柔毛，比雄蕊短。花期 4 ~ 5 月。

| **生境分布** | 生于海拔 500 ~ 1 500 m 的溪边路旁或山坡灌丛中。分布于湖北来凤、房县。

| **资源情况** | 野生资源一般。药材主要来源于野生。

| **采收加工** | **根：**夏、秋季采挖，洗净泥土，切片，晒干。

| **功能主治** | 涩肠止泻，解毒，止血。用于肠炎，痢疾，月经过多，肠出血，小儿腹泻，消化不良腹泻，外伤出血，疮疖。

蔷薇科 Rosaceae 蔷薇属 *Rosa*

硕苞蔷薇 *Rosa bracteata* Wendl.

| 药 材 名 | 苞蔷薇根、苞蔷薇果。

| 形态特征 | 常绿灌木，高 2 ~ 5 m，有长匍匐枝；小枝粗壮，密被黄褐色柔毛，混生针刺和腺毛；皮刺扁弯，常成对着生在托叶下方。小叶 5 ~ 9，连叶柄长 4 ~ 9 cm；小叶片革质，椭圆形、倒卵形，长 1 ~ 2.5 cm，宽 8 ~ 15 mm，先端截形、圆钝或稍急尖，基部宽楔形或近圆形，边缘有紧贴的圆钝锯齿，上面无毛，深绿色，有光泽，下面颜色较淡，沿脉有柔毛或无毛；小叶柄和叶轴有稀疏柔毛、腺毛和小皮刺；托叶大部分离生，呈篦齿状深裂，密被柔毛，边缘有腺毛。花单生或 2 ~ 3 花集生；直径 4.5 ~ 7 cm；花梗长不及 1 cm，密生长柔毛和稀疏腺毛；有数枚大型宽卵形苞片，边缘有不规则缺刻状锯齿，外

面密被柔毛，内面近无毛；萼片宽卵形，先端尾状渐尖，和萼筒外面均密被黄褐色柔毛和腺毛，内面有稀疏柔毛，花后反折；花瓣白色，倒卵形，先端微凹，心皮多数；花柱密被柔毛，比雄蕊稍短。果实球形，密被黄褐色柔毛，果柄短，密被柔毛。花期 5 ~ 7 月，果期 8 ~ 11 月。

| **生境分布** | 生于海拔 100 ~ 300 m 的溪边、路旁和灌丛中。湖北有分布。

| **资源情况** | 野生资源一般。药材主要来源于野生。

| **采收加工** | **苞蔷薇根**：全年均可采挖，洗净，鲜用或晒干。

苞蔷薇果：秋季果实成熟时采摘，鲜用或晒干。

| **功能主治** | **苞蔷薇根**：补脾益肾，敛肺涩肠，止汗，活血调经，祛风湿，散结解毒。用于腰膝酸软，水肿，脚气，遗精，盗汗，阴挺，久泻，脱肛，咳嗽气喘，胃痛，疝气，风湿痹痛，月经不调，闭经，带下，瘰疬，肠痈，烫伤。

苞蔷薇果：补脾益肾，涩肠止泻，祛风湿，活血调经。用于腹泻，痢疾，风湿痹痛，月经不调。

蔷薇科 Rosaceae 蔷薇属 *Rosa*

百叶蔷薇 *Rosa centifolia* L.

| 药材名 | 百叶蔷薇。

| 形态特征 | 有刺小灌木，直立；高 2 ~ 3 m。小枝上有不等皮刺。小叶片薄，长圆形，先端急尖，基部圆形或近心形，边缘通常有单锯齿，上面无毛或偶有毛，下面有柔毛；小叶柄和叶轴有 腺毛；托叶大部贴生于叶柄，离生部分卵形，边缘有腺；叶互生，奇数羽状复叶。花单生，无苞片；芳香；花梗细长，弯曲，密被腺毛；萼片卵形，花瓣重瓣，与数轮雄蕊同着生于萼管边缘的花盘上；心皮多数，生于壶状的萼管里面，成熟时变为被毛的瘦果包藏于此管内。花瓣粉红色；花柱离生，被毛。果实卵球形或近球形，萼片宿存。

| 生境分布 | 喜阳光，亦耐半阴，较耐寒，适生于排水良好的肥沃湿润地。

| 资源情况 | 野生资源一般。

| 功能主治 | **根、叶：**收敛止痛。用于眼疾。

花：消肿散瘀，润肠缓下。用于瘀血肿痛，跌打损伤，腰肌劳损，闪挫扭伤。

蔷薇科 Rosaceae 蔷薇属 *Rosa*

月季花 *Rosa chinensis* Jacq.

| 药 材 名 | 月季花叶、月季花根。

| 形态特征 | 落叶或常绿灌木，或蔓状与攀缘状藤本植物。茎为棕色偏绿色，具有钩刺或无刺，但也有几乎没有刺的月季。叶为墨绿色，叶互生，奇数羽状复叶，小叶 3 ~ 5，宽卵形、椭圆形或卵状长圆形，长 2.5 ~ 6 cm，先端渐尖，具尖齿，叶缘有锯齿，两面无毛，光滑；托叶与叶柄合生，全缘或具腺齿，先端分离为耳状。花生于枝顶，花朵常簇生，稀单生，花色甚多，色泽各异，直径 4 ~ 5 cm，多为重瓣也有单瓣者；萼片尾状长尖，边缘有羽状裂片，花有微香，春季开花最多，大多数是完全花，或者是两性花。肉质蔷薇果，成熟后呈红黄色，顶部裂开，瘦果，栗褐色，果实卵球形或梨形，长

1 ~ 2 cm，萼片脱落。花期 4 ~ 10 月（北方），3 ~ 11 月（南方）。

| 生境分布 | 生于富含有机质、排水良好的微带酸性砂壤土，性喜温暖。

| 资源情况 | 药材主要来源于栽培。

| 采收加工 | **月季花叶：**春季至秋季，枝叶茂盛时均可采摘，鲜用或晒干。

月季花根：全年均可采挖，洗净，切段，晒干。

| 功能主治 | **月季花叶：**活血消肿，解毒，止血。用于疮疡肿痛，瘰疬，跌打损伤，腰膝肿痛，外伤出血。

月季花根：活血调经，消肿散结，涩精止带。用于月经不调，痛经，闭经，血崩，跌打损伤，瘰疬，遗精，带下。

蔷薇科 Rosaceae 蔷薇属 *Rosa*

小果蔷薇 *Rosa cymosa* Tratt.

| 药 材 名 |

小果蔷薇。

| 形态特征 |

攀缘灌木，高 2 ~ 5 m；小枝圆柱形，无毛或稍有柔毛，有钩状皮刺。小叶 3 ~ 5，稀 7；连叶柄长 5 ~ 10 cm；小叶片卵状披针形或椭圆形，稀长圆状披针形，长 2.5 ~ 6 cm，宽 8 ~ 25 mm，先端渐尖，基部近圆形，边缘有紧贴或尖锐细锯齿，两面均无毛，上面亮绿色，下面颜色较淡，中脉凸起，沿脉有稀疏长柔毛；小叶柄和叶轴无毛或有柔毛，有稀疏皮刺和腺毛；托叶膜质，离生，线形，早落。花多朵成复伞房花序；花直径 2 ~ 2.5 cm，花梗长约 1.5 cm，幼时密被长柔毛，老时逐渐脱落近无毛；萼片卵形，先端渐尖，常有羽状裂片，外面近无毛，稀有刺毛，内面被稀疏白色绒毛，沿边缘较密；花瓣白色，倒卵形，先端凹，基部楔形；花柱离生，稍伸出花托口外，与雄蕊近等长，密被白色柔毛。果实球形，直径 4 ~ 7 mm，红色至黑褐色，萼片脱落。花期 5 ~ 6 月，果期 7 ~ 11 月。

| 生境分布 | 生于海拔 250 ~ 1 300 m 的向阳山坡、路旁、溪边或丘陵地。分布于湖北来凤、宣恩、咸丰、鹤峰、利川、五峰、崇阳、英山、罗田，以及武汉等。

| 资源情况 | 野生资源一般。药材主要来源于野生。

| 采收加工 | **根：**全年均可采挖，洗净，切段，鲜用或晒干。

茎：全年均可采收，割取茎藤，切段，晒干。

叶：夏、秋季采收，鲜用。

花：5 ~ 6 月花盛开时采摘，除去杂质，晾干或晒干。

果实：秋、冬季果实成熟时采摘，鲜用或晒干。

| 功能主治 | **根：**散瘀止血，消肿解毒。用于跌打损伤，外伤出血，月经不调，子宫脱垂，痔疮，风湿疼痛，腹泻，痢疾。

茎：固涩益肾。用于遗尿，子宫脱垂，脱肛，带下，痔疮。

叶：解毒，活血散瘀，消肿散结。用于疮痈肿痛，烫火伤，跌打损伤，风湿痹痛。

花：健脾，解暑。用于食欲不振，暑热口渴。

果实：化痰止咳，养肝明目，益肾固涩。用于痰多咳嗽，眼目昏糊，遗精遗尿，带下。

| 附　　注 | 小果蔷薇根治疗外伤性出血：取小果蔷薇根皮洗净切碎，晒干，磨粉过筛，以 20 倍量水浸泡 24 小时，滤过，滤渣晒干碾细，治疗外伤性出血 56 例，一般用 0.5 ~ 1 g 置于伤口上，止血时间最短 5 秒，最长 30 分，平均约 30 秒，随访 55 例，均无不良反应。

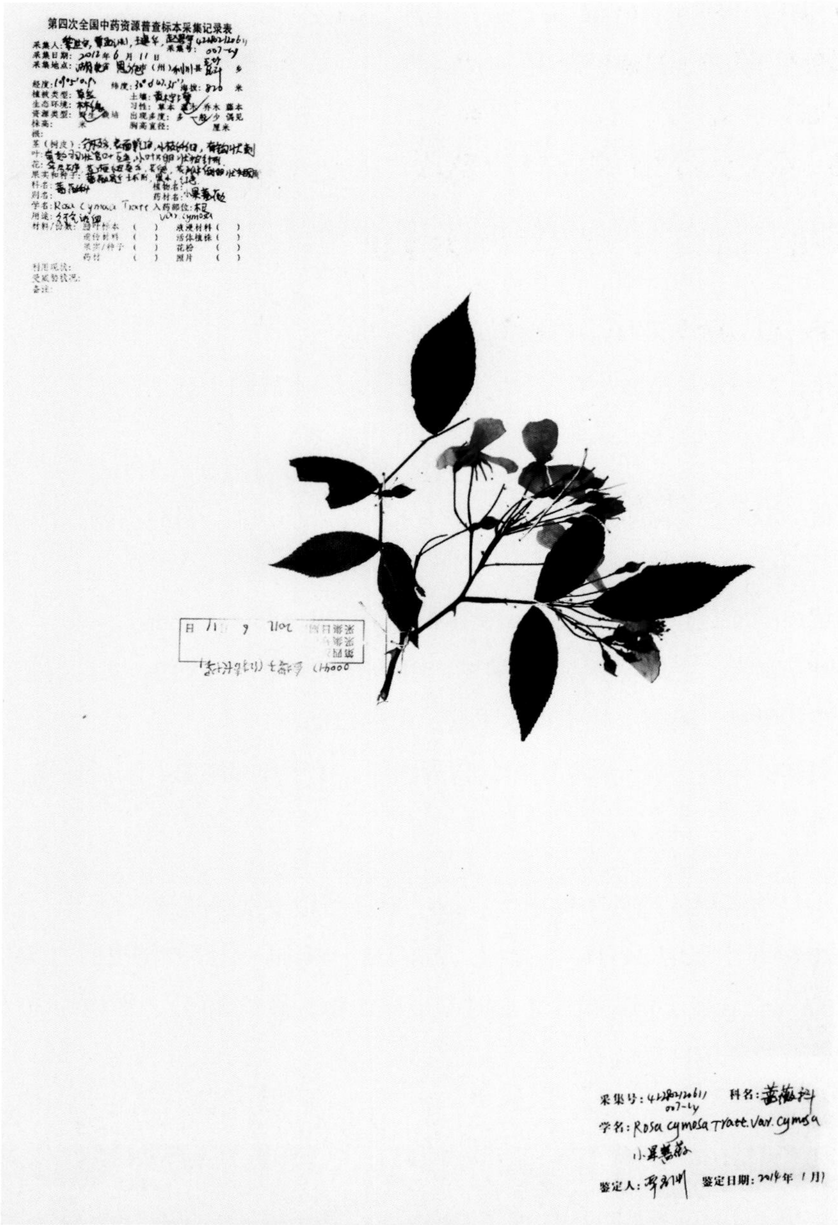

蔷薇科 Rosaceae 蔷薇属 *Rosa*

卵果蔷薇 *Rosa helenae* Rehd. et Wils.

| 药 材 名 | 卵果蔷薇果。

| 形态特征 | 铺散灌木，有长匍枝；枝条粗壮，紫褐色，当年小枝红褐色，无毛；皮刺短粗，基部膨大，稍弯曲，带黄色。小叶（5 ~ ）7 ~ 9，连叶柄长 8 ~ 17 cm，小叶片长圆状卵形或卵状披针形，长 2.5 ~ 4.5 cm，宽 1 ~ 2.5 cm，先端急尖或短渐尖，基部圆形或宽楔形，边缘有紧贴锐锯齿，上面无毛，深绿色，下面有毛，沿叶脉较密，淡绿色，叶脉凸起；叶柄有柔毛和小皮刺；托叶长 1.5 ~ 2.5 cm，大部贴生于叶柄，仅先端离生，离生部分耳状，边缘有腺毛。顶生伞房花序，部分密集近伞形，直径 6 ~ 15 cm；苞片膜质，狭披针形，很早脱落；花梗长 1.5 ~ 2 cm，总花梗和花梗均密被柔毛和腺毛；萼筒卵球形、

椭圆形或倒卵球形，外面被柔毛和腺毛；萼片卵状披针形，先端渐尖，常有裂片，外面有长柔毛和腺毛，内面密被长柔毛；花瓣倒卵形，白色，有香味，长约1.5 cm，先端微凹，基部楔形；花柱结合成束，伸出，密被长柔毛，约与雄蕊等长。果实卵球形、椭圆形或倒卵球形，长1 ~ 1.5 cm，直径8 ~ 10 mm，深者红色，有光泽，果柄长约2 cm，近无毛，密被腺毛，萼片花后反折，以后脱落。花期5 ~ 7月，果期9 ~ 10月。

| 生境分布 | 生于海拔1 400 ~ 1 900 m的山坡、沟边、灌丛中、栎灌丛缘、沟边灌丛中、河谷杂木林下、密林中、山谷、山坡灌丛、山坡灌丛草甸及疏林中。分布于湖北宣恩、恩施、鹤峰、五峰、巴东、神农架、兴山。

| 资源情况 | 野生资源一般。药材主要来源于野生。

| 功能主治 | 润肺，止咳。用于咳嗽，咽喉痛。

蔷薇科 Rosaceae 蔷薇属 *Rosa*

软条七蔷薇 *Rosa henryi* Boulenger

| 药 材 名 | 饭罗泡。

| 形态特征 | 灌木，高 3 ~ 5 m，有长匍枝；小枝有短扁、弯曲皮刺或无刺。小叶通常 5，近花序小叶片常为 3，连叶柄长 9 ~ 14 cm；小叶片长圆形、卵形、椭圆形或椭圆状卵形，长 3.5 ~ 9 cm，宽 1.5 ~ 5 cm，先端长渐尖或尾尖，基部近圆形或宽楔形，边缘有锐锯齿，两面均无毛，中脉在下面凸起；小叶柄和叶轴无毛，有散生小皮刺；托叶大部贴生于叶柄，离生部分披针形，先端渐尖，全缘，无毛，或有稀疏腺毛。花 5 ~ 15，成伞形伞房状花序；花直径 3 ~ 4 cm；花梗和萼筒无毛，有时具腺毛，萼片披针形，先端渐尖，全缘，有少数裂片，外面近无毛而有稀疏腺点，内面有长柔毛；花瓣白色，宽倒

卵形，先端微凹，基部宽楔形；花柱结合成柱，被柔毛，比雄蕊稍长。果实近球形，直径 8 ~ 10 mm，成熟后褐红色，有光泽，果柄有稀疏腺点，萼片脱落。

| 生境分布 | 生于海拔 200 ~ 2 000 m 的山谷、林边、田边、灌丛中或向阳坡上。分布于湖北咸丰、宣恩、建始、巴东、神农架、兴山、房县、崇阳、通城、罗田。

| 资源情况 | 野生资源一般。药材主要来源于野生。

| 采收加工 | **根**：全年均可采挖，洗净，切片，晒干。

| 功能主治 | 活血调经，化瘀止血。用于月经不调，不孕，外伤出血。

蔷薇科 Rosaceae 蔷薇属 *Rosa*

金樱子 *Rosa laevigata* Michx.

| 药 材 名 | 金樱子、金樱根、金樱叶。

| 形态特征 | 常绿攀缘灌木，高可达 5 m；小枝粗壮，散生扁弯皮刺，无毛，幼时被腺毛，老时逐渐脱落减少。小叶革质，通常 3，稀 5，连叶柄长 5 ~ 10 cm；小叶片椭圆状卵形、倒卵形或披针状卵形，长 2 ~ 6 cm，宽 1.2 ~ 3.5 cm，先端急尖或圆钝，稀尾状渐尖，边缘有锐锯齿，上面亮绿色，无毛，下面黄绿色，幼时沿中肋有腺毛，老时逐渐脱落无毛；小叶柄和叶轴有皮刺和腺毛；托叶离生或基部与叶柄合生，披针形，边缘有细齿，齿尖有腺体，早落。花单生于叶腋，直径 5 ~ 7 cm；花梗长 1.8 ~ 2.5 cm，偶有花梗长 3 cm，花梗和萼筒密被腺毛，随果实成长变为针刺；萼片卵状披针形，先端呈叶状，边

缘羽状浅裂或全缘，常有刺毛和腺毛，内面密被柔毛，比花瓣稍短；花瓣白色，宽倒卵形，先端微凹；雄蕊多数；心皮多数；花柱离生，有毛，比雄蕊短很多。果实梨形或倒卵形，稀近球形，紫褐色，外面密被刺毛，果柄长约 3 cm，萼片宿存。花期 4 ～ 6 月，果期 7 ～ 11 月。

| 生境分布 | 生于海拔 200 ～ 1 600 m 的向阳的山野、田边、溪畔灌丛中。分布于湖北利川、鹤峰、建始、巴东、兴山、崇阳、黄陂、罗田、英山，以及武汉。

| 资源情况 | 野生资源丰富。药材主要来源于野生。

| 采收加工 | **金樱子：**10 ～ 11 月间，果实红透时采摘，晾晒后放入桶内搅拌，擦去毛刺，再晒至全干。

金樱根：全年均可采挖，除去幼根，洗净，趁新鲜斜切成厚片或短段，晒干。

金樱叶：全年均可采收，多鲜用。

| 功能主治 | **金樱子：**固精，缩尿，涩肠，止带。用于遗精，滑精，遗尿，尿频，久泻，久痢，白浊，带下，崩漏，脱肛，子宫下垂。

金樱根：收敛固涩，止血敛疮，祛风活血，止痛，杀虫。用于遗精，遗尿，泄泻，痢疾，咯血，便血，崩漏，带下，脱肛，子宫下垂，风湿痹痛，跌打损伤，疮疡，烫伤，牙痛，胃痛，蛔虫病，诸骨鲠喉，乳糜尿。

金樱叶：涩肠，固精，缩尿，止带，杀虫。用于久泻久痢，遗精，尿频，遗尿，带下，绦虫病，蛔虫病，蛲虫病，须发早白。

蔷薇科 Rosaceae 蔷薇属 *Rosa*

野蔷薇 *Rosa multiflora* Thunb.

| 药 材 名 |

蔷薇花、营实。

| 形态特征 |

落叶灌木，高 1 ~ 2 m。枝细长，上升或蔓生，有皮刺。羽状复叶；小叶 5 ~ 9，倒卵状圆形至矩圆形，长 1 ~ 3 cm，宽 0.8 ~ 2 cm，先端急尖或稍钝，基部宽楔形或圆形，边缘具锐锯齿，有柔毛；叶柄和叶轴常有腺毛；托叶大部附着于叶柄上，先端裂片成披针形，边缘篦齿状分裂并有腺毛。圆锥状伞房花序，花多数；花梗有腺毛和柔毛；花白色，芳香，直径 2 ~ 3 cm；花柱伸出花托口外，结合成柱状，几与雄蕊等长，无毛。蔷薇果实球形，直径约 6 mm，成熟时褐红色，萼脱落。花期 4 ~ 5 月，果期 9 ~ 10 月。

| 生境分布 |

生于路旁、田边或丘陵地的灌丛中。分布于湖北来凤、宣恩、咸丰、利川、恩施、鹤峰、兴山、巴东、神农架。

| 资源情况 |

野生资源一般。药材来源于野生。

| 采收加工 | **蔷薇花：** 5 ~ 6 月花盛开时择晴天采摘，晒干。

营实： 秋季采收，以半红色半青色未成熟时为佳，鲜用或晒干。

| 功能主治 | **蔷薇花：** 清暑，和胃，活血止血，解毒。用于暑热烦渴，胃脘胀闷，吐血，口疮，痈疖，月经不调。

营实： 清热解毒，祛风活血，利水消肿。用于疮痈肿毒，风湿痹痛，关节不利，月经不调，水肿，小便不利。

蔷薇科 Rosaceae 蔷薇属 *Rosa*

粉团蔷薇 *Rosa multiflora* Thunb. var. *cathayensis* Rehd. et Wils.

| 药材名 | 红刺玫花、红刺玫根。

| 形态特征 | 攀缘灌木。小枝圆柱形，通常无毛，有短粗稍弯曲皮束。小叶 5 ~ 9，近花序的小叶有时 3，连叶柄长 5 ~ 10 cm；小叶片倒卵形、长圆形或卵形，长 1.5 ~ 5 cm，宽 8 ~ 28 mm，先端急尖或圆钝，基部近圆形或楔形，边缘有尖锐单锯齿，稀混有重锯齿，上面无毛，下面有柔毛；小叶柄和叶轴有柔毛或无毛，有散生腺毛；托叶篦齿状，大部贴生于叶柄，边缘有腺毛或无腺毛。花多朵，排成圆锥状花序；花梗长 1.5 ~ 2.5 cm，无毛或有腺毛，有时基部有篦齿状小苞片；花直径 1.5 ~ 2 cm；萼片披针形，有时中部具 2 线形裂片，外面无毛，内面有柔毛；花瓣粉红色，单瓣，宽倒卵形，先端微凹，基部楔形；

花柱结合成束，无毛，比雄蕊稍长。果实近球形，直径 6 ~ 8 mm，红褐色或紫褐色，有光泽，无毛，萼片脱落。

| 生境分布 | 生于海拔 1 300 m 的山坡、灌丛或河边等处。分布于湖北宣恩、咸丰、利川、巴东、鹤峰、神农架、兴山、崇阳。

| 资源情况 | 野生资源一般。药材主要来源于野生。

| 采收加工 | **红刺玫花：**春、夏季花将开放时采摘，除去萼片等杂质，晒干。

红刺玫根：全年均可采挖，洗净，切片，晒干。

| 功能主治 | **红刺玫花：**清暑化湿，顺气和胃。用于暑热胸闷，口渴，呕吐，不思饮食，口疮口糜。

红刺玫根：活血通络。用于关节炎，颜面神经麻痹。

蔷薇科 Rosaceae 蔷薇属 *Rosa*

缫丝花 *Rosa roxburghii* Tratt.

| 药材名 | 刺梨。

| 形态特征 | 开展灌木，高 1 ~ 2.5 m；树皮灰褐色，成片状剥落；小枝圆柱形，斜向上升，有基部稍扁而成对皮刺。小叶 9 ~ 15，连叶柄长 5 ~ 11 cm，小叶片椭圆形或长圆形，稀倒卵形，长 1 ~ 2 cm，宽 6 ~ 12 mm，先端急尖或圆钝，基部宽楔形，边缘有细锐锯齿，两面无毛，下面叶脉凸起，网脉明显，叶轴和叶柄有散生小皮刺；托叶大部贴生于叶柄，离生部分呈钻形，边缘有腺毛。花单生或 2 ~ 3 生于短枝先端；花直径 5 ~ 6 cm；花梗短；小苞片 2 ~ 3，卵形，边缘有腺毛；萼片通常宽卵形，先端渐尖，有羽状裂片，内面密被绒毛，外面密被针刺；花瓣重瓣至半重瓣，淡红色或粉红色，微香，倒卵形，

外轮花瓣大，内轮较小；雄蕊多数着生在杯状萼筒边缘；心皮多数，着生在花托底部；花柱离生，被毛，不外伸，短于雄蕊。果实扁球形，直径 3 ~ 4 cm，绿红色，外面密生针刺；萼片宿存，直立。花期 5 ~ 7 月，果期 8 ~ 10 月。

| **生境分布** | 生于海拔 600 ~ 1 300 m 的中部山区及低山地区的沟旁、路边或灌木林旁。分布于湖北宣恩、咸丰、利川、巴东、鹤峰、五峰、神农架、兴山、通山、崇阳。

| **资源情况** | 野生资源一般。药材主要来源于野生。

| **采收加工** | **果实：**秋、冬季采收，晒干。

| **功能主治** | 健胃，消食，止泻。用于食积饱胀，肠炎腹泻。

蔷薇科 Rosaceae 蔷薇属 *Rosa*

单瓣缫丝花 *Rosa roxburghii* Tratt. f. *normalis* Rehd. et Wils.

| 药 材 名 | 刺梨根。

| 形态特征 | 开展灌木。高 1 ~ 2.5 m。树皮灰褐色，呈片状剥落；小枝圆柱形，斜向上升，有基部稍扁而成对的皮刺。小叶 9 ~ 15，连叶柄长 5 ~ 11 cm，小叶片椭圆形或长圆形，稀倒卵形，长 1 ~ 2 cm，宽 6 ~ 12 mm，先端急尖或圆钝，基部宽楔形，边缘有细锐锯齿，两面无毛，下面叶脉凸起，网脉明显，叶轴和叶柄有散生小皮刺；托叶大部贴生于叶柄，离生部分呈钻形，边缘有腺毛。花单生或 2 ~ 3 生于短枝先端；花直径 5 ~ 6 cm；花梗短；小苞片 2 ~ 3，卵形，边缘有腺毛；萼片通常宽卵形，先端渐尖，有羽状裂片，内面密被绒毛，外面密被针刺；花瓣重瓣至半重瓣，淡红色或粉红色，微香，倒卵形，外轮花瓣大，内轮较小；雄蕊多数着生在杯状萼筒边缘；

心皮多数，着生在花托底部，花柱离生，被毛，不外伸，短于雄蕊。果实扁球形，直径 3 ~ 4 cm，绿红色，外面密生针刺；萼片宿存，直立。花期 5 ~ 7 月，果期 8 ~ 10 月。

| 生境分布 | 生于海拔 500 ~ 2 500 m 的向阳山坡、沟谷、路旁及灌丛中。分布于湖北宣恩、咸丰、利川、巴东、鹤峰、五峰、神农架、兴山、通山、崇阳。

| 资源情况 | 野生资源一般。药材主要来源于野生。

| 采收加工 | **根及根茎：**全年均可采挖，洗净，切片，晒干。

| 功能主治 | 健胃消食，止痛，收涩，止血。用于胃脘胀满疼痛，牙痛，久咳，喉痛，泻痢，遗精，带下，崩漏，痔疮。

蔷薇科 Rosaceae 蔷薇属 *Rosa*

悬钩子蔷薇 *Rosa rubus* H. Lév. et Vaniot

| 药 材 名 | 悬钩子蔷薇。

| 形态特征 | 匍匐灌木，高可达 5 ～ 6 m；小枝圆柱形，通常被柔毛，幼时较密，老时脱落；皮刺短粗，弯曲。小叶通常 5，近花序偶有 3 小叶，连叶柄长 8 ～ 15 cm；小叶片卵状椭圆形、倒卵形或椭圆形，长 3 ～ 6（～ 9）cm，宽 2 ～ 4.5 cm，先端尾尖、急尖或渐尖，基部近圆形或宽楔形，边缘有尖锐锯齿，向基部浅而稀，上面深绿色，通常无毛或偶有柔毛，下面密被柔毛或有稀疏柔毛；小叶柄和叶轴有柔毛和散生的小沟状皮刺；托叶大部贴生于叶柄，离生部分披针形，先端渐尖，全缘常带腺体，有毛。花 10 ～ 25，排成圆锥状伞房花序；花梗长 1.5 ～ 2 cm，总花梗和花梗均被柔毛和稀疏腺毛，花直径

2.5 ~ 3 cm；萼筒球形至倒卵球形，外面被柔毛和腺毛；萼片披针形，先端长渐尖，通常全缘，两面均密被柔毛；花瓣白色，倒卵形，先端微凹，基部宽楔形，花柱结合成柱，比雄蕊稍长，外面被柔毛。果实近球形，直径 8 ~ 10 mm，猩红色至紫褐色，有光泽，花后萼片反折，以后脱落。花期 4 ~ 6 月，果期 7 ~ 9 月。

| 生境分布 | 生于海拔 250 ~ 2 200 m 的山坡灌丛中、草丛中、杂木林中、溪边、山坡路边、阴地、林缘。分布于湖北来凤，宣恩，鹤峰，神农架，兴山。

| 采收加工 | **果实：**秋季采摘，晒干。

| 功能主治 | 清肝热，解毒。用于肝炎，食物中毒。

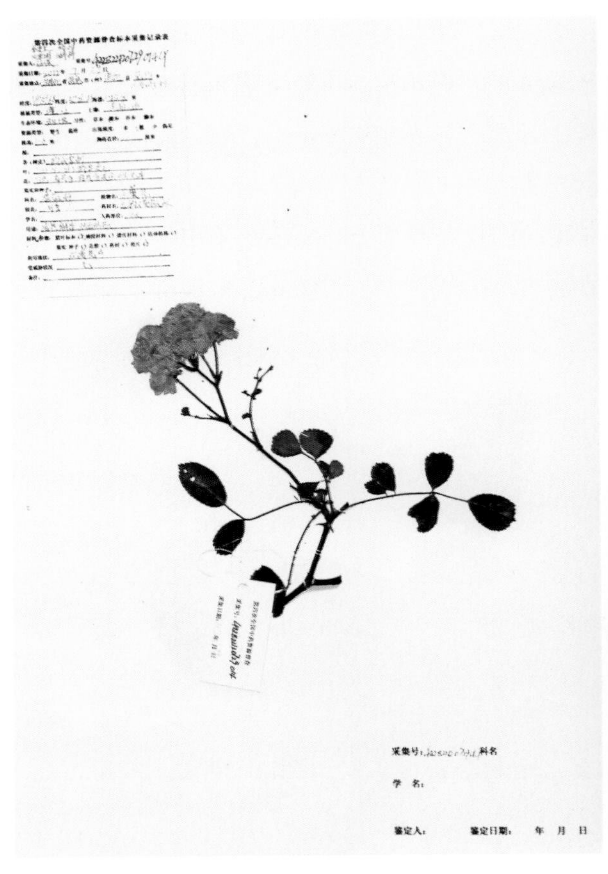

蔷薇科 Rosaceae 蔷薇属 *Rosa*

玫瑰 *Rosa rugosa* Thunb.

| **药材名** | 玫瑰花。

| **形态特征** | 直立灌木，高可达 2 m；茎粗壮，丛生；小枝密被绒毛，并有针刺和腺毛，有直立或弯曲、淡黄色的皮刺，皮刺外面被绒毛。小叶 5 ~ 9，连叶柄长 5 ~ 13 cm；小叶片椭圆形或椭圆状倒卵形，长 1.5 ~ 4.5 cm，宽 1 ~ 2.5 cm，先端急尖或圆钝，基部圆形或宽楔形，边缘有尖锐锯齿，上面深绿色，无毛，叶脉下陷，有折皱，下面灰绿色，中脉凸起，网脉明显，密被绒毛和腺毛，有时腺毛不明显；叶柄和叶轴密被绒毛和腺毛；托叶大部贴生于叶柄，离生部分卵形，边缘有带腺锯齿，下面被绒毛。花单生于叶腋或数朵簇生，苞片卵形，边缘有腺毛，外面被绒毛；花梗长 5 ~ 22 mm，密被绒毛和腺毛；

花直径 4 ~ 5.5 cm；萼片卵状披针形，先端尾状渐尖，常有羽状裂片扩展成叶状，上面有稀疏柔毛，下面密被柔毛和腺毛；花瓣倒卵形，重瓣至半重瓣，芳香，紫红色至白色；花柱离生，被毛，稍伸出萼筒口外，比雄蕊短很多。果实扁球形，直径 2 ~ 2.5 cm，砖红色，肉质，平滑，萼片宿存。花期 5 ~ 6 月，果期 8 ~ 9 月。

| 生境分布 | 生于海拔 800 ~ 1 200 m 的排水良好、疏松肥沃的壤土。分布于湖北巴东、武昌。湖北有栽培。

| 资源情况 | 栽培资源稀少。药材来源于栽培。

| 采收加工 | **花蕾**：5 ~ 6 月盛花期前，采摘已充分膨大的但未开放的花蕾，文火烘干或阴干，或采摘后装入纸袋，存入石灰缸内，封盖，每年梅雨期更换新石灰。

| 功能主治 | 理气解郁，活血调经。用于肝气郁结所致胸膈满闷，脘肋胀痛，乳房作胀，月经不调，痢疾，泄泻，带下，跌打损伤，痈肿。

蔷薇科 Rosaceae 蔷薇属 *Rosa*

绢毛蔷薇 *Rosa sericea* Lindl

| 药 材 名 | 山刺梨。

| 形态特征 | 直立灌木，高 1 ~ 2 m。枝粗壮，弓形；皮刺散生或对生，基部稍膨大，有时密生针刺。小叶 7 ~ 11，连叶柄长 3.5 ~ 8 cm；小叶片卵形或倒卵形，稀倒卵状长圆形，长 8 ~ 20 mm，宽 5 ~ 8 mm，先端圆钝或急尖，基部宽楔形，边缘仅上半部有锯齿，基部全缘，上面无毛，有折皱，下面被丝状长柔毛；叶轴、叶柄有极稀疏的皮刺和腺毛；托叶大部贴生于叶柄，仅先端部分离生，呈耳状，有毛或无毛，边缘有腺。花单生于叶腋，无苞片；花梗长 1 ~ 2 cm，无毛；花直径 2.5 ~ 5 cm；萼片卵状披针形，先端渐尖或急尖，全缘，外面有稀疏柔毛或近无毛，内面有长柔毛；花瓣白色，宽倒卵形，

先端微凹，基部宽楔形；花柱离生，被长柔毛，稍伸出萼筒口外，比雄蕊短。果实倒卵球形或球形，直径 8 ～ 15 mm，红色或紫褐色，无毛，有宿存直立萼片。花期 5 ～ 6 月，果期 7 ～ 8 月。

| 生境分布 | 生于海拔 2 000 ～ 3 100 m 的山顶、山谷斜坡或向阳干燥地区。湖北有分布。

| 资源情况 | 野生资源一般。药材来源于野生。

| 采收加工 | 7 ～ 8 月采摘果实，晒干。

| 功能主治 | 健脾助运，止痢收涩。用于积滞腹胀，腹泻，久痢，月经过多，崩漏。

蔷薇科 Rosaceae 蔷薇属 *Rosa*

钝叶蔷薇 *Rosa sertata* Rolfe

| 药材名 | 钝叶蔷薇。

| 形态特征 | 灌木，高 1 ~ 2 m。小枝呈圆柱形，细弱，无毛，散生直立皮刺或无刺。小叶 7 ~ 11，连叶柄长 5 ~ 8 cm，小叶片广椭圆形至卵状椭圆形，长 1 ~ 2.5 cm，宽 7 ~ 15 mm，先端急尖或圆钝，基部近圆形，边缘有尖锐单锯齿，近基部全缘，两面无毛或下面沿中脉有稀疏柔毛，中脉和侧脉均凸起；小叶柄和叶轴有稀疏柔毛、腺毛和小皮刺；托叶大部贴生于叶柄，离生部分耳状，卵形，无毛，边缘有腺毛。花单生或 3 ~ 5 花排成伞房状；小苞片 1 ~ 3，卵形，先端短渐尖，边缘有腺毛或无毛；花梗长 1.5 ~ 3 cm，花梗和萼筒无毛或有稀疏腺毛；花直径 2 ~ 3.5（~ 6）cm；萼片卵状披针形，先端延长成

叶状，全缘，外面无毛，内面密被黄白色柔毛，边缘较密；花瓣粉红色或玫瑰色，宽倒卵形，先端微凹，基部宽楔形，比萼片短；花柱离生，被柔毛，比雄蕊短。果实卵球形，先端有短颈，长 1.2 ~ 2 cm，直径约 1 cm，深红色。花期 6 月，果期 8 ~ 10 月。

| **生境分布** | 生于海拔 1 390 ~ 2 200 m 的山坡、路旁、沟边或疏林中。分布于湖北神农架、巴东、兴山。

| **资源情况** | 野生资源一般。药材来源于野生。

| **采收加工** | **根**：全年均可采挖，洗净，切片，晒干。

| **功能主治** | 活血止痛，清热解毒。用于月经不调，风湿痹痛，疮疡肿痛。

蔷薇科 Rosaceae 蔷薇属 *Rosa*

刺梗蔷薇 *Rosa setipoda* Hemsl. et E. H. Wilson

| 药 材 名 | 色清果、色清根。

| 形态特征 | 灌木，高可达 3 m；小枝圆柱形，微弓曲，无毛，散生宽扁皮刺，稀无刺。小叶 5 ~ 9，连叶柄长 8 ~ 19 cm；小叶片卵形、椭圆形或广椭圆形，长 2.5 ~ 5.2 cm，宽 1.2 ~ 3 cm，先端急尖或圆钝，基部近圆形或宽楔形，边缘有重锯齿，齿尖常带腺体，上面无毛，下面中脉和侧脉均凸起，有柔毛和腺体；小叶柄和叶轴密被腺毛或有稀疏的小皮刺；托叶宽平，大部贴生于叶柄，离生部分耳状，三角状披针形，先端渐尖，边缘及下面有腺体。花为稀疏伞房花序，花序基部苞片 2 ~ 3，苞片卵形，先端渐尖，边缘有不规则的齿和腺体，下面有明显网脉、柔毛和腺体；花梗长 1.3 ~ 2.4 cm，被腺毛；

花直径 3.5 ~ 5 cm；萼片卵形，先端扩展成叶状，边缘具羽状裂片或有锯齿，齿尖带腺体，外面有腺毛，内面密被绒毛；花瓣粉红色或玫瑰紫色，宽倒卵形，外面微被柔毛；花柱离生，被柔毛，比雄蕊短很多。果实长圆状卵球形，先端有短颈，直径 1 ~ 2 cm，深红色，有腺毛或无腺毛，萼片直立宿存。花期 5 ~ 7 月，果期 7 ~ 10 月。

| 生境分布 | 生于海拔 1 800 ~ 2 600 m 的山坡或灌丛中。分布于湖北神农架、房县。

| 资源情况 | 野生资源一般。药材主要来源于野生。

| 采收加工 | **色清果：**秋季果实近成熟时采收，干燥。

色清根：8 ~ 9 月间采挖，洗净，切片，晒干。

| 功能主治 | **色清果：**健胃消积。用于食积停滞，纳呆食少，泄泻。

色清根：清热通乳，收涩止泻。用于乳汁不畅，脾虚泄泻，带下，崩漏。

蔷薇科 Rosaceae 悬钩子属 *Rubus*

腺毛莓 *Rubus adenophorus* Rolfe

| 药 材 名 | 红牛毛刺根、红牛毛刺叶。

| 形态特征 | 攀缘灌木，高 0.5 ~ 2 m。小枝浅褐色至褐红色，具紫红色腺毛、柔毛和宽扁的稀疏皮刺。小叶 3，宽卵形或卵形，长 4 ~ 11 cm，宽 2 ~ 8 cm，先端渐尖，基部圆形至近心形，上、下面均具稀疏柔毛，下面沿叶脉有稀疏腺毛，边缘具粗锐重锯齿；叶柄长 5 ~ 8 cm，顶生小叶柄长 2.5 ~ 4 cm，均具腺毛、柔毛和稀疏皮刺；托叶线状披针形，具柔毛和稀疏腺毛。总状花序顶生或腋生，花梗、苞片和花萼均密被带黄色长柔毛和紫红色腺毛；花梗长 0.6 ~ 1.2 cm；苞片披针形；花较小，直径 6 ~ 8 mm；萼片披针形或卵状披针形，先端渐尖，花后常直立；花瓣倒卵形或近圆形，基部具爪，紫红色；花

丝线形；花柱无毛，子房微具柔毛。果实球形，直径约 1 cm，红色，无毛或微具柔毛；核具明显的皱纹。花期 4 ～ 6 月，果期 6 ～ 7 月。

| **生境分布** | 生于海拔 300 ～ 1 400 m 的疏林润湿处、山谷、山地和林缘。分布于湖北兴山等。

| **资源情况** | 野生资源丰富。药材来源于野生。

| **采收加工** | **红牛毛刺根：**夏、秋季采挖，洗净，切片，鲜用或晒干。

红牛毛刺叶：夏、秋季采摘，晒干。

| **功能主治** | **红牛毛刺根：**和血调气，止痛，止痢。用于劳伤疼痛，吐血，疝气，痢疾。

红牛毛刺叶：收湿敛疮。用于黄水疮。

蔷薇科 Rosaceae 悬钩子属 *Rubus*

粗叶悬钩子 *Rubus alceaefolius* Poir. var. *diversilobatus* (Merr. et Chun) Yu et Lu

| 药 材 名 | 大叶蛇泡簕。

| 形态特征 | 攀缘灌木。高达 5 m。枝被黄灰色至锈色绒毛状长柔毛，疏生皮刺。单叶，叶片近圆形或宽卵形，长 6 ~ 16 cm，叶边掌状深裂，顶生裂片宽椭圆形，比侧生者大得多，上面疏生长柔毛，有泡状突起，下面密被黄灰色至锈色绒毛，沿叶脉具长柔毛；叶柄长 3 ~ 4.5 cm，被黄灰色至锈色绒毛状长柔毛，疏生小皮刺；托叶长 1 ~ 1.5 cm，羽状深裂或不规则撕裂。顶生窄圆锥花序或近总状花序，腋生头状花序，稀单生；花序轴、花梗和花萼被浅黄色至锈色绒毛状长柔毛；花梗长不及 1 cm；苞片羽状至掌状或梳齿状深裂；花直径 1 ~ 1.6 cm；萼片宽卵形，有浅黄色至锈色绒毛和长柔毛，外萼片先端

及边缘掌状至羽状条裂，稀不裂，内萼片常全缘而具短尖头；花瓣宽倒卵形或近圆形，白色；花丝宽扁，花药稍有长柔毛；雌蕊多数，子房无毛。果实近球形，直径达 1.8 cm，肉质，成熟时红色；核有皱纹。

| 生境分布 | 生于海拔 500 ～ 2 000 m 的向阳坡、山谷杂木林中、沼泽灌丛中及路旁岩石间。湖北有分布。

| 功能主治 | 清热利湿，凉血止血，消肿止痛。用于黄疸，痢疾，尿路感染，淋巴结结核，带下，风湿关节痛，咯血，吐血，便血，衄血；外用于跌打损伤，骨折，毒蛇咬伤，疔疮肿毒。

蔷薇科 Rosaceae 悬钩子属 *Rubus*

秀丽莓 *Rubus amabilis* Focke

| 药 材 名 |

秀丽莓根。

| 形态特征 |

灌木，高 1 ~ 3 m。枝紫褐色或暗褐色，无毛，具稀疏皮刺；花枝短，具柔毛和小皮刺。小叶 7 ~ 11，卵形或卵状披针形，长 1 ~ 5.5 cm，宽 0.8 ~ 2.5 cm，通常位于叶轴上部的小叶片比下部的大，先端急尖，顶生小叶先端常渐尖，基部近圆形，顶生小叶基部有时近截形，上面无毛或疏生伏毛，下面沿叶脉具柔毛和小皮刺，边缘具缺刻状重锯齿，顶生小叶边缘有时浅裂或 3 裂；叶柄长 1 ~ 3 cm，小叶柄长约 1 cm，侧生小叶几无柄，叶柄和叶轴均于幼时具柔毛，毛逐渐脱落至老时无毛或近无毛，疏生小皮刺；托叶线状披针形，具柔毛。花单生于侧生小枝先端，下垂；花梗长 2.5 ~ 6 cm，具柔毛，疏生细小皮刺，有时具稀疏腺毛；花直径 3 ~ 4 cm；花萼绿色带红色，外面密被短柔毛，无刺，或具稀疏短针刺或腺毛；萼片宽卵形，长 1 ~ 1.5 cm，先端渐尖或具突尖头，在花时、果时均开展；花瓣近圆形，白色，比萼片稍长或几等长，基部具短爪；花丝线形，基部稍宽，带白色；花柱浅绿色，无毛，子房具短柔毛。果实长圆形，稀椭圆形，长 1.5 ~ 2.5 cm，直径 1 ~ 1.2 cm，红色，幼时具稀疏短柔毛，老时无毛，可食；果核肾形，稍有网纹。花期 4 ~ 5 月，果期 7 ~ 8 月。

| 生境分布 | 生于海拔 1 000 ~ 3 100 m 的山麓、沟边或山谷丛林中。分布于湖北神农架、巴东、兴山。

| 资源情况 | 野生资源一般。药材来源于野生。

| 采收加工 | 夏、秋季采挖，洗净，晒干。

| 功能主治 | 清热解毒，活血止痛。

蔷薇科 Rosaceae 悬钩子属 *Rubus*

周毛悬钩子 *Rubus amphidasys* Focke ex Diels

| 药 材 名 | 周毛悬钩子、周毛悬钩子果。

| 形态特征 | 蔓性小灌木，高 0.3 ~ 1 m；枝红褐色，密被红褐色长腺毛、软刺毛和淡黄色长柔毛，常无皮刺。单叶，宽长卵形，长 5 ~ 11 cm，宽 3.5 ~ 9 cm，先端短渐尖或急尖，基部心形，两面均被长柔毛，边缘 3 ~ 5 浅裂，裂片圆钝，顶生裂片比侧生者大数倍，有不整齐尖锐锯齿；叶柄长 2 ~ 5.5 cm，被红褐色长腺毛、软刺毛和淡黄色长柔毛；托叶离生，羽状深条裂，裂片条形或披针形，被长腺毛和长柔毛。花常 5 ~ 12 成近总状花序，顶生或腋生，稀 3 ~ 5 簇生；总花梗、花梗和花萼均密被红褐色长腺毛、软刺毛和淡黄色长柔毛；花梗长 5 ~ 14 mm；苞片与托叶相似，但较小；花直径 1 ~ 1.5 cm；

萼筒长约 5 mm；萼片狭披针形，长 1 ~ 1.7 cm，先端尾尖，外萼片常 2 ~ 3 裂，在果期直立开展；花瓣宽卵形至长圆形，长 4 ~ 6 mm，宽 3 ~ 4 mm，白色，基部几无爪，比萼片短的多；花丝宽扁，短于花柱；子房无毛。果实扁球形，直径约 1 cm，暗红色，无毛，包藏在宿萼内。花期 5 ~ 6 月，果期 7 ~ 8 月。

| 生境分布 | 生于山坡海拔 400 ~ 1 600 m 的路旁丛林、竹林内、山地红黄壤林下。分布于湖北宣恩、鹤峰、利川、崇阳。

| 资源情况 | 野生资源一般。药材主要来源于野生。

| 采收加工 | **周毛悬钩子：**全年均可采收，洗净，切段，晒干。

周毛悬钩子果：7 ~ 8 月果实成熟时采收，晒干。

| 功能主治 | **周毛悬钩子：**活血调经，祛风除湿。用于月经不调，带下，风湿痹痛，外伤出血。

周毛悬钩子果：醒酒止渴。用于醉酒，口渴。

蔷薇科 Rosaceae 悬钩子属 *Rubus*

竹叶鸡爪茶 *Rubus bambusarum* Focke

| 药 材 名 | 竹叶鸡爪茶。

| 形态特征 | 常绿攀缘灌木。枝具微弯小皮刺，幼时被绒毛状柔毛，老时无毛。掌状复叶具 3 或 5 小叶，革质，小叶片狭披针形或狭椭圆形，长 7 ~ 13 cm，宽 1 ~ 3 cm，先端渐尖，基部宽楔形，上面无毛，下面密被灰白色或黄灰色绒毛，中脉凸起而呈棕色，边缘有不明显的稀疏小锯齿；叶柄长 2.5 ~ 5.5 cm，幼时具绒毛，逐渐脱落至无毛，小叶几无柄；托叶早落。总状花序顶生和腋生，总花梗和花梗具灰白色或黄灰色长柔毛，并有稀疏小皮刺，有时混生腺毛；花梗长达 1 cm；苞片卵状披针形，膜质，有柔毛；花萼密被绢状长柔毛；萼片卵状披针形，先端渐尖，全缘，在果期常反折；花直径 1 ~ 2 cm，

花瓣紫红色至粉红色，倒卵形或宽椭圆形，基部微具柔毛；雄蕊有疏柔毛；雌蕊 25 ~ 40，花柱有长柔毛。果实近球形，红色至红黑色，宿存花柱具长柔毛。花期 5 ~ 6 月，果期 7 ~ 8 月。

| 生境分布 | 生于海拔 1 550 ~ 2 450 m 的山坡、溪边疏密林下或分水岭杂木林中。分布于湖北建始、巴东、神农架、兴山。

| 资源情况 | 野生资源一般。

| 功能主治 | 清热解毒，止咳。用于肺虚久咳，肺痨。

蔷薇科 Rosaceae 悬钩子属 *Rubus*

寒莓 *Rubus buergeri* Miq.

｜药 材 名｜ 寒莓叶、寒莓根。

｜形态特征｜ 直立或匍匐小灌木。茎常伏地生根，长出新株；匍匐枝长达 2 m，与花枝均密被绒毛状长柔毛，无刺或具稀疏小皮刺。单叶，卵形至近圆形，直径 5 ~ 11 cm，先端圆钝或急尖，基部心形，上面微具柔毛或仅沿叶脉具柔毛，下面密被绒毛，沿叶脉具柔毛，成长时下面绒毛常脱落，故在同 1 枝上，往往嫩叶密被绒毛，老叶下面仅具柔毛，边缘 5 ~ 7 浅裂，裂片圆钝，有不整齐锐锯齿，基部具掌状五出脉，侧脉 2 ~ 3 对；叶柄长 4 ~ 9 cm，密被绒毛状长柔毛，无刺或疏生针刺；托叶离生，早落，掌状或羽状深裂，裂片线形或线状披针形，具柔毛。花成短总状花序，顶生或腋生，或花数朵簇生

于叶腋，总花梗和花梗密被绒毛状长柔毛，无刺或疏生针刺；花梗长 0.5 ~ 0.9 cm；苞片与托叶相似，较小；花直径 0.6 ~ 1 cm；花萼外面密被淡黄色长柔毛和绒毛；萼片披针形或卵状披针形，先端渐尖，外萼片先端常浅裂，内萼片全缘，在果期常直立开展，稀反折；花瓣倒卵形，白色，几与萼片等长；雄蕊多数，花丝线形，无毛；雌蕊无毛，花柱长于雄蕊。果实近球形，直径 6 ~ 10 mm，紫黑色，无毛；核具粗皱纹。花期 7 ~ 8 月，果期 9 ~ 10 月。

| 生境分布 | 生于海拔 400 ~ 1 400 m 的阔叶林下、山地疏密杂木林内、草丛中和灌丛中。分布于湖北来凤、咸丰、鹤峰。

| 资源情况 | 野生资源一般。药材主要来源于野生。

| 采收加工 | **寒莓叶：**夏、秋季采收，鲜用或晒干。

寒莓根：全年均可采挖，洗净，切片，晒干或鲜用。

| 功能主治 | **寒莓叶：**凉血止血，解毒敛疮。用于肺痨咯血，外伤出血，疮疡肿痛，湿疮流脓。

寒莓根：清热解毒，活血止痛。用于湿热黄疸，产后发热，小儿高热，月经不调，带下过多，胃痛吐酸，痔疮肿痛，肛门瘘管。

蔷薇科 Rosaceae 悬钩子属 *Rubus*

华东覆盆子 *Rubus chingii* Hu

| 药 材 名 | 覆盆子、覆盆子叶、覆盆子根。

| 形态特征 | 单叶近圆形，直径 4 ~ 9 cm，两面仅沿叶脉有柔毛或几无毛，基部心形，边缘掌状，深裂，稀 3 或 7 裂，裂片椭圆形或菱状卵形，先端渐尖，基部狭缩，顶生裂片与侧生裂片近等长或顶生裂片较侧生裂片稍长，具重锯齿，有掌状 5 脉；叶柄长 2 ~ 4 cm，微具柔毛或无毛，疏生小皮刺；托叶线状披针形。单花腋生，直径 2.5 ~ 4 cm；花梗长 2 ~ 3.5 cm，无毛；萼筒毛较稀或近无毛；萼片卵形或卵状长圆形，先端具凸尖头，外面密被短柔毛；花瓣椭圆形或卵状长圆形，白色，先端圆钝，长 1 ~ 1.5 cm，宽 0.7 ~ 1.2 cm；雄蕊多数，花丝宽扁；雌蕊多数，具柔毛。

| 生境分布 | 生于低海拔至中海拔地区的山坡、路边阳处或阴处灌丛中。分布于湖北神农架、兴山。

| 资源情况 | 野生资源丰富。药材来源于野生。

| 采收加工 | **覆盆子：** 7 ~ 8 月果实已饱满呈绿色，尚未成熟时采收，将摘下的果实拣净梗、叶，用沸水烫 1 ~ 2 分钟，取出置烈日下晒干。

覆盆子叶： 8 月采收果实后剪下叶子，洗净，晒干或烘干。

覆盆子根： 在根茎繁殖期或栽后 4 ~ 5 年，轮流采挖部分根，将根切成长 6 ~ 10 cm，晒干或烘干。

| 功能主治 | **覆盆子：** 补肝益肾，固精缩尿，明目。用于阳痿早泄，遗精滑精，宫冷不孕，带下清稀，目视昏暗，须发早白。

覆盆子叶： 清热解毒，明目，敛疮。用于眼角赤烂，目赤肿痛，牙痛，疮疖。

覆盆子根： 祛风止痛，明目退翳，和胃止呕。用于牙痛，风湿痹痛，呕逆。

蔷薇科 Rosaceae 悬钩子属 *Rubus*

毛萼莓 *Rubus chroosepalus* Focke

| 药 材 名 | 毛萼莓。

| 形态特征 | 半常绿攀缘灌木。枝细，幼时有柔毛，老时无毛，疏生微弯皮刺。单叶，近圆形或宽卵形，直径 5 ~ 10.5 cm，先端尾状短渐尖，基部心形，上面无毛，下面密被灰白色或黄白色绒毛，沿叶脉有稀疏柔毛，下面叶脉凸起，侧脉 5 ~ 6 对，基部有 5 掌状脉，边缘不明显的波状并有不整齐的尖锐锯齿；叶柄长 4 ~ 7 cm，无毛，疏生微弯小皮刺；托叶离生，披针形，不分裂或先端浅裂，早落。圆锥花序顶生，连总花梗长可达 27 cm，下部的花序枝开展；总花梗和花梗均被绢状长柔毛；花梗长 3 ~ 6 mm；苞片披针形，两面均被柔毛，全缘或先端常 3 浅裂，早落；花直径 1 ~ 1.5 cm；花萼外面密被灰

白色或黄白色绢状长柔毛；萼筒浅杯状；萼片卵形或卵状披针形，先端渐尖，全缘，里面紫色而无毛，仅边缘有绒毛状短毛；无花瓣；雄蕊多数，花丝钻形，短于萼片；雌蕊约 15 或较少，比雄蕊长，通常无毛。果实球形，直径约 1 cm，紫黑色或黑色，无毛；核具皱纹。花期 5 ~ 6 月，果期 7 ~ 8 月。

| 生境分布 | 生于海拔 300 ~ 2 000 m 的山坡灌丛中或林缘。分布于湖北来凤、咸丰、利川、巴东、神农架、兴山。

| 资源情况 | 野生资源一般。

| 功能主治 | **根**：清热，解毒，止泻，活血祛瘀。用于跌打损伤等。

蔷薇科 Rosaceae 悬钩子属 *Rubus*

蛇泡筋 *Rubus cochinchinensis* Tratt.

药材名

五叶泡、五叶泡叶。

形态特征

攀缘灌木。枝、叶柄、花序和叶片下面中脉上疏生弯曲小皮刺；枝幼时有黄色绒毛，逐渐脱落。掌状复叶常具 5 小叶，上部有时具 3 小叶，小叶片椭圆形、倒卵状椭圆形或椭圆状披针形，长 5 ~ 10（~ 15）cm，宽 2 ~ 3.5（~ 5）cm，顶生小叶比侧生者稍宽大，先端短渐尖，基部楔形，上面无毛，下面密被黄褐色绒毛，边缘有不整齐的锐锯齿；叶柄长 4 ~ 5 cm，幼时被绒毛，老时脱落，小叶柄长 3 ~ 6 mm；托叶较宽，长 5 ~ 7 mm，扇形，掌状分裂，裂片披针形。花排成顶生圆锥花序或腋生近总状花序，也常数花簇生于叶腋；总花梗、花梗和花萼均密被黄色绒毛；花梗长 4 ~ 10 mm；苞片呈掌状或梳齿状分裂，早落；花直径 8 ~ 12 mm；花萼钟状，无刺；萼片卵圆形，先端渐尖，外萼片先端 3 浅裂；花瓣近圆形，白色，短于萼片；雄蕊多数，花丝钻形，无毛，比萼片和花瓣短；雌蕊 30 ~ 40，无毛，花柱长于萼片。果实球形，幼时红色，成熟时变黑色。花期 3 ~ 5 月，果期 7 ~ 8 月。

| 生境分布 | 生于低海拔至中海拔地区的灌木林中。湖北有分布。

| 资源情况 | 野生资源一般。药材来源于野生。

| 采收加工 | **五叶泡：**全年均可采收，洗净晒干。

五叶泡叶：全年均可采收，洗净晒干。

| 功能主治 | **五叶泡：**祛风除湿，行气止痛。用于风湿痹痛，跌打伤痛，腰腿痛。

五叶泡叶：散瘀止痛。用于跌打损伤。

蔷薇科 Rosaceae 悬钩子属 *Rubus*

山莓 *Rubus corchorifolius* L. f.

| 药 材 名 | 山莓、山莓根、山莓叶。

| 形态特征 | 直立灌木，高 1 ~ 3 m。枝具皮刺，幼时被柔毛。单叶，卵形至卵状披针形，长 5 ~ 12 cm，宽 2.5 ~ 5 cm，先端渐尖，基部微心形，有时近截形或近圆形，上面色较浅，沿叶脉有细柔毛，下面色稍深，幼时密被细柔毛，逐渐脱落至老时近无毛，沿中脉疏生小皮刺，边缘不分裂或 3 裂，通常不育枝上的叶 3 裂，有不规则锐锯齿或重锯齿，基部具 3 脉；叶柄长 1 ~ 2 cm，疏生小皮刺，幼时密生细柔毛；托叶线状披针形，具柔毛。花单生或少数生于短枝上；花梗长 0.6 ~ 2 cm，具细柔毛；花直径可达 3 cm；花萼外面密被细柔毛，无刺；萼片卵形或三角状卵形，长 5 ~ 8 mm，先端急尖至短渐尖；

花瓣长圆形或椭圆形，白色，先端圆钝，长 9 ~ 12 mm，宽 6 ~ 8 mm，花瓣长于萼片；雄蕊多数，花丝宽扁；雌蕊多数，子房有柔毛。果实由很多小核果组成，近球形或卵球形，直径 1 ~ 1.2 cm，红色，密被细柔毛；核具皱纹。花期 2 ~ 3 月，果期 4 ~ 6 月。

| 生境分布 | 生于海拔 200 ~ 2 200 m 的向阳山坡、溪边、山谷、荒地和疏、密灌丛中潮湿处。分布于湖北宣恩、鹤峰、利川、巴东、神农架、兴山、武昌、崇阳、罗田。

| 资源情况 | 野生资源丰富。药材主要来源于野生。

| 采收加工 | **山莓**：夏季，当果实饱满、外表呈绿色时采摘，酒蒸，晒干或开水浸 1 ~ 2 分，晒干。

山莓根：秋季采挖，洗净，切片，晒干。

山莓叶：自春季至秋季均可采收，洗净，鲜用或晒干。

| 功能主治 | **山莓**：醒酒止渴，化痰解毒，收涩。用于醉酒，痛风，丹毒，烫火伤，遗精，遗尿。

山莓根：凉血止血，活血调经，清热利湿，解毒敛疮。用于咯血，崩漏，痔疮出血，痢疾，泄泻，经闭，痛经，跌打损伤，毒蛇咬伤，疮疡肿毒，湿疹。

山莓叶：清热利咽，解毒敛疮。用于咽喉肿痛，疮痈疖肿，乳腺炎，湿疹，黄水疮。

蔷薇科 Rosaceae 悬钩子属 *Rubus*

插田泡 *Rubus coreanus* Miq.

| 药 材 名 |

倒生根、插田泡果、插田泡叶。

| 形态特征 |

灌木，高 1 ~ 3 m。枝粗壮，红褐色，被白粉，具近直立或钩状扁平的皮刺。小叶通常 5，稀 3，卵形、菱状卵形或宽卵形，长（2 ~ ）3 ~ 8 cm，宽 2 ~ 5 cm，先端急尖，基部楔形至近圆形，上面无毛或仅沿叶脉有短柔毛，下面被稀疏柔毛或仅沿叶脉被短柔毛，边缘有不整齐粗锯齿或缺刻状粗锯齿，顶生小叶先端有时 3 浅裂；叶柄长 2 ~ 5 cm，顶生小叶柄长 1 ~ 2 cm，侧生小叶近无柄，与叶轴均被短柔毛和疏生钩状小皮刺；托叶线状披针形，有柔毛。伞房花序生于侧枝先端，具花数朵至 30 余花，总花梗和花梗均被灰白色短柔毛；花梗长 5 ~ 10 mm；苞片线形，有短柔毛；花直径 7 ~ 10 mm；花萼外面被灰白色短柔毛；萼片长卵形至卵状披针形，长 4 ~ 6 mm，先端渐尖，边缘具绒毛，花时开展，果时反折；花瓣倒卵形，淡红色至深红色，与萼片近等长或稍短；雄蕊比花瓣短或近等长，花丝带粉红色；雌蕊多数，花柱无毛，子房被稀疏短柔毛。果实近球形，直径 5 ~ 8 mm，深红色至紫黑色，无毛或

近无毛；核具皱纹。花期 4 ~ 6 月，果期 6 ~ 8 月。

| 生境分布 | 生于海拔 300 ~ 1 500 m 的山坡、山脚、山沟林下、林缘或较阴湿处。分布于湖北宣恩、鹤峰、利川、巴东、神农架、武昌、崇阳、通山、罗田。

| 资源情况 | 野生资源丰富。药材主要来源于野生。

| 采收加工 | **倒生根：** 9 ~ 10 月采挖，洗净，切片，晒干。

插田泡果： 6 ~ 8 月果实成熟时采收，鲜用或晒干。

插田泡叶： 春、夏季采收，鲜用或晒干。

| 功能主治 | **倒生根：** 活血止血，祛风除湿。用于跌打损伤，骨折，月经不调，吐血，衄血，风湿痹痛，水肿，小便不利，瘰疬。

插田泡果： 补肾固精，平肝明目。用于阳痿，遗精，遗尿，带下，不孕症，胎动不安，风眼流泪，目生翳障。

插田泡叶： 祛风明目，除湿解毒。用于风眼流泪，风湿痹痛，狗咬伤。

蔷薇科 Rosaceae 悬钩子属 *Rubus*

三叶悬钩子 *Rubus delavayi* Franch.

| 药 材 名 | 倒钩刺。

| 形态特征 | 直立矮小灌木，高 0.3 ~ 1 m。枝红褐色，圆柱形，无毛，具小皮刺。小叶 3，披针形至狭披针形，长 3 ~ 7 cm，宽 1 ~ 2 cm，先端渐尖，基部宽楔形至圆形，两面无毛或下面沿主脉稍具柔毛及小皮刺，边缘具不整齐粗锯齿；叶柄长 2 ~ 3 cm，顶生小叶柄长 5 ~ 8 mm，侧生小叶无柄或近无柄，无毛或具疏柔毛，疏生小皮刺；托叶线形。花单生或 2 ~ 3；花梗长 1 ~ 2 cm，具细柔毛或近无毛，疏生小皮刺；苞片线形；花直径约 1 cm；花萼外具细柔毛，有稀疏小皮刺；萼片三角状披针形，先端长尾尖，呈长条形，在果期直立；花瓣倒卵形，白色，具细柔毛，基部具爪，比萼片短得多；

花丝短而稍宽，具细柔毛；花柱短于雄蕊，花柱与子房均无毛。果实球形，直径约 1 cm，橙红色，无毛；核小，具细皱纹。花期 5 ~ 6 月，果期 6 ~ 7 月。

| 生境分布 | 生于海拔 2 000 ~ 3 000 m 的山坡杂木林下。湖北有分布。

| 资源情况 | 野生资源一般。药材来源于野生。

| 采收加工 | 夏、秋季采收全株，洗净，鲜用或切碎晒干。

| 功能主治 | 清热解毒，除湿止痢，驱蛔。用于扁桃体炎，急性结膜炎，腮腺炎，乳腺炎，无名肿毒，风湿痹痛，痢疾，蛔虫病。

蔷薇科 Rosaceae 悬钩子属 *Rubus*

桉叶悬钩子 *Rubus eucalyptus* Focke

| 药材名 | 桉叶悬钩子叶。

| 形态特征 | 灌木，高 1.5 ~ 4 m。小枝深紫褐色或褐色，无毛，疏生粗壮钩状皮刺；一年生花枝短，具柔毛、腺毛和钩状皮刺。小叶 3 ~ 5，顶生小叶卵形、菱状卵形或菱状披针形，侧生小叶菱状卵形或椭圆形，长 2 ~ 6（~ 8）cm，宽 1.5 ~ 4（~ 5）cm，顶生小叶先端常渐尖，侧生小叶急尖，基部宽楔形至圆形，稀近心形，上面无毛，下面密被灰白色绒毛，边缘有不整齐粗锯齿或缺刻状重锯齿，顶生小叶有时 3 裂；叶柄长 5 ~ 8 cm，顶生小叶柄长 1 ~ 2.5 cm，侧生小叶几无柄，叶柄与叶轴均疏生柔毛、腺毛和小皮刺；托叶线形，具柔毛。花 1 ~ 2，常着生于侧生短枝先端，稀腋生；花梗长 2 ~ 4（~ 5）cm，

具柔毛、腺毛和针刺；花直径 1.5 ~ 2 cm；花萼外面被柔毛、腺毛和疏密不等的针刺；萼片卵状披针形或三角状披针形，长 1 ~ 1.5 cm，先端尾尖，内萼片边缘常具灰白色绒毛，花时直立，果时开展，稀反折；花瓣匙形，长 7 ~ 8 mm，宽 3 ~ 4 mm，白色，基部渐狭成宽爪，短于萼片；花丝线形；花柱下部和子房顶部密被白色长绒毛。果实近球形，直径 1.2 ~ 2 cm，密被灰白色长绒毛，萼片开展或反折；核具浅皱纹。花期 4 ~ 5 月，果期 6 ~ 7 月。

| 生境分布 | 生于海拔 1 000 ~ 2 500 m 的杂木林、灌丛中或荒草地。分布于湖北兴山。

| 资源情况 | 野生资源一般。药材来源于野生。

| 功能主治 | 消炎生肌。

蔷薇科 Rosaceae 悬钩子属 *Rubus*

大红泡 *Rubus eustephanos* Focke

| 药材名 | 大红泡。

| 形态特征 | 灌木，高 0.5 ~ 2 m。小枝灰褐色，常有棱角，无毛，疏生钩状皮刺。小叶 3 ~ 5，卵形、椭圆形，稀卵状披针形，长 2 ~ 5 cm，宽 1 ~ 3 cm，先端渐尖至长渐尖，基部圆形，幼时两面疏生柔毛，老时仅下面沿叶脉有柔毛，沿中脉有小皮刺，边缘具缺刻状尖锐重锯齿；叶柄长 1.5 ~ 2 cm，顶生小叶柄长 1 ~ 1.5 cm，和叶轴均无毛或幼时疏生柔毛，有小皮刺；托叶披针形，先端尾尖，无毛或边缘稍有柔毛。花常单生，稀 2 ~ 3，常生于侧生小枝先端；花梗长 2.5 ~ 5 cm，无毛，疏生小皮刺，常无腺毛，但其变种疏生短腺毛；苞片和托叶相似；花大，开展时直径 3 ~ 4 cm；花萼无毛；萼片长圆状披针形，

先端钻状长渐尖，内萼片边缘有绒毛，花后开展，果时常反折；花瓣椭圆形或宽卵形，白色，长于萼片；雄蕊多数，花丝线形；雌蕊很多，子房和花柱无毛。果实近球形，直径达 1 cm，红色，无毛。核较平滑或微皱。花期 4 ~ 5 月，果期 6 ~ 7 月。

| 生境分布 | 生于海拔 500 ~ 2 310 m 的山麓潮湿地、山坡密林下以及河沟边灌丛中。分布于湖北宣恩、竹溪。

| 资源情况 | 野生资源一般。

| 功能主治 | 消肿，止痛，收敛。用于百日咳等。

蔷薇科 Rosaceae 悬钩子属 *Rubus*

弓茎悬钩子 *Rubus flosculosus* Focke

| 药 材 名 |

刺泡。

| 形态特征 |

灌木，高 1.5 ～ 2.5 m。枝拱曲，红褐色，有时被白粉，疏生紫红色钩状扁平皮刺，幼枝被短柔毛。小叶 5 ～ 7，卵形、卵状披针形或卵状长圆形，顶生小叶有时为菱状披针形，长 3 ～ 7 cm，宽 1.5 ～ 4 cm，先端渐尖，基部宽楔形至圆形，上面无毛或近无毛，下面被灰白色绒毛，边缘具粗重锯齿，有时浅裂；叶柄长 3 ～ 5 cm，顶生小叶柄长 1 ～ 2 cm，侧生小叶几无柄，与叶轴均被柔毛和钩状小皮刺；托叶小，线形，长约 5 mm，有柔毛。顶生花序为狭圆锥花序，侧生花序为总状花序，花梗和苞片均被柔毛；花梗细，长 5 ～ 8 mm；苞片小，线状披针形；花直径 5 ～ 8 mm；花萼外面密被灰白色绒毛；萼片卵形至长卵形，长 3 ～ 6 mm，先端急尖而有突尖头，在花时、果时均直立开展；花瓣近圆形，基部具短爪，粉红色，与萼片几等长或稍长；雄蕊多数，花药紫色，花丝线形；花柱无毛，子房具柔毛。果实球形，直径 5 ～ 8 mm，红色至红黑色，无毛或微具柔毛；小核卵球形，多皱。花期 6 ～ 7 月，果期 8 ~ 9 月。

| **生境分布** | 生于海拔 900 ~ 2 600 m 的山谷河旁、沟边或山坡杂木丛中。分布于湖北神农架、兴山。

| **资源情况** | 野生资源一般。药材主要来源于野生。

| **功能主治** | 补肾固精。

蔷薇科 Rosaceae 悬钩子属 *Rubus*

鸡爪茶 *Rubus henryi* Hemsl. et Kuntze

| 药材名 | 鸡爪茶。

| 形态特征 | 常绿攀缘灌木，高达 6 m。枝疏生微弯小皮刺，幼时被绒毛，老时近无毛，褐色或红褐色。单叶，革质，长 8 ~ 15 cm，基部较狭窄，宽楔形至近圆形，稀近心形，3 深裂，稀 5 裂，分裂至叶片的 2/3 处或超过其 2/3 处，顶生裂片与侧生裂片之间常成锐角，裂片披针形或狭长圆形，长 7 ~ 11 cm，宽 1.5 ~ 2.5 cm，先端渐尖，边缘有稀疏细锐锯齿，上面亮绿色，无毛，下面密被灰白色或黄白色绒毛，叶脉凸起，有时疏生小皮刺；叶柄细，长 3 ~ 6 cm，有绒毛；托叶长圆形或长圆状披针形，离生，膜质，长 1 ~ 1.8 cm，宽 0.3 ~ 0.6 cm，全缘或先端有 2 ~ 3 锯齿，有长柔毛。花常 9 ~ 20，成顶生和腋生

总状花序；总花梗、花梗和花萼密被灰白色或黄白色绒毛和长柔毛，混生少数小皮刺；花梗短，长达 1 cm；苞片和托叶相似；花萼长约 1.5 cm，有时混生腺毛；萼片长三角形，先端尾状渐尖，全缘，花后反折；花瓣狭卵圆形，粉红色，两面疏生柔毛，基部具短爪；雄蕊多数，有长柔毛；雌蕊多数，被长柔毛。果实近球形，黑色，直径 1.3 ~ 1.5 cm，宿存花柱带红色并有长柔毛；核稍有网纹。花期 5 ~ 6 月，果期 7 ~ 8 月。

| 生境分布 | 生于海拔 2 000 m 的坡地或山林中。分布于湖北鹤峰。

| 资源情况 | 野生资源一般。

| 功能主治 | **根：**除湿利尿，清热解毒。用于小便不利，痈疮肿毒。

蔷薇科 Rosaceae 悬钩子属 *Rubus*

蓬蘽 *Rubus hirsutus* Thunb.

| 药 材 名 | 蓬蘽。

| 形态特征 | 灌木，高 1 ~ 2 m。枝红褐色或褐色，被柔毛和腺毛，疏生皮刺。小叶 3 ~ 5，卵形或宽卵形，长 3 ~ 7 cm，宽 2 ~ 3.5 cm，先端急尖，顶生小叶先端常渐尖，基部宽楔形至圆形，两面疏生柔毛，边缘具不整齐尖锐重锯齿；叶柄长 2 ~ 3 cm，顶生小叶柄长约 1 cm，稀较长，均具柔毛和腺毛，并疏生皮刺；托叶披针形或卵状披针形，两面具柔毛。花常单生于侧枝先端，也有腋生；花梗长（2 ~ ）3 ~ 6 cm，具柔毛和腺毛，或有极少小皮刺；苞片小，线形，具柔毛；花大，直径 3 ~ 4 cm；花萼外面密被柔毛和腺毛；萼片卵状披针形或三角状披针形，先端长尾尖，外面边缘被灰白色绒毛，花后反折；花瓣

倒卵形或近圆形，白色，基部具爪；花丝较宽；花柱和子房均无毛。果实近球形，直径 1 ~ 2 cm，无毛。花期 4 月，果期 5 ~ 6 月。

| **生境分布** | 生于海拔 1 500 m 的山坡路旁阴湿处或灌丛中。分布于湖北崇阳。

| **资源情况** | 野生资源一般。药材主要来源于野生。

| **采收加工** | **果实**：秋季果实成熟时采收，晒干。

| **功能主治** | 补肾益精，缩尿。用于头目眩晕，多尿，阳痿，不育，须发早白，痈疽。

蔷薇科 Rosaceae 悬钩子属 *Rubus*

宜昌悬钩子 *Rubus ichangensis* Hemsl. et Ktze.

| 药 材 名 |

牛尾泡。

| 形态特征 |

落叶或半常绿攀缘灌木，高达 3 m。枝圆形，浅绿色，无毛或近无毛，幼时具腺毛，逐渐脱落，疏生短小微弯皮刺。单叶，近革质，卵状披针形，长 8 ~ 15 cm，宽 3 ~ 6 cm，先端渐尖，基部深心形，弯曲较宽大，两面均无毛，下面沿中脉疏生小皮刺，边缘浅波状或近基部有小裂片，有稀疏具短尖头小锯齿；叶柄长 2 ~ 4 cm，无毛，常疏生腺毛和短小皮刺；托叶钻形或线状披针形，全缘，脱落。顶生圆锥花序狭窄，长达 25 cm，腋生花序有时形似总状；总花梗、花梗和花萼有稀疏柔毛和腺毛，有时具小皮刺；花梗长 3 ~ 6 mm；苞片与托叶相似，有腺毛；花直径 6 ~ 8 mm；萼片卵形，先端急尖或短渐尖，外面疏生柔毛和腺毛，边缘有时被灰白色短柔毛，里面密被白色短柔毛；花瓣直立，椭圆形，白色，短于萼片或几与萼片等长；雄蕊多数，花丝稍宽扁；雌蕊 12 ~ 30，无毛。果实近球形，红色，无毛，直径 6 ~ 8 mm；核有细皱纹。花期 7 ~ 8 月，果期 10 月。

| 生境分布 | 生于海拔 300 ~ 1 000 m 的沟边阳处林中或灌丛中。分布于湖北来凤、咸丰、宣恩、鹤峰、恩施、兴山等。

| 资源情况 | 野生资源丰富，栽培资源稀少。药材来源于野生。

| 采收加工 | **根：**秋、冬季采挖，洗净，晒干。

叶：夏季采摘，晒干。

| 功能主治 | 收敛，止血，解毒，利尿，止痛，杀虫。用于吐血，痔疮出血，黄水疮，湿热疮毒等。

蔷薇科 Rosaceae 悬钩子属 *Rubus*

覆盆子 *Rubus idaeus* L.

| 药 材 名 | 覆盆子、覆盆子叶、覆盆子根。

| 形态特征 | 藤状灌木，高 1 ~ 2 m。枝褐色或红褐色，幼时被绒毛状短柔毛，疏生皮刺。小叶 3 ~ 7，花枝上有时具 3 小叶，不孕枝上常 5 ~ 7 小叶，长卵形或椭圆形，顶生小叶常卵形，有时浅裂，长 3 ~ 8 cm，宽 1.5 ~ 4.5 cm，先端短渐尖，基部圆形，顶生小叶基部近心形，上面无毛或疏生柔毛，下面密被灰白色绒毛，边缘有不规则粗锯齿或重锯齿；叶柄长 3 ~ 6 cm，顶生小叶柄长约 1 cm，均被绒毛状短柔毛和稀疏小刺；托叶线形，具短柔毛。花生于侧枝先端成短总状花序或少数花腋生；总花梗和花梗均密被绒毛状短柔毛和疏密不等的针刺；花梗长 1 ~ 2 cm；苞片线形，具短柔毛；花直径 1 ~ 1.5 cm；

花萼外面密被绒毛状短柔毛和疏密不等的针刺；萼片卵状披针形，先端尾尖，外面边缘具灰白色绒毛，在花果期均直立；花瓣匙形，被短柔毛或无毛，白色，基部有宽爪；花丝宽扁，长于花柱；花柱基部和子房密被灰白色绒毛。果实近球形，多汁液，直径 1 ~ 1.4 cm，红色或橙黄色，密被短绒毛；核具明显洼孔。花期 5 ~ 6 月，果期 8 ~ 9 月。

| 生境分布 | 生于海拔 500 ~ 2 000 m 的山地杂木林边、灌丛或荒野山坡、溪边疏密林下。分布于湖北宜昌及恩施。

| 资源情况 | 野生资源丰富，栽培资源稀少。药材来源于野生。

| 采收加工 | **覆盆子：**夏初果实由绿色变绿黄色时采收，除去梗、叶，置沸水中略烫或略蒸，取出，干燥。成品以果粒完整、色呈黄绿色、略带酸味、无梗叶屑者为佳。一般在 16 ： 00 后采收为宜，切忌在早晨和雨天采收。

覆盆子叶：8 月，果实采收后剪下叶子，洗净，晒干或烘干。

覆盆子根：在根蘖繁殖后或在栽后 4 ~ 5 年，轮流采挖部分根，切成长 6 ~ 10 cm，晒干或烘干。

| 功能主治 | **覆盆子：**益肾固精缩尿，养肝明目。用于遗精，滑精，遗尿，尿频，阳痿，早泄，目暗昏花。

覆盆子叶：清热解毒，明目，敛疮。用于眼睑赤烂，目赤肿痛，青盲，牙痛，臁疮，疖肿。

覆盆子根：祛风止痛，明目退翳，和胃止呕。用于牙痛，风湿痹痛，目翳，呕逆。

| 附　　注 | 同属一些植物的果实在部分地区也作覆盆子使用，主要有：①拟覆盆子 *Rubus idaeopsis* Focke 分布于西南及陕西、甘肃；②插田泡 *Rubu coreanus* Miq. 分布于我国东、中部及陕西、甘肃、新疆、四川、贵州；③桉叶悬钩子 *Rubus eucalyptus* Focke 分布于四川；④五叶绵果悬钩子 *Rubus lasiotylus* Focke var. *dizygos* Focke 分布于四川；⑤山莓 *Rubus corchorifolius* L.f. 分布于湖北；⑥绵果悬钩子 *Rubus lasiostylus* Focke 分布于湖北西部；⑦悬钩子 *Rubus idaeus* L. 分布于吉林、河北。

蔷薇科 Rosaceae 悬钩子属 *Rubus*

白叶莓 *Rubus innominatus* S. Moore

| 药 材 名 | 白叶莓。

| 形态特征 | 灌木，高 1 ~ 3 m。枝拱曲，褐色或红褐色，小枝密被绒毛状柔毛，疏生钩状皮刺。小叶常 3，稀于不孕枝上具 5 小叶，长 4 ~ 10 cm，宽 2.5 ~ 5（~ 7）cm，先端急尖至短渐尖，顶生小叶卵形或近圆形，稀卵状披针形，基部圆形至浅心形，边缘常 3 裂或缺刻状浅裂，侧生小叶斜卵状披针形或斜椭圆形，基部楔形至圆形，上面疏生平贴柔毛或几无毛，下面密被灰白色绒毛，沿叶脉混生柔毛，边缘有不整齐粗锯齿或缺刻状粗重锯齿；叶柄长 2 ~ 4 cm，顶生小叶柄长 1 ~ 2 cm，侧生小叶近无柄，与叶轴均密被绒毛状柔毛；托叶线形，被柔毛。总状或圆锥状花序，顶生或腋生，腋生花序常为短总状；

总花梗和花梗均密被黄灰色或灰色绒毛状长柔毛和腺毛；花梗长 4 ～ 10 mm；苞片线状披针形，被绒毛状柔毛；花直径 6 ～ 10 mm；花萼外面密被黄灰色或灰色绒毛状长柔毛和腺毛；萼片卵形，长 5 ～ 8 mm，先端急尖，内萼片边缘具灰白色绒毛，在花果期均直立；花瓣倒卵形或近圆形，紫红色，边缘啮蚀状，基部具爪，稍长于萼片；雄蕊稍短于花瓣；花柱无毛；子房稍具柔毛。果实近球形，直径约 1 cm，橘红色，初期被疏柔毛，成熟时无毛；核具细皱纹。花期 5 ～ 6 月，果期 7 ～ 8 月。

| 生境分布 | 生于海拔 500 ～ 1 300 m 的山坡路旁或灌丛中。分布于湖北来凤、宣恩、咸丰、鹤峰、长阳、神农架等。

| 资源情况 | 野生资源丰富，栽培资源稀少。药材来源于野生。

| 采收加工 | **根**：秋、冬季采挖，洗净，鲜用或切片，晒干。

| 功能主治 | 祛风散寒，止咳平喘。用于风寒咳喘。

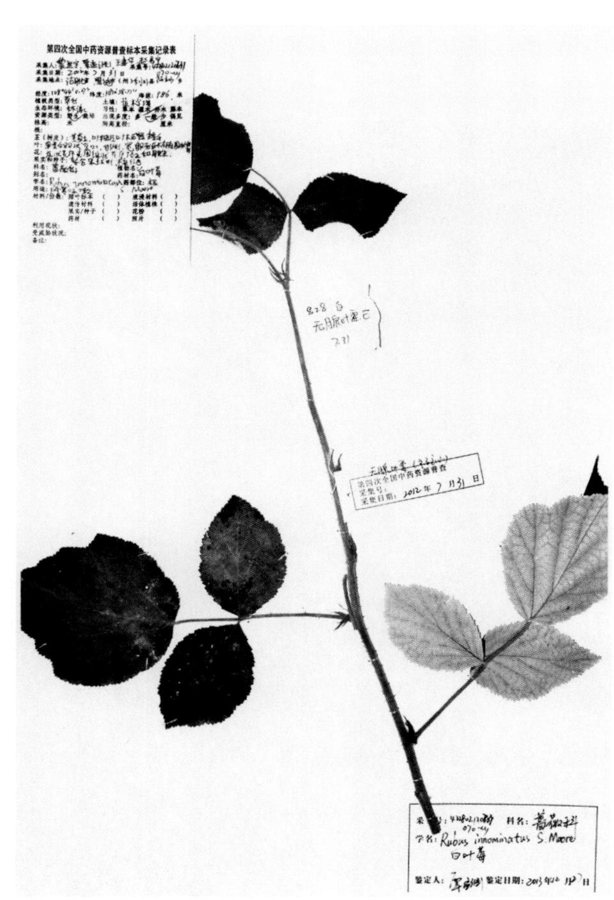

蔷薇科 Rosaceae 悬钩子属 *Rubus*

红花悬钩子 *Rubus inopertus* (Diels) Focke

| 药材名 | 红花悬钩子。

| 形态特征 | 攀缘灌木，高 1 ~ 2 m。小枝紫褐色，无毛，疏生钩状皮刺。小叶 7 ~ 11，稀 5，卵状披针形或卵形，长（2 ~ ）3 ~ 7 cm，宽 1 ~ 3 cm，先端渐尖，基部圆形或近截形，上面疏生柔毛，下面沿叶脉具柔毛，边缘具粗锐重锯齿；叶柄长 3.5 ~ 6 cm，紫褐色，顶生小叶柄长 0.6 ~ 2 cm，侧生小叶几无柄，与叶轴均具稀疏小钩刺，无毛或微具柔毛；托叶线状披针形。花数朵簇生或成顶生伞房花序；总花梗和花梗均无毛；花梗长 1 ~ 1.5 cm，无毛；苞片线状披针形；花直径达 1.2 cm；花萼外面无毛或仅于萼片边缘具绒毛；萼片卵形或三角状卵形，先端急尖至渐尖，在果期常反折；花瓣倒卵形，粉红

色至紫红色，基部具短爪或微具柔毛；花丝线形或基部增宽；花柱基部和子房有柔毛。果实球形，直径 6 ~ 8 mm，成熟时紫黑色，外面被柔毛；核有细皱纹。花期 5 ~ 6 月，果期 7 ~ 8 月。

| 生境分布 | 生于海拔 800 ~ 2 800 m 的山地密林边或沟谷旁及山脚岩石上。分布于湖北来凤、咸丰、鹤峰、利川、巴东、兴山等。

| 资源情况 | 野生资源丰富，栽培资源稀少。药材来源于野生。

| 采收加工 | 采摘悬钩子要适时进行，切不可超前也不可拖后。一般在成熟后的一两天采收。浆果采摘要带果托和部分果柄。采收的浆果最好保存在温度接近 0 ℃、相对湿度在 90 左右的冰箱里，在这样的温度和湿度条件下，可保藏 1 周左右。利用冷库等冷藏设施可起到长期保存浆果的目的。

| 功能主治 | 止渴，祛痰，解毒。

蔷薇科 Rosaceae 悬钩子属 *Rubus*

灰毛泡 *Rubus irenaeus* Focke

| 药 材 名 | 地五泡藤根、地五泡藤叶。

| 形态特征 | 常绿矮小灌木，高 0.5 ~ 2 m。枝灰褐至棕褐色，密被灰色绒毛状柔毛，花枝自根茎上长出，疏生细小皮刺或无刺。单叶，近革质，近圆形，直径 8 ~ 14 cm，先端圆钝或急尖，基部深心形，上面无毛，下面密被灰色或黄灰色绒毛，具五出掌状脉，下面叶脉凸出，黄棕色，沿叶脉具长柔毛，边缘波状或不明显浅裂，裂片圆钝或急尖，有不整齐粗锐锯齿；叶柄长 5 ~ 10 cm，密被绒毛状柔毛，无刺或具极稀小皮刺；托叶大，叶状，棕褐色，长圆形，长 2 ~ 3 cm，宽 1 ~ 2 cm，被绒毛状柔毛，近先端较宽，缺刻状条裂，裂片披针形。花数朵成顶生伞房状或近总状花序，也常单花或数朵生于叶腋；总花

梗和花梗密被绒毛状柔毛；花梗长 1 ~ 1.5 cm；苞片与托叶相似，惟较小，具绒毛状柔毛，先端分裂；花直径 1.5 ~ 2 cm；花萼外面密被绒毛状柔毛；萼片宽卵形，先端短渐尖，外萼片先端或边缘条裂，裂片线状披针形，内萼片常全缘，在果期反折；花瓣近圆形，白色，具爪，稍长于萼片；雄蕊多数，短于萼片，花丝线形，近基部稍宽，花药具长柔毛；雌蕊 30 ~ 60，无毛，花柱长于雄蕊。果实球形，直径 1 ~ 1.5 cm，红色，无毛；核具网纹。花期 5 ~ 6 月，果期 8 ~ 9 月。

| 生境分布 | 生于海拔 500 ~ 1 300 m 的山坡疏密杂林下或树荫下腐殖质较多的地方。分布于湖北宣恩等。

| 资源情况 | 野生资源较丰富，栽培资源稀少。药材来源于野生。

| 采收加工 | **地五泡藤根：**秋、冬季采挖，洗净，晒干。

地五泡藤叶：夏、秋季采摘，晒干。

| 功能主治 | **地五泡藤根：**理气止痛，祛风活血，清热解毒。用于气滞腹痛。

地五泡藤叶：祛风活血，清热解毒，敛疮。用于口疮。

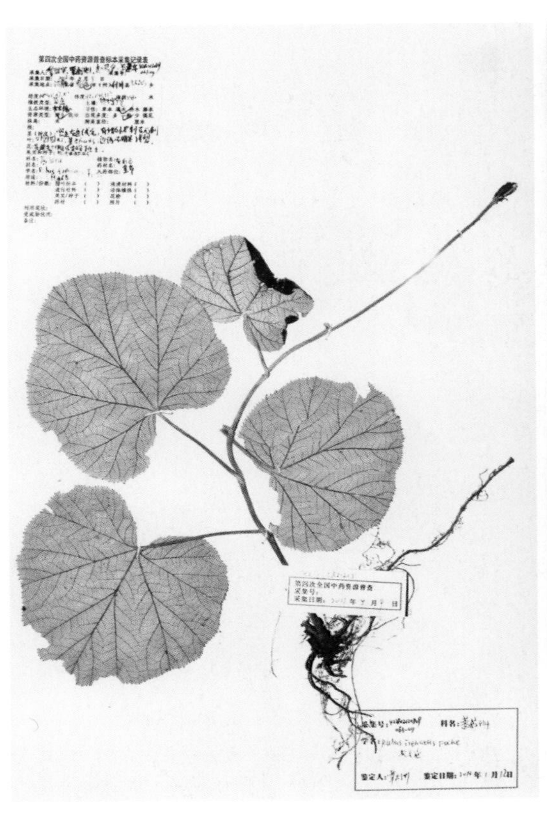

蔷薇科 Rosaceae 悬钩子属 *Rubus*

高粱泡 *Rubus lambertianus* Ser.

| 药 材 名 | 高粱泡根、高粱泡、高粱泡叶。

| 形态特征 | 半落叶藤状灌木，高达 3 m。枝幼时有细柔毛或近无毛，有微弯小皮刺。单叶宽卵形，稀长圆状卵形，长 5 ~ 10（~ 12）cm，宽 1 ~ 8 cm，先端渐尖，基部心形，上面疏生柔毛或沿叶脉有柔毛，下面被疏柔毛，沿叶脉毛较密，中脉上常疏生小皮刺，边缘明显 3 ~ 5 裂或呈波状，有细锯齿；叶柄长 2 ~ 4（~ 5）cm，具细柔毛或近无毛，有稀疏小皮刺；托叶离生，线状深裂，有细柔毛或近无毛，常脱落。圆锥花序顶生，生于枝上部叶腋内的花序常近总状，有时仅数朵花簇生于叶腋；总花梗、花梗和花萼均被细柔毛；花梗长 0.5 ~ 1 cm；苞片与托叶相似；花直径约 8 mm；萼片卵状披针形，

先端渐尖、全缘，外面边缘和内面均被白色短柔毛，仅在内萼片边缘具灰白色绒毛；花瓣倒卵形，白色，无毛，稍短于萼片；雄蕊多数，稍短于花瓣，花丝宽扁；雌蕊 15 ~ 20，通常无毛。果实小，近球形，直径 6 ~ 8 mm，由多数小核果组成，无毛，成熟时红色；核较小，长约 2 mm，有明显皱纹。花期 7 ~ 8 月，果期 9 ~ 11 月。

| 生境分布 | 生于海拔 700 ~ 1 700 m 的山谷林下、路旁灌丛中阴湿处或林缘及草坪。分布于湖北宣恩、咸丰、鹤峰、利川、五峰、巴东、神农架、兴山、房县、丹江口、赤壁、崇阳等。

| 资源情况 | 野生资源丰富，栽培资源稀少。药材来源于野生。

| 采收加工 | **高粱泡根**：秋季采挖，洗净，切片，晒干。

高粱泡叶：夏、秋季采收，晒干；可鲜用。

| 功能主治 | **高粱泡根**：祛风清热，凉血止血，活血祛瘀。用于风热感冒，风湿痹痛，半身不遂，咯血，衄血，便血，崩漏，经闭，痛经，产后腹痛，疮疡。

高粱泡叶：清热凉血，解毒疗疮。用于感冒发热，咯血，便血，崩漏，创伤出血，瘰疬溃烂，皮肤糜烂，黄水疮；外用于创伤出血。

蔷薇科 Rosaceae 悬钩子属 *Rubus*

绵果悬钩子 *Rubus lasiostylus* Focke

| 药 材 名 | 绵果悬钩子。

| 形态特征 | 灌木，高达 2 m。枝红褐色，有时具白粉，幼时无毛或具柔毛，老时无毛，具疏密不等的针状或微钩状皮刺。小叶 3，稀 5，顶生小叶宽卵形，侧生小叶卵形或椭圆形，长 3 ~ 10 cm，宽 2.5 ~ 9 cm，先端渐尖或急尖，基部圆形至浅心形，上面疏生细柔毛，老时无毛，下面密被灰白色绒毛，沿叶脉疏生小皮刺，边缘具不整齐重锯齿，顶生小叶常浅裂或 3 裂；叶柄长 5 ~ 10 cm，顶生小叶柄长 2 ~ 3.5 cm，侧生小叶几无柄，均无毛或具稀疏柔毛，疏生小皮刺；托叶卵状披针形至卵形。长 1 ~ 1.5 cm，宽 5 ~ 8 mm，膜质，棕褐色，无毛，先端渐尖。2 ~ 6 花成顶生伞房状花序，有时 1 ~ 2 花

腋生；花梗长 2 ～ 4 cm，无毛，有疏密不等的小皮刺；苞片大，卵形或卵状披针形，长 0.8 ～ 1.6 cm，宽 5 ～ 10 mm，膜质，棕褐色，无毛；花开展时直径 2 ～ 3 cm；花萼外面紫红色，无毛；萼片宽卵形，长 1.2 ～ 1.8 cm，宽 0.6 ～ 1 cm，先端尾尖，仅内萼片边缘具灰白色绒毛，在花时、果时均开展，稀于果时反折；花瓣近圆形，红色，短于萼片，基部具短爪；花丝白色，线形；花柱下部和子房上部密被灰白色或灰黄色长绒毛。果实球形，直径 1.5 ～ 2 cm，红色，外面密被灰白色长绒毛和宿存花柱。花期 6 月，果期 8 月。

| 生境分布 | 生于海拔 1 000 ～ 2 500 m 的山坡灌丛或谷底林下。分布于湖北巴东、神农架、兴山等。

| 资源情况 | 野生资源一般，栽培资源稀少。药材来源于野生。

| 采收加工 | **果实：** 7 ～ 8 月果实已饱满呈绿色，尚未成熟时采收，将摘下的果实拣净梗、叶，烫 1 ～ 2 分钟，取出置烈日下晒干。

| 功能主治 | 固肾涩精，止遗。用于肾虚腰痛，阳痿早泄，遗尿。

蔷薇科 Rosaceae 悬钩子属 *Rubus*

白花悬钩子 *Rubus leucanthus* Hance

|药材名|

白花悬钩子。

|形态特征|

攀缘灌木，高 1 ~ 3 m。枝紫褐色，无毛，疏生钩状皮刺。小叶 3，生于枝上部或花序基部的有时为单叶，革质，卵形或椭圆形，顶生小叶比侧生者稍大或与之几相等，长 4 ~ 8 cm，宽 2 ~ 4 cm，先端渐尖或尾尖，基部圆形，两面无毛，侧脉 5 ~ 8 对，或上面稍具柔毛，边缘有粗单锯齿；叶柄长 2 ~ 6 cm，顶生小叶柄长 1.5 ~ 2 cm，侧生小叶具短柄，均无毛，具钩状小皮刺；托叶钻形，无毛。3 ~ 8 花形成伞房状花序，生于侧枝先端，稀单花腋生；花梗长 0.8 ~ 1.5 cm，无毛；苞片与托叶相似；花直径 1 ~ 1.5 cm；萼片卵形，先端急尖并具短尖头，内萼片边缘微被绒毛，在花时、果时均直立开展；花瓣长卵形或近圆形，白色，基部微具柔毛，具爪，与萼片等长或较之稍长；雄蕊多数，花丝较宽扁；雌蕊通常 70 ~ 80，有时达 100 或更多，花柱和子房无毛或仅于子房先端及花柱基部具柔毛；花托中央凸起部分呈近球形，基部无柄或几无柄。果实近球形，直径 1 ~ 1.5 cm，红色，无毛，萼片包裹果实；核较小，具洼穴。花期 4 ~ 5 月，果期 6 ~ 7 月。

| 生境分布 | 生于低海拔至中海拔地区的疏林中或旷野。分布于湖北宜昌及恩施等。

| 资源情况 | 野生资源一般，栽培资源稀少。药材来源于野生。

| 采收加工 | **根：**秋季采挖，洗净，切片，晒干。

| 功能主治 | 用于腹泻，血痢。

蔷薇科 Rosaceae 悬钩子属 *Rubus*

喜阴悬钩子 *Rubus mesogaeus* Focke

| 药 材 名 | 喜阴悬钩子。

| 形态特征 | 攀缘灌木，高 1 ~ 4 m。老枝有稀疏基部宽大的皮刺，小枝红褐色或紫褐色，具稀疏针状皮刺或近无刺，幼时被柔毛。小叶常 3，稀 5，顶生小叶宽菱状卵形或椭圆状卵形，先端渐尖，边缘常羽状分裂，基部圆形至浅心形，侧生小叶斜椭圆形或斜卵形，先端急尖，基部楔形至圆形，长 4 ~ 9（~ 11）cm，宽 3 ~ 7（~ 9）cm，上面疏生平贴柔毛，下面密被灰白色绒毛，边缘有不整齐粗锯齿并常浅裂；叶柄长 3 ~ 7 cm，顶生小叶柄长 1.5 ~ 4 cm，侧生小叶有短柄或几无柄，与叶轴均有柔毛和稀疏钩状小皮刺；托叶线形，被柔毛，长达 1 cm。伞房花序生于侧生小枝先端或腋生，具花数朵至 20 余花，

通常短于叶柄；总花梗具柔毛，有稀疏针刺；花梗长 6 ~ 12 mm，密被柔毛；苞片线形，有柔毛；花直径约 1 cm 或稍大；花萼外面密被柔毛；萼片披针形，先端急尖至短渐尖，长 5 ~ 8 mm，内萼片边缘具绒毛，花后常反折；花瓣倒卵形、近圆形或椭圆形，基部稍有柔毛，白色或浅粉红色；花丝线形，几与花柱等长；花柱无毛，子房有疏柔毛。果实扁球形，直径约 6mm，紫黑色，无毛；核三角状卵球形，有皱纹。花期 4 ~ 5 月，果期 7 ~ 8 月。

| 生境分布 | 生于海拔 900 ~ 2 700 m 的山坡、山谷林下潮湿处或沟边冲积地。分布于湖北宣恩、鹤峰、恩施、建始、巴东、神农架、兴山、房县等。

| 资源情况 | 野生资源较丰富，栽培资源稀少。药材来源于野生。

| 采收加工 | **根**：秋季采挖，洗净，切片，晒干。

| 功能主治 | 祛风清热，凉血止血，活血祛瘀。用于风热感冒，风湿痹痛，半身不遂。

蔷薇科 Rosaceae 悬钩子属 *Rubus*

大乌泡 *Rubus multibracteatus* H. Lév. et Vant.

| 药材名 | 大乌泡。

| 形态特征 | 灌木，高达 3 m。茎粗，有黄色绒毛状柔毛和稀疏钩状小皮刺。单叶，近圆形，直径 7 ~ 16 cm，先端圆钝或急尖，基部心形，上面有柔毛和密集的小突起，下面密被黄灰色或黄色绒毛，沿叶脉有柔毛，边缘掌状 7 ~ 9 浅裂，顶生裂片不明显地 3 裂，有不整齐粗锯齿，基部有掌状五出脉，网脉明显；叶柄长 3 ~ 6 cm，密被黄色绒毛状柔毛和疏生小皮刺；托叶较宽，宽椭圆形或宽倒卵形，先端梳齿状深裂，裂片披针形或线状披针形，不再分裂。顶生狭圆锥花序或总状花序，腋生花序为总状或花团集；总花梗、花梗和花萼密被黄色或黄白色绢状长柔毛；花梗长 1 ~ 1.5 cm，稀较长；苞片宽大，

形状似托叶，掌状条裂；花直径 1.5 ～ 2.5 cm；萼片宽卵形，先端渐尖，边缘有时稍具绒毛，通常外萼片较宽大，先端掌状至羽状分裂，稀不分裂，内萼片较狭长，不分裂或分裂，在果期直立；花瓣倒卵形或匙形，白色，有爪；雄蕊多数，花丝宽扁，花药有少数长柔毛；雌蕊很多，子房无毛。果实球形，直径可达 2 cm，红色；核有明显皱纹。花期 4 ～ 6 月，果期 8 ～ 9 月。

| 生境分布 | 生于海拔 2 000 ～ 2 500 m 的山坡、沟谷阴处灌木林内或林缘、路边。分布于湖北宜昌及恩施。

| 资源情况 | 野生资源一般，栽培资源稀少。药材来源于野生。

| 采收加工 | **全株**：全年均可采收，洗净，切碎，晒干。

根：秋、冬季采挖，洗净，切片，晒干。

| 功能主治 | 清热，止血，祛风湿。用于感冒发热，咳嗽咯血，鼻衄，月经不调，外伤出血，痢疾，腹泻，脱肛，风湿痹痛。

蔷薇科 Rosaceae 悬钩子属 *Rubus*

红泡刺藤 *Rubus niveus* Thunb.

| 药材名 | 红泡刺藤。

| 形态特征 | 灌木，高 1 ~ 2.5 m。枝常紫红色，被白粉，疏生钩状皮刺，小枝带紫色或绿色，幼时被绒毛状毛。小叶常 7 ~ 9，稀 5 或 11，椭圆形、卵状椭圆形或菱状椭圆形，顶生小叶卵形或椭圆形，仅稍长于侧生者，长 2.5 ~ 6（~ 8）cm，宽 1 ~ 3（~ 4）cm，先端急尖，稀圆钝，顶生小叶有时渐尖，基部楔形或圆形，上面无毛或仅沿叶脉有柔毛，下面被灰白色绒毛，边缘常具不整齐粗锐锯齿，稀具稍钝锯齿，顶生小叶有时具 3 裂片；叶柄长 1.5 ~ 4 cm，顶生小叶柄长 0.5 ~ 1.5 cm，侧生小叶近无柄，和叶轴均被绒毛状柔毛和稀疏钩状小皮刺；托叶线状披针形，具柔毛。花成伞房花序或短圆锥状花

序，顶生或腋生；总花梗和花梗被绒毛状柔毛；花梗长 0.5 ~ 1 cm；苞片披针形或线形，有柔毛；花直径达 1 cm；花萼外面密被绒毛，并混生柔毛；萼片三角状卵形或三角状披针形，先端急尖或突尖，在花果期常直立开展；花瓣近圆形，红色，基部有短爪，短于萼片；雄蕊几与花柱等长，花丝基部稍宽；雌蕊 55 ~ 70，花柱紫红色，子房和花柱基部密被灰白色绒毛。果实半球形，直径 8 ~ 12 mm，深红色转为黑色，密被灰白色绒毛；核有浅皱纹。花期 5 ~ 7 月，果期 7 ~ 9 月。

| **生境分布** | 生于海拔 500 ~ 2 800 m 的山坡灌丛、疏林或山谷河滩、溪流旁。分布于湖北宜昌及恩施。

| **资源情况** | 野生资源一般，栽培资源稀少。药材来源于野生。

| **采收加工** | **根**：秋、冬季采挖，洗净，切片，晒干。

| **功能主治** | 祛风除湿，解毒止痢，燥湿，通血脉，舒筋活络。用于风湿痛，筋脉拘挛，肌肤麻木，脾胃受寒泄泻不止。

蔷薇科 Rosaceae 悬钩子属 *Rubus*

太平莓 *Rubus pacificus* Hance

| 药 材 名 | 太平莓。

| 形态特征 | 常绿矮小灌木，高 40 ~ 100 cm。枝细，圆柱形，微拱曲，幼时具柔毛，老时脱落，疏生细小皮刺。单叶，革质，宽卵形至长卵形，长 8 ~ 16 cm，宽 5 ~ 13 cm，先端渐尖，基部心形，上面无毛，下面密被灰色绒毛，基部具掌状五出脉，侧脉 2 ~ 3 对，在下面叶脉凸起，棕褐色，边缘不明显浅裂，有不整齐而具突尖头的锐锯齿；叶柄长 4 ~ 8 cm，幼时具柔毛，老时脱落，疏生小皮刺；托叶大，棕色，叶状，长圆形，长达 2.5 cm，具柔毛，近先端较宽并缺刻状条裂，裂片披针形。花 3 ~ 6 成顶生短总状或伞房状花序，或单生于叶腋；总花梗、花梗和花萼密被绒毛状柔毛；花梗长 1 ~ 3 cm；苞片与托

叶相似，惟稍小；花大，直径 1.5 ~ 2 cm；萼片卵形至卵状披针形，先端渐尖，外萼片先端常条裂，内萼片全缘，在果期常反折，稀直立；花瓣近心形，白色，先端微缺刻状，基部具短爪，稍长于萼片；雄蕊多数，花丝宽扁，花药具长柔毛；雌蕊很多，无毛，稍长于雄蕊。果实球形，直径 1.2 ~ 1.6 cm，红色，无毛；核具皱纹。花期 6 ~ 7 月，果期 8 ~ 9 月。

| 生境分布 | 生于海拔 300 ~ 1 000 m 的山地路旁或杂木林内。分布于湖北通山、崇阳等。

| 资源情况 | 野生资源较少，栽培资源稀少。药材来源于野生。

| 采收加工 | **全草**：6 ~ 8 月采收，洗净，充分晒干。

| 功能主治 | 清热，活血。用于发热，产后腹痛。

蔷薇科 Rosaceae 悬钩子属 *Rubus*

乌泡子 *Rubus parkeri* Hance

| 药 材 名 |

大乌泡。

| 形态特征 |

攀缘灌木。枝细长，密被灰色长柔毛，疏生紫红色腺毛和微弯皮刺。单叶，卵状披针形或卵状长圆形，长 7 ~ 16 cm，宽 3.5 ~ 6 cm，先端渐尖，基部心形，弯曲，较宽而浅，两耳短而不相靠近，下面伏生长柔毛，沿叶脉毛较多，下面密被灰色绒毛，沿叶脉被长柔毛，侧脉 5 ~ 6 对，在下面凸起，沿中脉疏生小皮刺，边缘有细锯齿和浅裂片；叶柄通常长 0.5 ~ 1 cm，稀达 2 cm，密被长柔毛，疏生腺毛和小皮刺；托叶脱落，长达 1 cm，常掌状条裂，裂片线形，被长柔毛。大型圆锥花序顶生，稀腋生，总花梗、花梗和花萼密被长柔毛和长短不等的紫红色腺毛，具稀疏小皮刺；花梗长约 1 cm；苞片与托叶相似，有长柔毛和腺毛；花直径约 8 mm；花萼带紫红色；萼片卵状披针形，长 5 ~ 10 mm，先端短渐尖，全缘，里面有灰白色绒毛；花瓣白色，但常无花瓣；雄蕊多数，花丝线形；雌蕊少数，无毛。果实球形，直径 4 ~ 6 mm，紫黑色，无毛。花期 5 ~ 6 月，果期 7 ~ 8 月。

| **生境分布** | 生于海拔 140 ~ 1 400 m 的山地疏密林中阴湿处或溪旁，以及山谷岩石上。分布于湖北巴东、兴山等。

| **资源情况** | 野生资源一般，栽培资源稀少。药材来源于野生。

| **采收加工** | **全株**：全年均可采收，洗净，切碎，晒干。

根：秋、冬季采挖，洗净，切片，晒干。

| **功能主治** | 清热，止血，祛风湿。用于感冒发热，咳嗽咯血，鼻衄，月经不调，外伤出血，痢疾，腹泻，脱肛，风湿痹痛。

蔷薇科 Rosaceae 悬钩子属 *Rubus*

茅莓 *Rubus parvifolius* L.

| 药材名 |

茅莓。

| 形态特征 |

灌木，高 1 ~ 2 m。枝呈弓形弯曲，被柔毛和稀疏钩状皮刺；小叶 3，在新枝上偶有 5，菱状圆形或倒卵形，长 2.5 ~ 6 cm，宽 2 ~ 6 cm，先端圆钝或急尖，基部圆形或宽楔形，上面伏生疏柔毛，下面密被灰白色绒毛，边缘有不整齐粗锯齿或缺刻状粗重锯齿，常具浅裂片；叶柄长 2.5 ~ 5 cm，顶生小叶柄长 1 ~ 2 cm，均被柔毛和稀疏小皮刺；托叶线形，长 5 ~ 7 mm，具柔毛。伞房花序顶生或腋生，稀顶生花序成短总状，具花数朵至多朵，被柔毛和细刺；花梗长 0.5 ~ 1.5 cm，具柔毛和稀疏小皮刺；苞片线形，有柔毛；花直径约 1 cm；花萼外面密被柔毛和疏密不等的针刺；萼片卵状披针形或披针形，先端渐尖，有时条裂，在花果期均直立开展；花瓣卵圆形或长圆形，粉红色至紫红色，基部具爪；雄蕊花丝白色，稍短于花瓣；子房具柔毛。果实卵球形，直径 1 ~ 1.5 cm，红色，无毛或具稀疏柔毛；核有浅皱纹。花期 5 ~ 6 月，果期 7 ~ 8 月。

| 生境分布 | 生于海拔 400 ~ 2 600 m 的山坡杂木林下、向阳山谷、路旁或荒野。分布于湖北江夏、黄陂、赤壁，以及宜昌等。

| 资源情况 | 野生资源较丰富，栽培资源稀少。药材来源于野生。

| 采收加工 | **全株：**秋季采挖根，夏、秋季采收茎叶，鲜用或切段，晒干。

| 功能主治 | 散瘀，止痛，活血，杀虫，祛风湿，解毒。用于吐血，跌打刀伤，产后瘀滞腹痛，痢疾，痔疮，疥疮等。

蔷薇科 Rosaceae 悬钩子属 *Rubus*

黄泡 *Rubus pectinellus* Maxim.

| 药 材 名 | 黄泡。

| 形态特征 | 草本或半灌木，高 8 ~ 20 cm。茎匍匐，节处生根，有长柔毛和稀疏微弯针刺。单叶，叶片心状近圆形，长 2.5 ~ 4.5 cm，宽 3 ~ 5（~ 7）cm，先端圆钝，基部心形，边缘有时波状浅裂或 3 浅裂，有不整齐细钝锯齿或重锯齿，两面被稀疏长柔毛，下面沿叶脉有针刺；叶柄长 3 ~ 6 cm，有长柔毛和针刺；托叶离生，有长柔毛，长 0.6 ~ 0.9 cm，2 回羽状深裂，裂片线状披针形。花单生，顶生，稀 2 ~ 3，直径达 2 cm；花梗长 2 ~ 4 cm，被长柔毛和针刺；苞片和托叶相似；花萼长 1.5 ~ 2 cm，外面密被针刺和长柔毛；萼筒卵球形；萼片不等大，叶状，卵形至卵状披针形，外萼片宽大，梳齿

状深裂或缺刻状，内萼片较狭，先端渐尖，有少数锯齿或全缘；花瓣狭倒卵形，白色，有爪，稍短于萼片；雄蕊多数，直立，无毛；雌蕊多数，但很多败育，子房先端和花柱基部微具柔毛。果实红色，球形，直径 1 ~ 1.5 cm，具反折萼片；小核近光滑或微皱。花期 5 ~ 7 月，果期 7 ~ 8 月。

| **生境分布** | 生于海拔 1 000 ~ 3 000 m 的山地林中。分布于神农架等。

| **资源情况** | 野生资源一般，栽培资源稀少。药材来源于野生。

| **采收加工** | **根、茎叶：**秋季采挖根，夏、秋季采收茎叶，鲜用或切段，晒干。

| **功能主治** | 清热解毒，行水消肿。

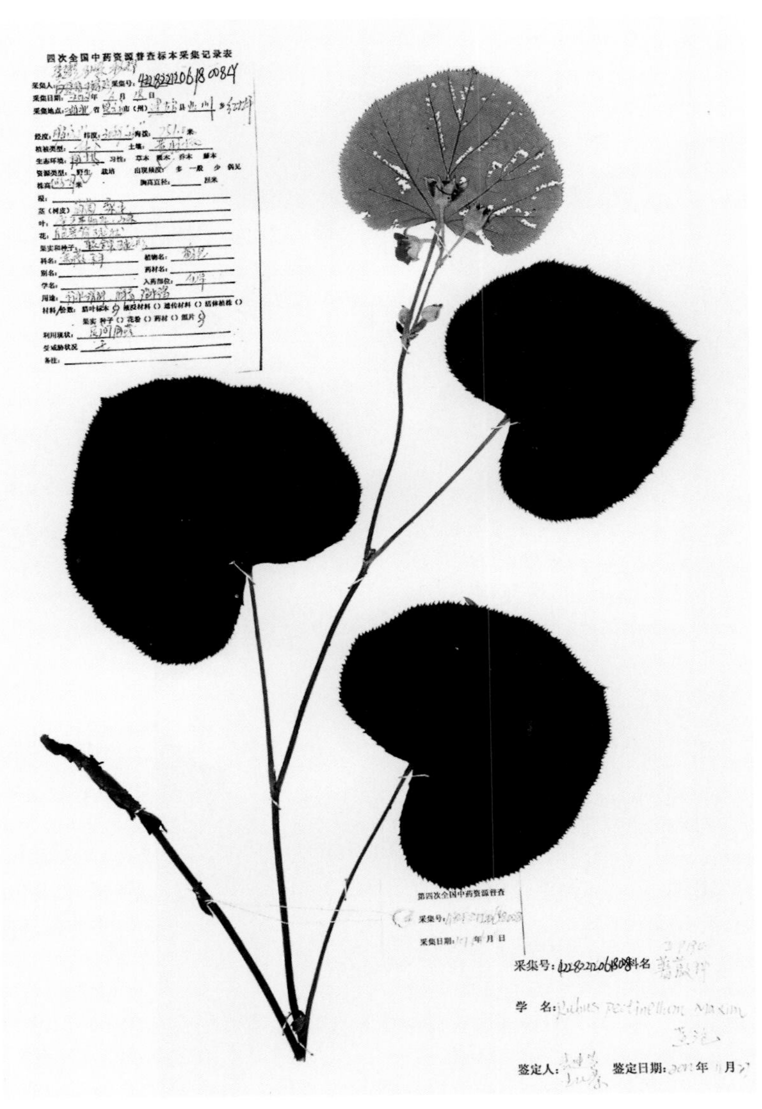

蔷薇科 Rosaceae 悬钩子属 *Rubus*

盾叶莓 *Rubus peltatus* Maxim.

| 药 材 名 |

盾叶莓。

| 形态特征 |

直立或攀缘灌木，高 1 ~ 2 m。枝红褐色或棕褐色，无毛，疏生皮刺，小枝常有白粉。叶片盾状、卵状圆形，长 7 ~ 17 cm，宽 6 ~ 15 cm，基部心形，两面均有贴生柔毛，下面毛较密并沿中脉有小皮刺，边缘 3 ~ 5 掌状分裂，裂片三角状卵形，先端急尖或短渐尖，有不整齐细锯齿；叶柄 4 ~ 8 cm，无毛，有小皮刺；托叶大，膜质，卵状披针形，长 1 ~ 1.5 cm，无毛。单花顶生，直径约 5 cm 或更大；花梗长 2.5 ~ 4.5 cm，无毛；苞片与托叶相似；萼筒常无毛；萼片卵状披针形，两面均有柔毛，边缘常有齿；花瓣近圆形，直径 1.8 ~ 2.5 cm，白色，长于萼片；雄蕊多数，花丝钻形或线形；雌蕊众多，可达 100，被柔毛。果实圆柱形或圆筒形，长 3 ~ 4.5 cm，橘红色，密被柔毛；核具皱纹。花期 4 ~ 5 月，果期 6 ~ 7 月。

| 生境分布 |

生于海拔 300 ~ 1 500 m 的山坡、山脚、山沟林下、林缘或较阴湿处。分布于湖北鹤峰、利川、建始等。

| 资源情况 | 野生资源一般，栽培资源稀少。药材来源于野生。

| 采收加工 | 夏、秋季采摘成熟果实，直接晒干或用沸水浸一下再晒至全干。

| 功能主治 | 强腰健肾，祛风止痛。用于四肢关节疼痛，腰脊酸痛。

蔷薇科 Rosaceae 悬钩子属 *Rubus*

多腺悬钩子 *Rubus phoenicolasius* Maxim.

| 药 材 名 | 悬钩根、悬钩叶、悬钩木。

| 形态特征 | 灌木，高 1 ~ 3 m。枝初直立后蔓生，密生红褐色刺毛、腺毛和稀疏皮刺。小叶 3，稀 5，卵形、宽卵形或菱形，稀椭圆形，长 4 ~ 8（~ 10）cm，宽 2 ~ 5（~ 7）cm，先端急尖至渐尖，基部圆形至近心形，上面或仅沿叶脉有伏柔毛，下面密被灰白色绒毛，沿叶脉有刺毛、腺毛和稀疏小针刺，边缘具不整齐粗锯齿，常有缺刻，顶生小叶常浅裂；叶柄长 3 ~ 6 cm，小叶柄长 2 ~ 3 cm，侧生小叶近无柄，均被柔毛、红褐色刺毛、腺毛和稀疏皮刺；托叶线形，具柔毛和腺毛。花较少数，形成短总状花序，顶生或部分腋生；总花梗和花梗密被柔毛、刺毛和腺毛；花梗长 5 ~ 15 mm；苞片披针形，

具柔毛和腺毛；花直径 6 ~ 10 mm；花萼外面密被柔毛、刺毛和腺毛；萼片披针形，先端尾尖，长 1 ~ 1.5 cm，在花果期均直立开展；花瓣直立，倒卵状匙形或近圆形，紫红色，基部具爪并有柔毛；雄蕊稍短于花柱；花柱比雄蕊稍长，子房无毛或微具柔毛。果实半球形，直径约 1 cm，红色，无毛；核有明显皱纹与洼穴。花期 5 ~ 6 月，果期 7 ~ 8 月。

| 生境分布 | 生于低海拔至中海拔地区的林下、路旁或山沟谷底。分布于湖北郧西等。

| 资源情况 | 野生资源稀少，栽培资源稀少。药材来源于野生。

| 采收加工 | **悬钩根：**秋季采挖，鲜用或切段晒干。

悬钩叶：夏、秋季采摘，鲜用或晒干。

悬钩木：冬季割取地上部分，除去叶和杂质，晒干。

| 功能主治 | **悬钩根、悬钩叶：**强腰健肾，祛风止痛。用于四肢关节疼痛，腰脊酸痛。

悬钩木：解表散寒，祛风除湿，活血止痛。用于风寒感冒，流行性感冒，风湿骨痛，跌打损伤。

蔷薇科 Rosaceae 悬钩子属 *Rubus*

红毛悬钩子 *Rubus pinfaensis* H. Lév. et Vant.

| 药材名 | 老虎泡、老虎泡叶。

| 形态特征 | 攀缘灌木，高 1 ~ 2 m。小枝粗壮，红褐色，有棱，密被红褐色刺毛，并具柔毛和稀疏皮刺。小叶 3，椭圆形、卵形，稀倒卵形，长（3 ~ ）4 ~ 9 cm，宽 2 ~ 7 cm，先端尾尖或急尖，稀圆钝，基部圆形或宽楔形，上面紫红色，无毛，叶脉下陷，下面仅沿叶脉疏生柔毛、刺毛和皮刺，边缘有不整齐细锐锯齿；叶柄长 2 ~ 4.5 cm，顶生小叶柄长 1.5 ~ 3 cm，侧生小叶近无柄，与叶轴均被红褐色刺毛、柔毛和稀疏皮刺；托叶线形，有柔毛和稀疏刺毛。花数朵在叶腋团聚成束，稀单生；花梗短，长 4 ~ 7 mm，密被短柔毛；苞片线形或线状披针形，有柔毛；花直径 1 ~ 1.3 cm；花萼外面密被绒毛状柔毛；

萼片卵形，先端急尖，在果期直立；花瓣长倒卵形，白色，基部具爪，长于萼片；雄蕊花丝稍宽扁，几与雌蕊等长；花柱基部和子房先端具柔毛。果实球形，直径 5 ～ 8 mm，成熟时金黄色或红黄色，无毛；核有深刻皱纹。花期 3 ～ 4 月，果期 5 ～ 6 月。

| 生境分布 | 生于海拔 500 ～ 2 200 m 的山坡灌丛、杂木林内或林缘、山谷或山沟边。分布于湖北来凤、咸丰、鹤峰、利川、巴东、兴山等。

| 资源情况 | 野生资源较丰富，栽培资源稀少。药材来源于野生。

| 采收加工 | **根**：秋季采挖，洗净，晒干。

叶：夏、秋季采摘，鲜用或切段，晒干。

| 功能主治 | 凉血止血，祛风除湿，解毒疗疮。

根：用于风湿关节痛，刀伤，吐血，颈淋巴结结核。

叶：用于黄水疮，狗咬伤。

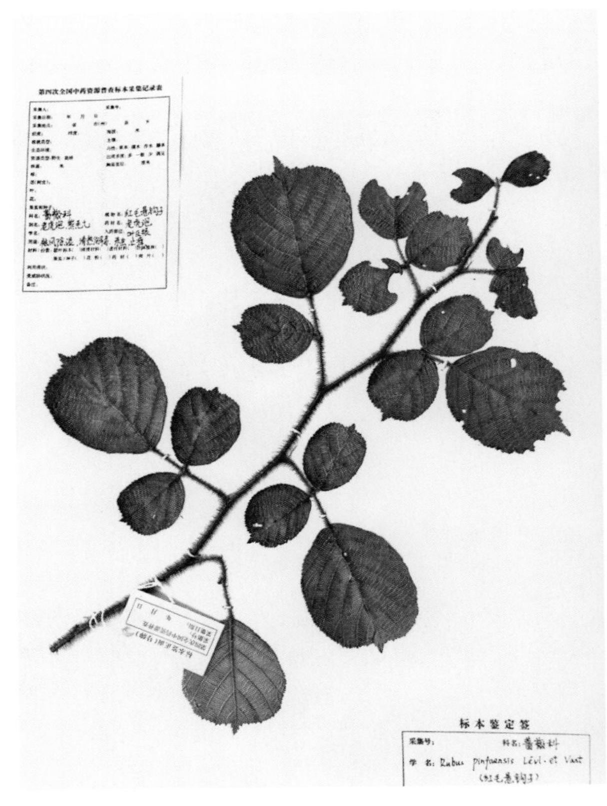

蔷薇科 Rosaceae 悬钩子属 *Rubus*

针刺悬钩子 *Rubus pungens* Camb.

| 药 材 名 | 针刺悬钩子。

| 形态特征 | 匍匐灌木，高达 3 m。枝圆柱形，幼时被柔毛，老时脱落，常具较稠密的直立针刺。小叶常 5 ~ 7，稀 3 或 9，卵形、三角状卵形或卵状披针形，长 2 ~ 5 cm，宽 1 ~ 3 cm，先端急尖至短渐尖，顶生小叶常渐尖，基部圆形至近心形，上面疏生柔毛，下面有柔毛或仅在脉上有柔毛，边缘具尖锐重锯齿或缺刻状重锯齿，顶生小叶常羽状分裂；叶柄长（2 ~ ）3 ~ 6 cm，顶生小叶柄长 0.5 ~ 1 cm，侧生小叶近无柄，与叶轴均有柔毛或近无毛，并有稀疏小刺和腺毛；托叶小，线形，有柔毛。花单生或 2 ~ 4 花成伞房状花序，顶生或腋生；花梗长 2 ~ 3 cm，有柔毛和小针刺，或有疏腺毛；花直径 1 ~ 2 cm；

花萼外面具柔毛和腺毛，密被直立针刺；萼筒半球形；萼片披针形或三角状披针形，长达 1.5 cm，先端长渐尖，在花果期均直立，稀反折；花瓣长圆形、倒卵形或近圆形，白色，基部具爪，比萼片短；雄蕊多数，直立，长短不等，花丝近基部稍宽扁；雌蕊多数，花柱无毛或基部具疏柔毛，子房有柔毛或近无毛。果实近球形，红色，直径 1 ~ 1.5 cm，具柔毛或近无毛；核卵球形，长 2 ~ 3 mm，有明显皱纹。花期 4 ~ 5 月，果期 7 ~ 8 月。

| 生境分布 | 生于海拔 2 200 ~ 3 100 m 的山坡林下、林缘或河边。湖北有分布。

| 采收加工 | **根**：秋季采挖，洗净，晒干。

| 功能主治 | 清热解毒，活血止痛。用于腰痛，带下，瘰疬，黄水疮。

蔷薇科 Rosaceae 悬钩子属 *Rubus*

空心泡 *Rubus rosifolius* Sm.

| 药 材 名 | 倒触伞。

| 形态特征 | 直立或攀缘灌木，高 2 ~ 3 m。小枝圆柱形，具柔毛或近无毛，常有浅黄色腺点，疏生较直立皮刺。小叶 5 ~ 7，卵状披针形或披针形，长 3 ~ 5（~ 7）cm，宽 1.5 ~ 2 cm，先端渐尖，基部圆形，两面疏生柔毛，老时几无毛，有浅黄色发亮的腺点，下面沿中脉有稀疏小皮刺，边缘有尖锐缺刻状重锯齿；叶柄长 2 ~ 3 cm，顶生小叶柄长 0.8 ~ 1.5 cm，和叶轴均有柔毛和小皮刺，有时近无毛，被浅黄色腺点；托叶卵状披针形或披针形，具柔毛；花常 1 ~ 2，顶生或腋生；花梗长 2 ~ 3.5 cm，有较稀或较密柔毛，疏生小皮刺，有时被腺点；花直径 2 ~ 3 cm；花萼外面被柔毛和腺点；萼片披针形或

卵状披针形，先端长尾尖，花后常反折；花瓣长圆形、长倒卵形或近圆形，长 1 ~ 1.5 cm，宽 0.8 ~ 1 cm，白色，基部具爪，长于萼片，外面有短柔毛，逐渐脱落；花丝较宽；雌蕊很多，花柱和子房无毛；花托具短柄。果实卵球形或长圆状卵圆形，长 1 ~ 1.5 cm，红色，有光泽，无毛；核有深窝孔。花期 3 ~ 5 月，果期 6 ~ 7 月。

| 生境分布 | 生于海拔 2 000 m 的山地杂木林背阴处、草坡或高山腐殖质土壤上。湖北有分布。

| 采收加工 | **嫩枝、叶：**夏、秋季采收，鲜用或晒干。

根：秋、冬季采挖，洗净，晒干。

| 功能主治 | **嫩枝、叶：**清热止咳，止血，祛风湿。用于痢疾，月经不调，月经过多，呕吐，小儿咳嗽，烫伤。

根：清热解毒，活血止痛，止带，止汗，止咳，止痢。用于倒经，咳嗽痰喘，盗汗，脱肛，赤白痢，小儿顿咳。

蔷薇科 Rosaceae 悬钩子属 *Rubus*

川莓 *Rubus setchuenensis* Bur. et Franch.

| 药 材 名 | 川莓。

| 形态特征 | 落叶灌木，高 2 ~ 3 m。小枝呈圆柱形，密被淡黄色绒毛状柔毛，老时脱落，无刺。单叶近圆形或宽卵形，直径 7 ~ 15 cm，先端圆钝或近截形，基部心形，上面粗糙，无毛或仅沿叶脉稍具柔毛，下面密被灰白色绒毛，有时绒毛逐渐脱落，叶脉凸起，基部具掌状五出脉，侧脉 2 ~ 3 对，边缘 5 ~ 7 浅裂，裂片圆钝或急尖，并再浅裂，有不整齐浅钝锯齿；叶柄长 5 ~ 7 cm，具浅黄色绒毛状柔毛，常无刺；托叶离生，卵状披针形，先端条裂，早落。花排成狭圆锥花序，顶生或腋生，或少数花簇生于叶腋；总花梗和花梗均密被浅黄色绒毛状柔毛；花梗长约 1 cm；苞片与托叶相似；花直径 1 ~ 1.5 cm；

花萼外密被浅黄色绒毛和柔毛；萼片卵状披针形，先端尾尖，全缘或外萼片先端浅条裂，在果期直立，稀反折；花瓣倒卵形或近圆形，紫红色，基部具爪，比萼片短很多；雄蕊较短，花丝线形；雌蕊无毛，花柱比雄蕊长。果实半球形，直径约 1 cm，黑色，无毛，常包藏在宿萼内；核较光滑。花期 7 ~ 8 月，果期 9 ~ 10 月。

| **生境分布** | 生于海拔 500 ~ 3 000 m 的山坡、路旁、林缘或灌丛中。湖北有分布。

| **功能主治** | 祛风除湿，止呕，活血。用于劳伤吐血，月经不调，口有腥气，瘰疬，痘后目翳，狂犬咬伤等。

蔷薇科 Rosaceae 悬钩子属 *Rubus*

刺毛白叶莓 *Rubus spinulosoides* F. P. Metcalf

| 药 材 名 | 刺毛白叶莓。

| 形态特征 | 灌木。枝褐色，小枝具带黄色长柔毛和浅红色腺毛，疏生钩状皮刺。小叶通常 3，卵形、椭圆形或菱状椭圆形，长 4 ~ 10 cm，宽 2 ~ 6 cm，先端急尖，基部宽楔形至圆形，上面疏生平贴柔毛，下面密被灰色或黄灰色绒毛，边缘有不整齐粗钝锯齿，顶生小叶有时浅裂；叶柄长 5 ~ 9 cm，顶生小叶柄长 2 ~ 3.5 cm，侧生小叶近无柄，均被长柔毛，稀疏小刺和短腺毛；托叶线形，密被长柔毛。大型圆锥花序顶生，侧生花序近总状；总花梗和花梗均被长柔毛、紫红色短腺毛和稀疏针状刺；花梗长 1.5 ~ 2.5 cm；苞片线形，具柔毛；花直径约 1 cm；花萼外面被长柔毛、紫红色腺毛和疏针刺；萼片披针形或

卵状披针形，长 1 ~ 1.5 cm，先端尾尖，外面边缘具灰白色绒毛，在花果期直立开展；花瓣粉红色，近圆形，边缘缺刻状，基部有短爪；雄蕊多数，直立，花丝近基部宽扁；雌蕊较多，子房有柔毛。果实近球形，直径约 1 cm，红色，成熟时无毛；核具明显皱纹和洼穴。

| 生境分布 | 生于海拔 850 m 的山顶杂木林中。分布于湖北宜昌及恩施等。

| 资源情况 | 野生资源一般，栽培资源稀少。药材来源于野生。

| 功能主治 | **根：**止咳平喘。用于小儿风寒咳逆，气喘。

蔷薇科 Rosaceae 悬钩子属 *Rubus*

红腺悬钩子 *Rubus sumatranus* Miq.

| 药材名 | 牛奶莓。

| 形态特征 | 直立或攀缘灌木。小枝、叶轴、叶柄、花梗和花序均被紫红色腺毛、柔毛和皮刺；腺毛长短不等，长者达 4 ~ 5 mm，短者 1 ~ 2 mm。小叶 5 ~ 7，稀 3，卵状披针形至披针形，长 3 ~ 8 cm，宽 1.5 ~ 3 cm，先端渐尖，基部圆形，两面疏生柔毛，沿中脉较密，下面沿中脉有小皮刺，边缘具不整齐的尖锐锯齿；叶柄长 3 ~ 5 cm，顶生小叶柄长达 1 cm；托叶披针形或线状披针形，有柔毛和腺毛。花 3 或数花成伞房状花序，稀单生；花梗长 2 ~ 3 cm；苞片披针形；花直径 1 ~ 2 cm；花萼被长短不等的腺毛和柔毛；萼片披针形，长 0.7 ~ 1 cm，宽 0.2 ~ 0.4 cm，先端长尾尖，在果期反折；花瓣长倒卵形

或匙状，白色，基部具爪；花丝线形；雌蕊可达 400，花柱和子房均无毛。果实长圆形，长 1.2 ～ 1.8 cm，橘红色，无毛。花期 4 ～ 6 月，果期 7 ～ 8 月。

| 生境分布 | 生于海拔 2 000 m 的山地、山谷疏密林、林缘、灌丛、竹林下及草丛中。分布于湖北恩施、神农架。

| 资源情况 | 野生资源一般，栽培资源稀少。药材来源于野生。

| 采收加工 | **根：**冬季采挖，洗净，晒干。

| 功能主治 | 清热，解毒，利尿。用于产后寒热腹痛，食欲不振，肿痛等。

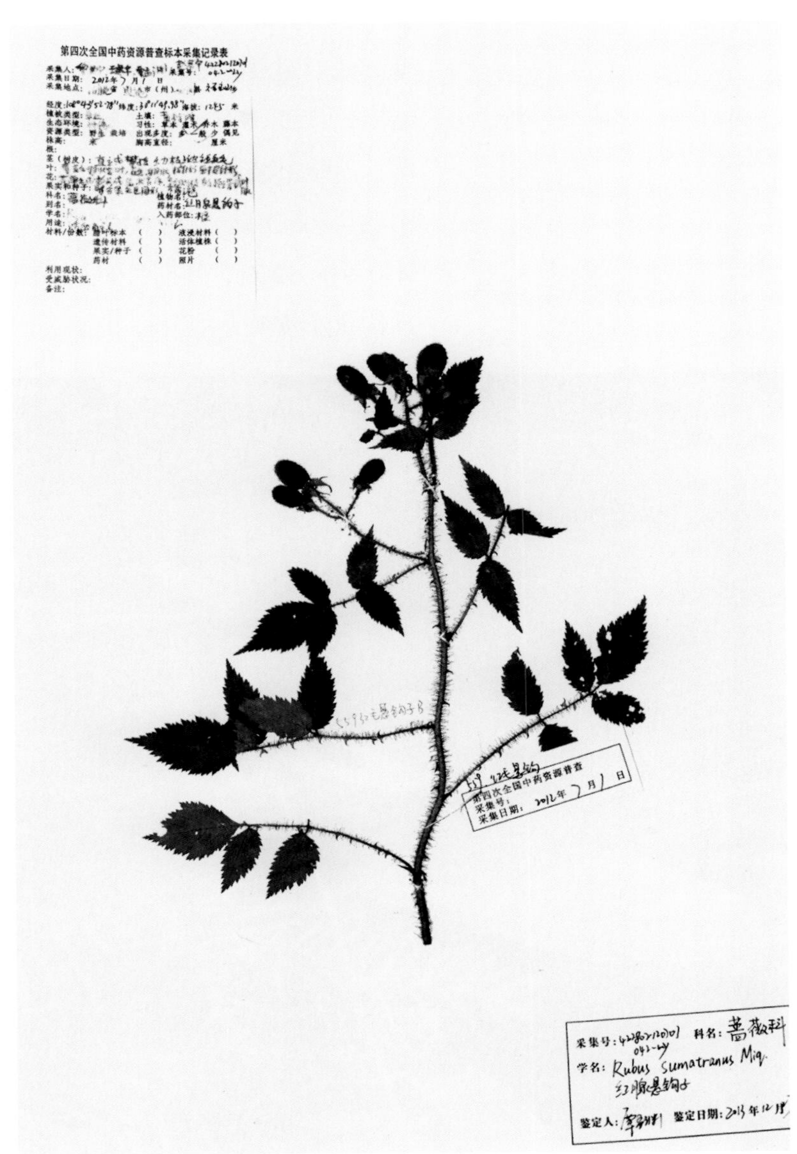

蔷薇科 Rosaceae 悬钩子属 *Rubus*

木莓 *Rubus swinhoei* Hance

| 药 材 名 | 木莓。

| 形态特征 | 落叶或半常绿灌木，高 1 ~ 4 m。茎细而圆，暗紫褐色，幼时具灰白色短绒毛，老时脱落，疏生微弯小皮刺。单叶，叶形变化较大，宽卵形至长圆状披针形，长 5 ~ 11 cm，宽 2.5 ~ 5 cm，先端渐尖，基部截形至浅心形，上面仅沿中脉有柔毛，下面密被灰色绒毛或近无毛，往往不育枝和老枝上的叶片下面密被灰色平贴绒毛，不脱落，而结果枝（或花枝）上的叶片下面仅沿叶脉有少许绒毛或完全无毛，主脉上疏生钩状小皮刺，边缘有不整齐粗锐锯齿，稀缺刻状，叶脉 9 ~ 12 对；叶柄长 5 ~ 10（~ 15）mm，被灰白色绒毛，有时具钩状小皮刺；托叶卵状披针形，稍有柔毛，长 5 ~ 8 mm，宽约

3 mm，全缘或先端有齿，膜质，早落。花常 5 ~ 6，成总状花序；总花梗、花梗和花萼均被长 1 ~ 3 mm 的紫褐色腺毛和稀疏针刺；花直径 1 ~ 1.5 cm；花梗细，长 1 ~ 3 cm，被绒毛状柔毛；苞片与托叶相似，有时具深裂锯齿；花萼被灰色绒毛；萼片卵形或三角状卵形，长 5 ~ 8 mm，先端急尖，全缘，在果期反折；花瓣白色，宽卵形或近圆形，有细短柔毛；雄蕊多数，花丝基部膨大，无毛；雌蕊多数，比雄蕊长很多，子房无毛。果实球形，直径 1 ~ 1.5 cm，由多数小核果组成，无毛，成熟时由绿紫红色转变为黑紫色，味酸、涩；核具明显皱纹。花期 5 ~ 6 月，果期 7 ~ 8 月。

| 生境分布 | 生于海拔 300 ~ 1 500 m 的山坡疏林、灌丛中、溪谷及杂木林下。分布于湖北宣恩、兴山，以及宜昌等。

| 资源情况 | 野生资源一般，栽培资源稀少。药材来源于野生。

| 采收加工 | **果实：**5 月上中旬果实八成熟时连花萼一起采收。

| 功能主治 | 补肝肾，缩小便，助阳，固精，明目。用于阳痿，遗精，溲数，遗溺，虚劳，目暗。

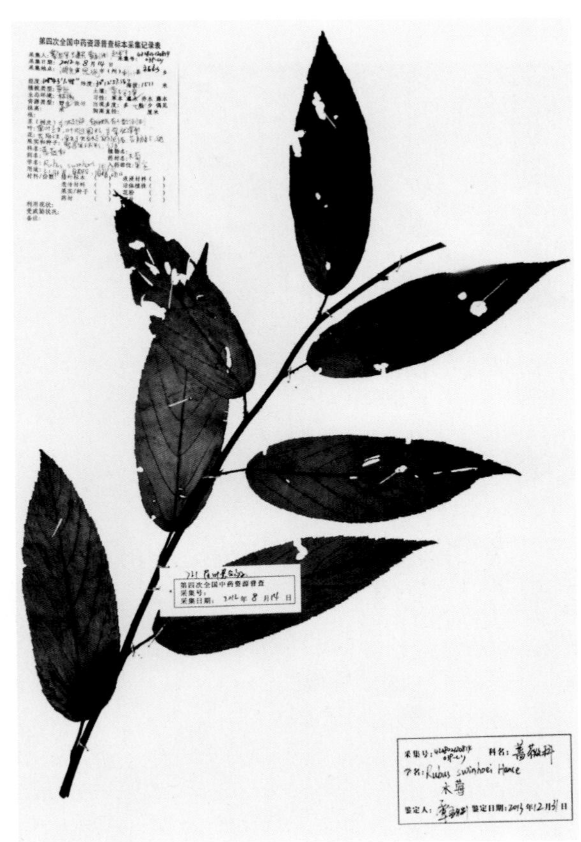

蔷薇科 Rosaceae 悬钩子属 *Rubus*

灰白毛莓 *Rubus tephrodes* Hance

| 药 材 名 | 灰白毛莓。

| 形态特征 | 攀缘灌木，高达 3 ~ 4 m。枝密被灰白色绒毛，疏生微弯皮刺，并具疏密及长短不等的刺毛和腺毛，老枝上刺毛较长。单叶，近圆形，长、宽均 5 ~ 8（~ 11）cm，先端急尖或圆钝，基部心形，上面有疏柔毛或疏腺毛，下面密被灰白色绒毛，侧脉 3 ~ 4 对，主脉上有时疏生刺毛和小皮刺，基部有掌状五出脉，边缘有明显 5 ~ 7 圆钝裂片和不整齐锯齿；叶柄长 1 ~ 3 cm，具绒毛，疏生小皮刺或刺毛及腺毛；托叶小，离生，脱落，深条裂或梳齿状深裂，有绒毛状柔毛。大型圆锥花序顶生；总花梗和花梗密被绒毛或绒毛状柔毛，通常仅总花梗的下部有稀疏刺毛或腺毛；花梗短，长仅达 1 cm；苞片与托

叶相似；花直径约 1 cm；花萼外面密被灰白色绒毛，通常无刺毛或腺毛；萼片卵形，先端急尖，全缘；花瓣小，白色，近圆形至长圆形，比萼片短；雄蕊多数，花丝基部稍膨大；雌蕊 30 ~ 50，无毛，长于雄蕊。果实球形，较大，直径达 1.4 cm，紫黑色，无毛，由多数小核果组成；核有皱纹。花期 6 ~ 8 月，果期 8 ~ 10 月。

| 生境分布 | 生于海拔 1 500 m 的山坡、路旁或灌丛中。分布于湖北江夏、崇阳、赤壁、英山、罗田等。

| 资源情况 | 野生资源一般，栽培资源稀少。药材来源于野生。

| 采收加工 | **根：**秋、冬季采挖，洗净，切片，干燥。

叶：夏、秋季采收，鲜用或晒干。

果实：冬季果实成熟时采收，晒干。

| 功能主治 | **根：**祛风通络，活血散瘀。用于经闭，腰痛，腹痛等。

叶：活血解毒。用于跌打损伤，牙疼等。

果实：补肾益精，缩尿。用于头晕目眩，多尿，阳痿，不育，须发早白等。

蔷薇科 Rosaceae 地榆属 *Sanguisorba*

地榆 *Sanguisorba officinalis* L.

| 药材名 | 地榆。

| 形态特征 | 多年生草本，高 30 ~ 120 cm。根粗壮，多呈纺锤形，稀圆柱形，表面棕褐色或紫褐色，有纵皱及横裂纹。茎直立，有棱，无毛或基部有稀疏腺毛。基生叶为羽状复叶，有小叶 4 ~ 6 对，叶柄无毛或基部有稀疏腺毛；小叶片有短柄，卵形或长圆状卵形，长 1 ~ 7 cm，宽 0.5 ~ 3 cm，先端圆钝，稀急尖，基部心形至浅心形，边缘有多数粗大圆钝、稀急尖的锯齿，两面绿色，无毛；茎生叶较少，小叶片有短柄至几无柄，长圆形至长圆状披针形，狭长，基部微心形至圆形，先端急尖；基生叶托叶膜质，褐色，外面无毛或被稀疏腺毛，茎生叶托叶大，草质，半卵形，外侧边缘有尖锐锯齿。穗状花序椭

圆形、圆柱形或卵球形，直立，通常长 1 ～ 3（～ 4）cm，宽 0.5 ～ 1 cm，从花序先端向下开放，花序梗光滑或偶有稀疏腺毛；苞片膜质，披针形，先端渐尖至尾尖，比萼片短或近等长，背面及边缘有柔毛；萼片 4，紫红色，椭圆形至宽卵形，背面被疏柔毛，中央微有纵棱脊，先端常具短尖头；雄蕊 4，花丝丝状，不扩大，与萼片近等长或较之稍短；子房外面无毛或基部微被毛，柱头先端扩大，盘形，边缘具流苏状乳头。果实包藏在宿存萼筒内，外面有斗棱。花果期 7 ～ 10 月。

| 生境分布 | 生于海拔 30 ～ 3 000 m 的草原、草甸、山坡草地、灌丛中、疏林下。分布于湖北鹤峰、五峰、巴东、神农架等。

| 资源情况 | 野生资源丰富，栽培资源较多。药材来源于野生和栽培。

| 采收加工 | 春季将发芽时或秋季植株枯萎后采挖，除去须根，洗净，干燥或趁鲜切片，干燥。

| 功能主治 | 凉血止血，解毒敛疮。用于便血，痔血，血痢，崩漏，烫火伤，痈肿疮毒。

蔷薇科 Rosaceae 地榆属 *Sanguisorba*

长叶地榆 *Sanguisorba officinalis* L. var. *longifolia* (Bertl) Yü et C. L. Li

| **药材名** | 地榆。

| **形态特征** | 多年生草本，高 30 ~ 120 cm。根粗壮，多呈纺锤形，稀圆柱形，表面棕褐色或紫褐色，有纵皱及横裂纹，横切面黄白色或紫红色，较平整。茎直立，有棱，无毛或基部有稀疏腺毛。基生叶小叶带状长圆形至带状披针形，基部微心形，圆形至宽楔形，茎生叶较多，与基生叶相似，但更长而狭窄；花穗长圆柱形，长 2 ~ 6 cm，直径通常 0.5 ~ 1 cm，雄蕊与萼片近等长。花果期 8 ~ 11 月。

| **生境分布** | 生于海拔 100 ~ 3 000 m 的山坡草地、溪边、灌丛中、湿草地及疏林中。分布于湖北鹤峰、恩施、五峰、巴东、神农架等。

| 资源情况 | 野生资源较丰富，栽培资源较少。药材来源于野生和栽培。

| 采收加工 | **根：**春季将发芽时或秋季植株枯萎后采挖，除去须根，洗净，干燥，或趁鲜切片，干燥。

| 功能主治 | 凉血止血，解毒敛疮。用于便血，痔血，血痢，崩漏，烫火伤，痈肿疮毒。

蔷薇科 Rosaceae 珍珠梅属 *Sorbaria*

高丛珍珠梅 *Sorbaria arborea* Schneid.

| 药 材 名 | 珍珠梅。

| 形态特征 | 落叶灌木，高达 6 m，枝条开展；小枝圆柱形，稍有棱角，幼时黄绿色，微被星状毛或柔毛，老时暗红褐色，无毛；冬芽卵形或近长圆形，先端圆钝，紫褐色，具数枚外露鳞片，外被绒毛。羽状复叶，小叶片 13 ~ 17，连叶柄长 20 ~ 32 cm，微被短柔毛或无毛；小叶片对生，相距 2.5 ~ 3.5 cm，披针形至长圆状披针形，长 4 ~ 9 cm，宽 1 ~ 3 cm，先端渐尖，基部宽楔形或圆形，边缘有重锯齿，上下两面无毛或下面微具星状绒毛，羽状网脉，侧脉 20 ~ 25 对，下面显著；小叶柄短或几无柄；托叶三角状卵形，长 8 ~ 10 cm，宽 4 ~ 5 mm，先端渐尖，基部宽楔形，两面无毛或近无毛。顶生大型

圆锥花序，分枝开展，直径 15 ~ 25 cm，长 20 ~ 30 cm，花梗长 2 ~ 3 mm，总花梗与花梗微具星状柔毛；苞片线状披针形至披针形，长 4 ~ 5 mm，微被短柔毛；花直径 6 ~ 7 mm；萼筒浅钟状，内外两面无毛，萼片长圆形至卵形，先端钝，稍短于萼筒；花瓣近圆形，先端钝，基部楔形，长 3 ~ 4 mm，白色；雄蕊 20 ~ 30，着生在花盘边缘，约较花瓣长 1.5 倍；心皮 5；无毛，花柱长不及雄蕊的 1/2。蓇葖果圆柱形，无毛，长约 3 mm，花柱在先端稍下方向外弯曲；萼片宿存，反折，果柄弯曲，果实下垂。花期 6 ~ 7 月，果期 9 ~ 10 月。

| 生境分布 | 生于海拔 2 500 ~ 3 100 m 的山坡林边、山溪沟边。分布于湖北建始、兴山、神农架等。

| 资源情况 | 野生资源较丰富，栽培资源稀少。药材来源于野生。

| 采收加工 | **茎皮、果穗：**春、秋季采收茎枝，可剥取外皮，晒干；9 ~ 10 月果穗成熟时采收，晒干。

| 功能主治 | 活血祛瘀，消肿止痛。用于跌打损伤，骨折，风湿痹痛。

蔷薇科 Rosaceae 珍珠梅属 *Sorbaria*

珍珠梅 *Sorbaria sorbifolia* (L.) A. Br.

| 药 材 名 | 八本条。

| 形态特征 | 灌木，高达 2 m。枝条开展；小枝圆柱形，稍屈曲，无毛或微被短柔毛，初时绿色，老时暗红褐色或暗黄褐色；冬芽卵形，先端圆钝，无毛或先端微被柔毛，紫褐色，具有数枚互生外露的鳞片。羽状复叶，小叶片 11 ～ 17，连叶柄长 13 ～ 23 cm，宽 10 ～ 13 cm，叶轴微被短柔毛；小叶片对生，相距 2 ～ 2.5 cm，披针形至卵状披针形，长 5 ～ 7 cm，宽 1.8 ～ 2.5 cm，先端渐尖，稀尾尖，基部近圆形或宽楔形，稀偏斜，边缘有尖锐重锯齿，上、下面无毛或近无毛，羽状网脉，具侧脉 12 ～ 16 对，在下面明显；小叶无柄或近无柄；托叶叶质，卵状披针形至三角状披针形，先端渐尖至急尖，边缘有不规则锯齿

或全缘，长 8 ~ 13 mm，宽 5 ~ 8 mm，外面微被短柔毛。顶生大型密集圆锥花序，分枝近直立，长 10 ~ 20 cm，直径 5 ~ 12 cm，总花梗和花梗被星状毛或短柔毛，果期逐渐脱落，近无毛；苞片卵状披针形至线状披针形，长 5 ~ 10 mm，宽 3 ~ 5 mm，先端长渐尖，全缘或有浅齿，上、下面微被柔毛，果期毛逐渐脱落；花梗长 5 ~ 8 mm；花直径 10 ~ 12 mm；萼筒钟状，外面基部微被短柔毛；萼片三角状卵形，先端钝或急尖，萼片约与萼筒等长；花瓣长圆形或倒卵形，长 5 ~ 7 mm，宽 3 ~ 5 mm，白色；雄蕊 40 ~ 50，约长于花瓣 1.5 ~ 2 倍，生在花盘边缘；心皮 5，无毛或稍具柔毛。蓇葖果长圆形，有顶生弯曲花柱，长约 3 mm，果柄直立；萼片宿存，反折，稀开展。花期 7 ~ 8 月，果期 9 月。

| 生境分布 | 生于海拔 250 ~ 1 500 m 的山坡疏林中。湖北有分布。

| 功能主治 | 活血祛瘀，消肿止痛。用于骨折，跌打损伤。

蔷薇科 Rosaceae 花楸属 *Sorbus*

水榆花楸 *Sorbus alnifolia* (Sieb. et Zucc.) K. Koch

| 药 材 名 |

水榆花楸。

| 形态特征 |

乔木，高达 20 m。小枝圆柱形，具灰白色皮孔，幼时微具柔毛，二年生枝暗红褐色，老枝暗灰褐色，无毛；冬芽卵形，先端急尖，外具数枚暗红褐色无毛鳞片。叶片卵形至椭圆状卵形，长 5 ~ 10 cm，宽 3 ~ 6 cm，先端短渐尖，基部宽楔形至圆形，边缘有不整齐的尖锐重锯齿，有时微浅裂，上下两面无毛或在下面的中脉和侧脉上微具短柔毛，侧脉 6 ~ 10（14）对，直达叶边齿尖；叶柄长 1.5 ~ 3 cm，无毛或微具稀疏柔毛。复伞房花序较疏松，具花 6 ~ 25，总花梗和花梗具稀疏柔毛；花梗长 6 ~ 12 mm；花直径 10 ~ 14（18）mm；萼筒钟状，外面无毛，内面近无毛；萼片三角形，先端急尖，外面无毛，内面密被白色绒毛；花瓣卵形或近圆形，长 5 ~ 7 mm，宽 3.5 ~ 6 mm，先端圆钝，白色；雄蕊 20，短于花瓣；花柱 2，基部或中部以下合生，光滑无毛，短于雄蕊。果实椭圆形或卵形，直径 7 ~ 10 mm，长 10 ~ 13 mm，红色或黄色，不具斑点或具极少数细小斑点，2 室，萼片脱落后果实先端残留圆斑。花期 5 月，果期 8 ~ 9 月。

| 生境分布 | 生于海拔 1 500 ~ 2 300 m 的山坡、山沟、山顶混交林或灌丛中。分布于湖北恩施、巴东、神农架、兴山等。

| 资源情况 | 野生资源较丰富，栽培资源较少。药材来源于野生和栽培。

| 采收加工 | **根皮、茎皮：**春、秋季采收，晒干。

果实：9 ~ 10 月果实成熟时采收，晒干。

| 功能主治 | **根皮、茎皮：**健胃补虚，消肿毒。用于疥疮。

果实：养血补虚，利尿。用于肾炎，膀胱炎，肝硬化腹水。

蔷薇科 Rosaceae 花楸属 *Sorbus*

美脉花楸 *Sorbus caloneura* (Stapf) Rehd.

| 药 材 名 | 梓白皮。

| 形态特征 | 乔木或灌木，高达 10 m。小枝圆柱形，具少数不显明皮孔，暗红褐色，幼时无毛；冬芽卵形，外面被数枚褐色鳞片，无毛。叶片长椭圆形、长椭圆状卵形至长椭圆状倒卵形，长 7 ~ 12 cm，宽 3 ~ 5.5 cm，先端渐尖，基部宽楔形至圆形，边缘有圆钝锯齿，上面常无毛，下面叶脉上有稀疏柔毛，侧脉 10 ~ 18 对，直达叶边齿尖；叶柄长 1 ~ 2 cm，无毛。复伞房花序有多花，总花梗和花梗被稀疏黄色柔毛；花梗长 5 ~ 8 mm；花直径 6 ~ 10 mm；萼筒钟状，外面具稀疏柔毛，内面无毛；萼片三角状卵形，先端急尖，外面被稀疏柔毛，内面近无毛；花瓣宽卵形，长 3 ~ 4 mm，宽几与长相等，

先端圆钝，白色；雄蕊 20，稍短于花瓣；花柱 4 ～ 5，中部以下部分合生，无毛，短于雄蕊。果实球形，稀倒卵形，直径约 1 cm，长 1 ～ 1.4 cm，褐色，外被显著斑点，4 ～ 5 室，萼片脱落后残留圆斑。花期 4 月，果期 8 ～ 10 月。

| 生境分布 | 生于海拔 600 ～ 2 100 m 的杂木林内、河谷地或山地。分布于湖北来凤、咸丰、宣恩、利川、鹤峰、长阳、巴东、神农架、兴山等。

| 资源情况 | 野生资源丰富，栽培资源较少。药材来源于野生和栽培。

| 采收加工 | **根皮：**春、秋季采收，晒干。

| 功能主治 | **根皮：**消肿毒。用于疥疮。

蔷薇科 Rosaceae 花楸属 *Sorbus*

石灰花楸 *Sorbus folgneri* (Schneid.) Rehd.

| 药 材 名 |

石灰树。

| 形态特征 |

乔木，高达 10 m。小枝呈圆柱形，具少数皮孔，黑褐色，幼时被白色绒毛；冬芽卵形，先端急尖，外具数枚褐色鳞片。叶片卵形至椭圆状卵形，长 5 ~ 8 cm，宽 2 ~ 3.5 cm，先端急尖或短渐尖，基部宽楔形或圆形，边缘有细锯齿或在新枝上的叶片有重锯齿和浅裂片，上面深绿色，无毛，下面密被白色绒毛，中脉和侧脉上也具绒毛，侧脉通常 8 ~ 15 对，直达叶边锯齿先端；叶柄长 5 ~ 15 mm，密被白色绒毛。复伞房花序具多花，总花梗和花梗均被白色绒毛；花梗长 5 ~ 8 mm；花直径 7 ~ 10 mm；萼筒钟状，外被白色绒毛，内面稍具绒毛；萼片三角状卵形，先端急尖，外面被绒毛，内面微有绒毛；花瓣卵形，长 3 ~ 4 mm，宽 3 ~ 3.5 mm，先端圆钝，白色；雄蕊 18 ~ 20，几与花瓣等长或较之稍长；花柱 2 ~ 3，近基部合生并有绒毛，短于雄蕊。果实椭圆形，直径 6 ~ 7 mm，长 9 ~ 13 mm，红色，近平滑或有极少数不明显的细小斑点，2 ~ 3 室，先端萼片脱落后留有圆穴。花期 4 ~ 5 月，果期 7 ~ 8 月。

| 生境分布 | 生于海拔 800 ~ 2 000 m 的山坡杂木林中。分布于湖北宣恩、咸丰、利川、鹤峰、建始、巴东、神农架、秭归、兴山、通山、崇阳等。

| 资源情况 | 野生资源丰富，栽培资源较少。药材来源于野生和栽培。

| 采收加工 | 秋季采茎枝，切段，晒干。

| 功能主治 | 祛风除湿，通经活络。用于风湿痹痛，周身麻木。

蔷薇科 Rosaceae 花楸属 *Sorbus*

湖北花楸 *Sorbus hupehensis* Schneid.

| 药 材 名 | 湖北花楸。

| 特征形态 | 乔木，高 5 ~ 10 m。小枝呈圆柱形，暗灰褐色，具少数皮孔，幼时微被白色绒毛，不久脱落；冬芽长卵形，先端急尖或短渐尖，外被数枚红褐色鳞片，无毛。奇数羽状复叶，连叶柄共长 10 ~ 15 cm，叶柄长 1.5 ~ 3.5 cm；小叶片 4 ~ 8 对，间隔 0.5 ~ 1.5 cm，基部和先端的小叶片较中部的小叶片稍长，长圆状披针形或卵状披针形，长 3 ~ 5 cm，宽 1 ~ 1.8 cm，先端急尖、圆钝或短渐尖，边缘有尖锐锯齿，近基部 1/3 或 1/2 几为全缘；上面无毛，下面沿中脉有白色绒毛，逐渐脱落无毛，侧脉 7 ~ 16 对，几乎直达叶边锯齿；叶轴上面有沟，初期被绒毛，以后脱落；托叶膜质，线状披针形，早落。

复伞房花序具多数花，总花梗和花梗无毛或被稀疏白色柔毛；花梗长 3 ~ 5 mm；花直径 5 ~ 7 mm；萼筒钟状，外面无毛，内面几无毛；萼片三角形，先端急尖，外面无毛，内面近先端微具柔毛；花瓣卵形，长 3 ~ 4 mm，宽约 3 mm，先端圆钝，白色；雄蕊 20，长约为花瓣的 1/3；花柱 4 ~ 5，基部有灰白色柔毛，稍短于雄蕊或几与雄蕊等长。果实球形，直径 5 ~ 8 mm，白色，有时带粉红色，先端具宿存闭合萼片。花期 5 ~ 7 月，果期 8 ~ 9 月。

| 生境分布 | 生于海拔 1 300 ~ 3 100 m 的高山阴坡或山沟密林内。分布于湖北巴东、神农架、兴山等。

| 资源情况 | 野生资源较丰富，栽培资源较少。药材来源于野生和栽培。

| 采收加工 | **叶**：夏、秋季采收，晒干。

| 功能主治 | **叶**：止痒，杀虫。用于皮肤瘙痒，风癣疥癞。

蔷薇科 Rosaceae 花楸属 *Sorbus*

毛序花楸 *Sorbus keissleri* (C. K. Schneid.) Rehder

| 药材名 | 梓白皮。

| 形态特征 | 乔木或灌木，高达 15 m。小枝圆柱形，嫩时具白色绒毛，不久脱落；二年生枝黑褐色，具显著皮孔；冬芽卵形，先端稍急尖，外有数枚暗褐色鳞片，无毛。叶片倒卵形或长圆状倒卵形，长 5 ~ 9 cm，宽 2.5 ~ 5 cm，先端短渐尖，基部楔形，边缘有圆钝细锯齿，近基部全缘，上下两面均有绒毛，不久脱落，或仅在下面主脉上残存稀疏绒毛，侧脉 8 ~ 10 对，在叶边缘分枝成网状；叶柄长不到 5 mm，幼时具灰白色绒毛，以后逐渐脱落。复伞房花序有多数密集花朵，总花梗和花梗密被灰白色绒毛；花梗长 2 ~ 5 mm；萼筒钟状，外面微具绒毛，内面无毛；萼片三角状卵形，先端稍圆钝，内外两面

无毛；花瓣卵形或近圆形，长约 3 mm，宽几与长相等，先端圆钝，白色；雄蕊 20，几与花瓣等长；花柱 2 ~ 3，通常 3，中部以下合生，光滑无毛，稍短于雄蕊。果实卵形，直径约 1 cm，外面有少数不显著的细小斑点，2 ~ 3 室，先端萼片脱落后残留圆穴。花期 5 ~ 6 月，果期 8 ~ 9 月。

| 生境分布 | 生于海拔 1 300 ~ 2 100 m 的山谷、山坡或多石坡地疏密林中。分布于湖北宣恩、鹤峰、利川、建始、恩施、五峰、巴东、神农架、兴山等。

| 资源情况 | 野生资源丰富，栽培资源较少。药材来源于野生和栽培。

| 采收加工 | **根皮：**春、秋季采收，晒干。

| 功能主治 | **根皮：**消肿毒。用于疥疮。

蔷薇科 Rosaceae 花楸属 *Sorbus*

陕甘花楸 *Sorbus koehneana* Schneid.

| 药 材 名 | 陕甘花楸。

| 形态特征 | 灌木或小乔木，高达 4 m。小枝圆柱形，暗灰色或黑灰色，具少数不明显皮孔，无毛；冬芽长卵形，先端急尖或稍钝，外被数枚红褐色鳞片，无毛或仅先端有褐色柔毛。奇数羽状复叶，连叶柄共长 10 ~ 16 cm，叶柄长 1 ~ 2 cm；小叶片 8 ~ 12 对，间隔 7 ~ 12 mm，长圆形至长圆状披针形，长 1.5 ~ 3 cm，宽 0.5 ~ 1 cm，先端圆钝或急尖，基部偏斜圆形，边缘每侧有尖锐锯齿 10 ~ 14，全部有锯齿或仅基部全缘，上面无毛，下面灰绿色，仅在中脉上有稀疏柔毛或近无毛，不具乳头状突起；叶轴两面微具窄翅，有极稀疏柔毛或近无毛，上面有浅沟；托叶草质，少数近膜质，披针形，有锯齿，

早落。复伞房花序多生在侧生短枝上，具多数花，总花梗和花梗有稀疏白色柔毛；花梗长 1 ～ 2 mm；萼筒钟状，内、外面均无毛；萼片三角形，先端圆钝，外面无毛，内面微具柔毛；花瓣宽卵形，长 4 ～ 6 mm，宽 3 ～ 4 mm，先端圆钝，白色，内面微具柔毛或近无毛；雄蕊 20，长约为花瓣的 1/3；花柱 5，几与雄蕊等长，基部微具柔毛或无毛。果实球形，直径 6 ～ 8 mm，白色，先端具宿存闭合萼片。花期 6 月，果期 9 月。

| 生境分布 | 生于海拔 1 800 ～ 2 600 m 的向阳山坡上。分布于湖北巴东、神农架、房县等。

| 功能主治 | 消食健胃。用于肢体疲乏。

蔷薇科 Rosaceae 花楸属 *Sorbus*

大果花楸 *Sorbus megalocarpa* Rehd.

| 药 材 名 | 大果花楸。

| 形态特征 | 灌木或小乔木，高 5 ~ 8 m，有时附生在其他乔木枝干上面。小枝粗壮，圆柱形，具明显皮孔，幼嫩时微被短柔毛，老时毛脱落，黑褐色；冬芽膨大，卵形，先端稍钝，外被多数棕褐色鳞片，无毛。叶片椭圆状倒卵形或倒卵状长椭圆形，长 10 ~ 18 cm，宽 5 ~ 9 cm，先端渐尖，基部楔形或近圆形，边缘有浅裂片和圆钝细锯齿，上下两面均无毛，有时下面脉腋间有少数柔毛，侧脉 14 ~ 20 对，直达叶边锯齿尖端，在上面微下陷，在下面凸起；叶柄长 1 ~ 1.8 cm，无毛。复伞房花序具多花，总花梗和花梗被短柔毛；花梗长 5 ~ 8 mm；花直径 5 ~ 8 mm；萼筒钟状，外面被短柔毛，内面近无毛；

萼片宽三角形，先端急尖，外面微具短柔毛，内面无毛；花瓣宽卵形至近圆形，长约 3 mm，宽几与长相等，先端圆钝；雄蕊 20，约与花瓣等长；花柱 3 ~ 4，基部合生，与雄蕊等长，无毛。果实卵球形或扁圆形，直径 1 ~ 1.5 cm，有时达 2 cm，长 2 ~ 3.5 cm，暗褐色，密被锈色斑点，3 ~ 4 室，萼片残存在果实先端呈短筒状。花期 4 月，果期 7 ~ 8 月。

| 生境分布 | 生于海拔 1 400 ~ 2 050 m 的山谷、沟边或岩石坡地。分布于湖北鹤峰、恩施等。

| 资源情况 | 野生资源一般，栽培资源较少。药材来源于野生和栽培。

| 采收加工 | **根：** 春、秋季采挖，洗净，晒干。
果实： 8 ~ 9 月果实成熟时采收，晒干。

| 功能主治 | 健脾，镇咳，祛痰。

蔷薇科 Rosaceae 花楸属 *Sorbus*

华西花楸 *Sorbus wilsoniana* Schneid.

| 药 材 名 | 华西花楸。

| 形态特征 | 乔木，高 5 ~ 10 m。小枝粗壮，圆柱形，暗灰色，有皮孔，无毛；冬芽长卵形，肥大，先端急尖，外被数枚红褐色鳞片，无毛或先端具柔毛。大型奇数羽状复叶，连叶柄长 20 ~ 25 cm；叶柄长 5 ~ 6 cm；小叶片 6 ~ 7 对，每对间隔 1.5 ~ 3 cm，先端和基部的小叶片常较中部的小叶片稍小，长圆状椭圆形或长圆状披针形，长 5 ~ 8.5 cm，宽 1.8 ~ 2.5 cm，边缘有细锯齿，基部近全缘，上下两面均无毛或仅下面沿中脉有短柔毛，侧脉 17 ~ 20 对，在边缘稍弯曲；托叶发达，草质，半圆形，有锐锯齿，有时开花后脱落。复伞房花序具多数密集的花，总花梗和花梗均被短柔毛；花直径

6 ~ 7 mm；花瓣卵形，长与宽均为 3 ~ 3.5 mm，先端圆钝，稀微凹，白色，内面无毛或微有柔毛。果实卵形，直径 5 ~ 8 mm，橘红色，先端有宿存的闭合萼片。花期 5 月，果期 9 月。

| 生境分布 | 生于海拔 1 300 ~ 2 000 m 的山地杂木林中。湖北有分布。

| 功能主治 | 利肺止咳，生津补脾。

蔷薇科 Rosaceae 绣线菊属 *Spiraea*

绣球绣线菊 *Spiraea blumei* G. Don

|药材名| 麻叶绣球。

|形态特征| 灌木，高达 1.5 m。枝条无毛。叶卵形至菱状卵形，长 1.5 ~ 3.5 cm，宽 1 ~ 3 cm，先端钝，基部宽楔形至圆形，边缘有缺刻状粗齿，有时 3 裂，侧脉在上面下凹，在下面稍隆起，下面蓝绿色，无毛；叶柄长 6 ~ 8 mm。花白色，排成多花的伞形花序；花梗长 10 ~ 15 mm，花直径 6 ~ 8 mm；萼片直立，狭三角形；花瓣圆状倒卵形，与雄蕊等长或较雄蕊稍长。蓇葖果无毛，花柱外弯。花期 5 ~ 6 月，果期 7 ~ 8 月。

| 生境分布 | 生于海拔 700 ~ 1 300 m 的山坡树林中或沟边。分布于湖北兴山、神农架、丹江口、房县。

| 资源情况 | 野生资源较少。

| 采收加工 | **根或根皮**：全年均可采挖，洗净，晒干。

| 功能主治 | 活血止痛，解毒祛湿。用于跌打损伤，瘀滞疼痛，咽喉肿痛，带下，疮毒，湿疹。

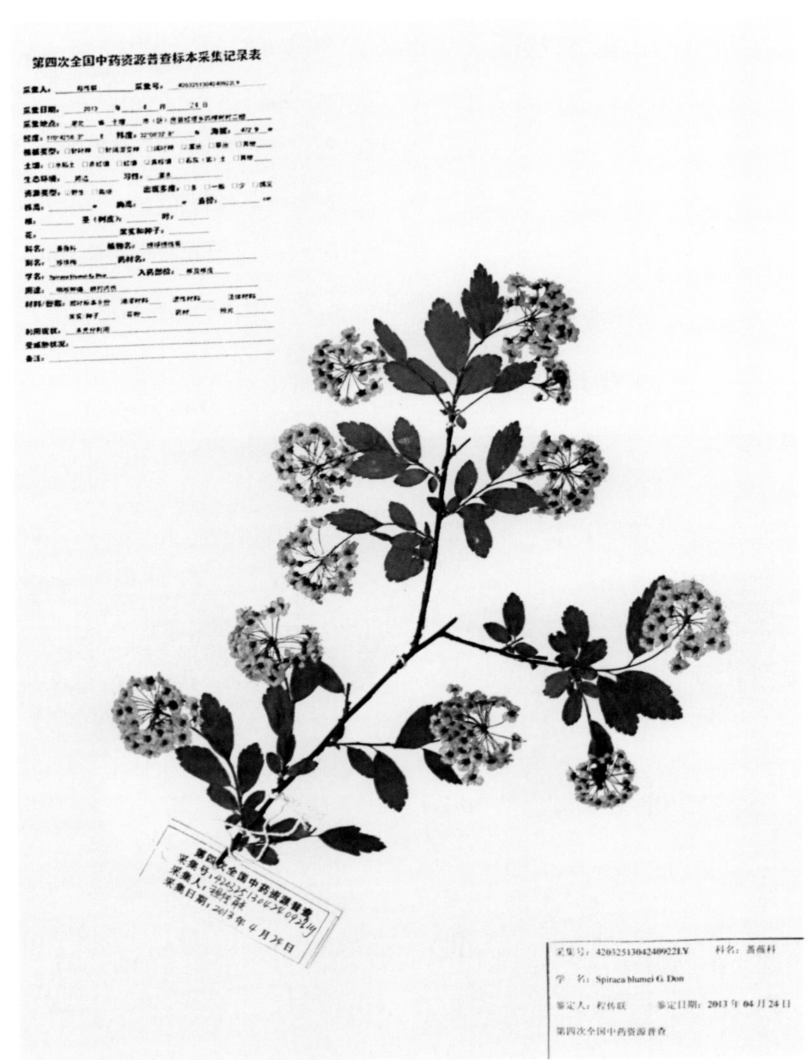

蔷薇科 Rosaceae 绣线菊属 *Spiraea*

麻叶绣线菊 *Spiraea cantoniensis* Lour.

| 药 材 名 | 麻叶绣线菊。

| 形态特征 | 灌木，高达 1.5 m。小枝无毛。叶菱状披针形至菱状长圆形，长 3 ~ 5 cm，宽 1.5 ~ 2 cm，先端急尖，基部楔形，边缘上半部有缺刻状锯齿，两面无毛，叶脉羽状；叶柄长 4 ~ 7 mm，无毛。伞形花序，有多数花；花梗长 8 ~ 14 mm，无毛；花白色，直径 5 ~ 7 mm；萼片三角形；花瓣近圆形或倒卵形；雄蕊稍短于花瓣。蓇葖果直立开张，无毛。花期 4 ~ 5 月，果期 7 ~ 9 月。

| 生境分布 | 栽培于庭园。湖北有栽培。

| 采收加工 | **全株：**全年均可采收，洗净泥土，鲜用。

| 功能主治 | 活血止痛。用于跌打损伤。

蔷薇科 Rosaceae 绣线菊属 *Spiraea*

中华绣线菊 *Spiraea chinensis* Maxim.

| 药 材 名 | 中华绣线菊。

| 形态特征 | 灌木，高达 1.5 m。枝条弯曲，幼时有黄色绒毛。叶菱状卵形或倒卵形，长 3 ～ 5 cm，宽 1.5 ～ 3.5 cm，先端急尖或圆形，基部圆形或宽楔形，边缘有缺刻状锯齿，有时 3 裂，叶上面深绿色，有微柔毛，下面有黄色柔毛；叶柄长 4 ～ 10 mm。花白色，直径 3 ～ 4 mm，排成多花的伞形花序，有柔毛；萼片卵状披针形。蓇葖果有柔毛，花柱稍外弯。花期 5 月。

| 生境分布 | 生于海拔 300 ～ 1 000 的山坡、路旁、林下。分布于湖北鹤峰、巴东、兴山、崇阳、江夏、罗田。

| 采收加工 | **根：**秋季采挖，洗净，晒干。

| 功能主治 | 清热解毒。用于咽喉肿痛。

蔷薇科 Rosaceae 绣线菊属 *Spiraea*

石蚕叶绣线菊 *Spiraea chamaedryfolia* L.

|药 材 名| 石蚕叶绣线菊。

|形态特征| 灌木，高 1 ~ 1.5 m。小枝细弱，稍有棱角，褐色，有时呈“之”字形弯曲，幼时无毛；冬芽长卵形，先端渐尖，具 2 外露鳞片。叶片宽卵形，长 2 ~ 4.5 cm，宽 1 ~ 3 cm，先端急尖，基部圆形或宽楔形，边缘有细锐单锯齿和重锯齿，不孕枝上的叶片有时具缺刻状重锯齿，下面脉腋簇生短柔毛；叶柄长 4 ~ 7 mm，无毛或具极稀疏柔毛。花序伞形总状，直径 2 ~ 2.5 cm，无毛，有花 5 ~ 12；花梗长 4 ~ 8 mm；苞片线形，无毛，早落；花直径 6 ~ 9 mm；花萼外面无毛，萼筒广钟状，内面具短柔毛；萼片卵状三角形，先端急尖，内面疏生短柔毛；花瓣宽卵形或近圆形，先端钝，长 2.5 ~ 3.5 mm，宽

2 ~ 3 mm，白色；雄蕊 35 ~ 50，长于花瓣；花盘为微波状圆环形；子房在腹部微具短柔毛，花柱短于雄蕊。蓇葖果直立，具伏生短柔毛，花柱直立在蓇葖果腹面先端，萼片常反折。花期 5 ~ 6 月，果期 7 ~ 9 月。

| 生境分布 | 生于山坡杂木林或针阔叶混交林中。湖北有分布。

| 功能主治 | 生津止咳，利水。用于咳嗽，哮喘，水肿等。

蔷薇科 Rosaceae 绣线菊属 *Spiraea*

翠蓝绣线菊 *Spiraea henryi* Hemsl.

| 药 材 名 |

翠蓝茶。

| 形态特征 |

灌木，高 1 ~ 3 m。枝条开展，小枝圆柱形，幼时被短柔毛，以后脱落近无毛；冬芽卵形，先端通常圆钝，稀急尖，有数枚外露鳞片，幼时棕褐色，被短柔毛。叶片椭圆形、椭圆状长圆形或倒卵状长圆形，长 2 ~ 7 cm，宽 0.8 ~ 2.3 cm，先端急尖或稍圆钝，基部楔形，有时具少数粗锯齿，有时全缘，上面深绿色，无毛或疏生柔毛，下面密生细长柔毛，沿叶脉毛较多；叶柄长 2 ~ 5 mm，有短柔毛。复伞房花序密集在侧生短枝先端，直径 4 ~ 6 cm，多花，具长柔毛；花梗长 5 ~ 8 mm；苞片披针形，上面有稀疏柔毛，下面毛较密；花直径 5 ~ 6 mm；萼筒钟状，内、外面均被细长柔毛；萼片卵状三角形，先端急尖，外面近无毛，内面被细长柔毛；花瓣宽倒卵形至近圆形，先端常微凹，稀圆钝，长 2 ~ 2.5 mm，宽 2 ~ 3 mm，白色；雄蕊 20，几与花瓣等长；花盘有 10 肥厚的圆球形裂片；子房具有细长柔毛，花柱短于雄蕊。蓇葖果开张，具细长柔毛，花柱顶生，稍向外倾斜开展，具直立萼片。花期4 ~ 5月，果期 7 ～ 8 月。

| **生境分布** | 生于海拔 1 500 ～ 2 800 m 的岩石坡地、山麓或山顶丛林中。湖北有分布。

| **功能主治** | 清热利湿，祛瘀止痛。用于跌打损伤，胸胀气痛，带下，湿疹。

蔷薇科 Rosaceae 绣线菊属 *Spiraea*

疏毛绣线菊 *Spiraea hirsuta* (Hemsl.) Schneid.

| **药 材 名** | 疏毛绣线菊。

| **形态特征** | 灌木，高 1.2 ～ 2 m。枝条黑褐色，无毛。叶椭圆形，长 1.5 ～ 4 cm，宽 1 ～ 2 cm，先端急尖而钝，基部宽楔形，边缘具缺刻状粗锯齿，上面近无毛，下面脉腋及下部脉上被毛；叶柄长 3 ～ 5 mm。伞形花序有多花，花梗及萼上密被柔毛，花梗长 7 ～ 18 mm；花直径 6 ～ 8 mm；萼片三角形或卵状三角形，急尖，两面均有短柔毛；花瓣宽倒卵形，少数近圆形，白色。蓇葖果无毛，花柱外弯。花期 5 月，果期 6 ～ 7 月。

| **生境分布** | 生于海拔 1 200 m 以下的山坡、山谷沟边灌丛中或岩石上。分布于

湖北来凤、宣恩、鹤峰、巴东、秭归、兴山、神农架、丹江口、崇阳，以及宜昌、咸宁。

| **采收加工** | **全株：**全年均可采收，洗净泥土，鲜用。

| **功能主治** | 散瘀止痛。用于跌打损伤。

蔷薇科 Rosaceae 绣线菊属 *Spiraea*

狭叶绣线菊 *Spiraea japonica* L. f. var. *acuminata* Franch

| **药 材 名** | 吹火筒。

| **形态特征** | 叶片长卵形至披针形，先端渐尖，基部楔形，长 3.5 ~ 8 cm，边缘有尖锐重锯齿，下面沿叶脉有短柔毛。复伞房花序直径 10 ~ 14 cm，有时达 18 cm，花粉红色。

| **生境分布** | 生于海拔 800 ~ 2 350 m 的山坡林下或沟边灌丛中。分布于湖北宣恩、咸丰、建始、巴东、秭归、长阳、兴山、神农架、房县、竹溪、保康、黄陂、英山、罗田、麻城，以及十堰、随州。

| **采收加工** | **根**：7 ~ 8 月采挖，除去泥土，洗净，晒干。

| **功能主治** | 清热解毒，活血调经，通利二便。用于流行性感冒，发热，月经不调，便秘腹胀，小便不利。

蔷薇科 Rosaceae 绣线菊属 *Spiraea*

光叶绣线菊 *Spiraea japonica* L. f. var. *fortunei* (Planchon) Rehd.

| 药 材 名 | 光叶绣线菊。

| 形态特征 | 植株较高大，叶片长圆状披针形，先端短渐尖，基部楔形，边缘具尖锐重锯齿，长 5 ~ 10 cm，上面有皱纹，两面无毛，下面有白霜。

复伞房花序直径 4 ～ 8 cm，花粉红色，花盘不发达。

| 生境分布 | 生于海拔 700 ～ 2 400 m 的林下或山沟灌丛中。分布于湖北来凤、咸丰、宣恩、鹤峰、恩施、五峰、巴东、兴山、神农架、房县、赤壁、黄陂，以及咸宁。

| 采收加工 | **根：**7 ～ 8 月采挖，除去泥土，洗净，晒干。

| 功能主治 | 祛风清热，明目退翳。用于咳嗽，疼痛，牙痛，目赤翳障。

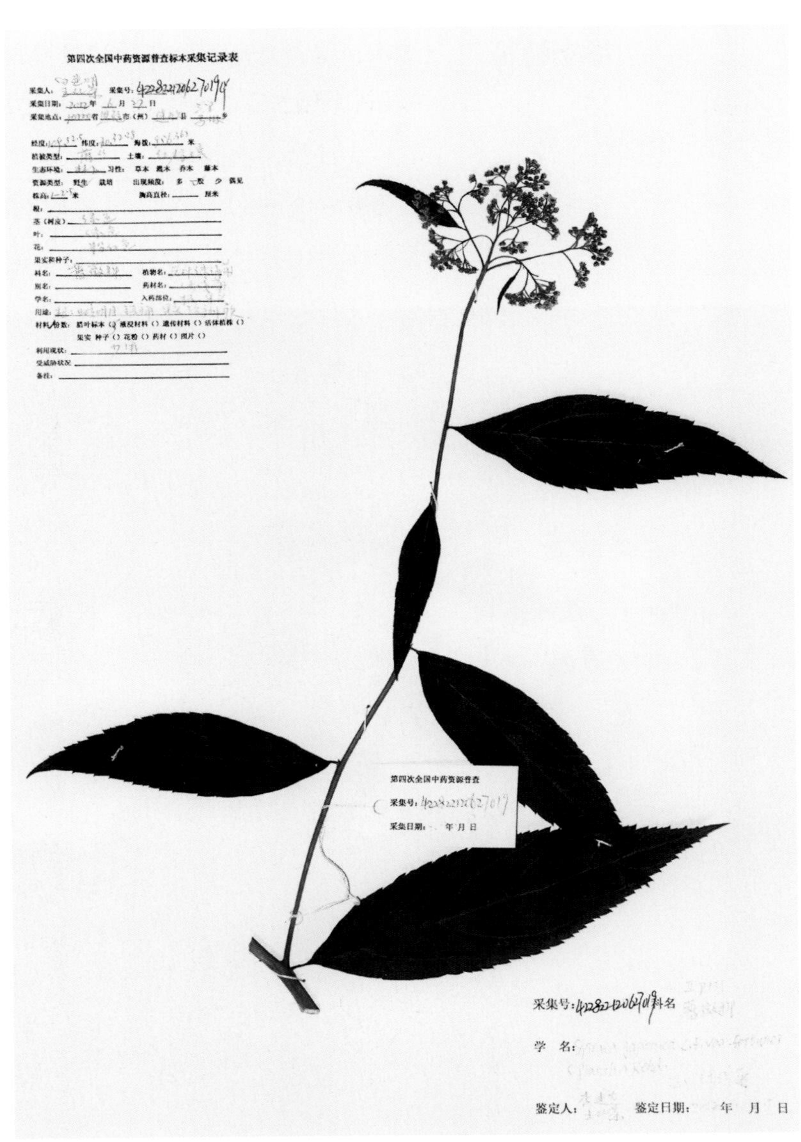

蔷薇科 Rosaceae 绣线菊属 *Spiraea*

土庄绣线菊 *Spiraea pubescens* Turcz.

| 药 材 名 | 土庄绣线菊。

| 形态特征 | 灌木，高达 2 m。小枝幼时被柔毛。叶菱状卵形至椭圆形，长 3 ~ 4 cm，宽 1.5 ~ 2 cm，先端急尖，基部宽楔形，边缘有缺刻状锯齿，有时 3 浅裂，上面有柔毛，下面有灰色绒毛；叶柄长 2 ~ 3 mm。花直径 6 ~ 8 mm，无毛，排成多花的伞形花序；花瓣与雄蕊等长。蓇葖果无毛，萼片三角形，无毛。花期 5 月。

| 生境分布 | 生于海拔 800 ~ 1 280 m 的山沟林下。分布于湖北巴东、丹江口。

| 采收加工 | **茎及茎髓：**秋季采收，割取地上茎，截成段，趁鲜取出茎髓，理直，晒干。

| 功能主治 | 利尿消肿。用于水肿。

蔷薇科 Rosaceae 绣线菊属 *Spiraea*

绣线菊 *Spiraea salicifolia* L.

| 药 材 名 | 空心柳。

| 形态特征 | 直立灌木，高 1 ~ 2 m。枝条密集，小枝稍有棱角，黄褐色，嫩枝具短柔毛，老时毛脱落；冬芽卵形或长圆状卵形，先端急尖，有

数个褐色外露鳞片，外面被稀疏细短柔毛。叶片长圆状披针形至披针形，长 4 ~ 8 cm，宽 1 ~ 2.5 cm，先端急尖或渐尖，基部楔形，边缘密生锐锯齿，有时为重锯齿，两面无毛；叶柄长 1 ~ 4 mm，无毛。花序为长圆形或金字塔形的圆锥花序，长 6 ~ 13 cm，直径 3 ~ 5 cm，被细短柔毛，花密集；花梗长 4 ~ 7 mm；苞片披针形至线状披针形，全缘或有少数锯齿，微被细短柔毛；花直径 5 ~ 7 mm；萼筒钟状；萼片三角形，内面微被短柔毛；花瓣卵形，先端通常圆钝，长 2 ~ 3 mm，宽 2 ~ 2.5 mm，粉红色；雄蕊 50，约长于花瓣 2 倍；花盘圆环形，裂片呈细圆锯齿状；子房有稀疏短柔毛，花柱短于雄蕊。蓇葖果直立，无毛或沿腹缝有短柔毛，花柱顶生，倾斜开展，常具反折萼片。花期 6 ~ 8 月，果期 8 ~ 9 月。

| 生境分布 | 生于海拔 200 ~ 900 m 的河流沿岸、湿草地、空旷地和山沟中。湖北有分布。

| 采收加工 | **全株**：夏、秋季采收，洗净，切碎，晒干。

根：秋季采挖，洗净，晒干。

| 功能主治 | 活血调经，利水通便，化痰止咳。用于跌打损伤，关节酸痛，闭经，痛经，小便不利，大便秘结，咳嗽痰多。

蔷薇科 Rosaceae 绣线菊属 *Spiraea*

三裂绣线菊 *Spiraea trilobata* L.

| 药 材 名 | 三裂绣线菊。

| 形态特征 | 灌木。高 1 ~ 2 m。小枝细瘦，开展，稍呈“之”字形弯曲。叶片近圆形，先端钝，常 3 裂，基部圆形、楔形或亚心形，边缘自中部以上有少数圆钝的锯齿，两面无毛，下面色较浅，基部具显著的 3 ~ 5 脉。伞形花序具总花梗，有花 15 ~ 30；花梗长 8 ~ 13 mm；苞片线形或倒披针形，上部深裂成细裂片；花直径 6 ~ 8 mm；萼筒钟状，外面无毛，内面有灰白色短柔毛；萼片三角形，先端急尖，内面具稀疏短柔毛；花瓣宽倒卵形，先端常微凹，长、宽各 2.5 ~ 4 mm；雄蕊 18 ~ 20，比花瓣短；花盘约有 10 大小不等的裂片，裂片先端微凹，排列成圆环形；子房被短柔毛，花柱比雄蕊短。蓇葖果张开，

仅沿腹缝微具短柔毛或无毛；花柱顶生稍倾斜，具直立萼片。花期 5 ~ 6 月，果期 7 ~ 8 月。

| **生境分布** | 生于海拔 1 500 m 左右的向阳山坡灌丛中。湖北有分布。

| **采收加工** | **叶**：春、夏季采收，鲜用或晒干。

果实：秋季采收，晒干。

| **功能主治** | 活血祛瘀，消肿止痛。用于火热内盛，咽喉肿痛，疮痈肿毒等。

蔷薇科 Rosaceae 小米空木属 *Stephanandra*

华空木 *Stephanandra chinensis* Hance

| 药 材 名 | 野珠兰。

| 形态特征 | 灌木，高达 1.5 m。小枝细弱，圆柱形，微具柔毛，红褐色；冬芽小，卵形，先端稍钝，红褐色，鳞片边缘微被柔毛。叶片卵形至长椭卵形，

长 5 ~ 7 cm，宽 2 ~ 3 cm，先端渐尖，稀尾尖，基部近心形、圆形，稀宽楔形，边缘常浅裂并有重锯齿，两面无毛或下面沿叶脉微具柔毛，侧脉 7 ~ 10 对，斜出；叶柄长 6 ~ 8 mm，近无毛；托叶线状披针形至椭圆状披针形，长 6 ~ 8 mm，先端渐尖，全缘或有锯齿，两面近无毛。顶生疏松的圆锥花序，长 5 ~ 8 cm，直径 2 ~ 3 cm；花梗长 3 ~ 6 mm，总花梗和花梗均无毛；苞片小，披针形至线状披针形；萼筒杯状，无毛；萼片三角状卵形，长约 2 mm，先端钝，有短尖，全缘；花瓣倒卵形，稀长圆形，长约 2 mm，先端钝，白色；雄蕊 10，着生在萼筒边缘，较花瓣短约 1/2；心皮 1，子房外被柔毛，花柱顶生，直立。蓇葖果近球形，直径约 2 mm，被稀疏柔毛，具宿存直立的萼片；种子 1，卵球形。花期 5 月，果期 7 ~ 8 月。

| **生境分布** | 生于海拔 1 000 ~ 1 500 m 的阔叶林边或灌丛中。分布于湖北来凤、宣恩、利川、丹江口、通山、通城、黄梅、英山、罗田，以及十堰、随州。

| **采收加工** | **根**：秋季采挖，洗净，切片，晒干。

| **功能主治** | 解毒利咽，止血调经。用于咽喉肿痛，血崩，月经不调。

蔷薇科 Rosaceae 红果树属 *Stranvaesia*

红果树 *Stranvaesia davidiana* Decne.

| 药 材 名 |

红果树。

| 形态特征 |

灌木或小乔木，高 1 ~ 10 m。枝条密集；小枝粗壮，圆柱形，幼时密被长柔毛，逐渐脱落，当年生枝条紫褐色，老枝灰褐色，有稀疏不明显皮孔；冬芽长卵形，先端短渐尖，红褐色，近无毛或在鳞片边缘有短柔毛。叶片长圆形、长圆状披针形或倒披针形，长 5 ~ 12 cm，宽 2 ~ 4.5 cm，先端急尖或突尖，基部楔形至宽楔形，全缘，上面中脉下陷，沿中脉被灰褐色柔毛，下面中脉凸起，侧脉 8 ~ 16 对，不明显，沿中脉有稀疏柔毛；叶柄长 1.2 ~ 2 cm，被柔毛，逐渐脱落；托叶膜质，钻形，长 5 ~ 6 mm，早落。复伞房花序，直径 5 ~ 9 cm，密具多花；总花梗和花梗均被柔毛，花梗短，长 2 ~ 4 mm；苞片与小苞片均膜质，卵状披针形，早落；花直径 5 ~ 10 mm；萼筒外面有稀疏柔毛；萼片三角状卵形，先端急尖，全缘，长 2 ~ 3 mm，长不及萼筒之半，外被少数柔毛；花瓣近圆形，直径约 4 mm，基部有短爪，白色；雄蕊 20，花药紫红色；花柱 5，大部分连合，柱头头状，比雄蕊稍短；子房先端被绒毛。果实近球形，橘红色，直径 7 ~ 8 mm；萼片宿存，直立；种子长椭圆形。花期 5 ~ 6 月，果期 9 ~ 10 月。

| 生境分布 | 生于海拔 1 000 ~ 3 000 m 的山坡、山顶、路旁及灌丛中。湖北有分布。

| 功能主治 | 清热化湿，化瘀止痛。